O PROPÓSITO E O PODER do Amor e do Casamento

MYLES MUNROE

O PROPÓSITO E O PODER *do Amor e do Casamento*

Conheça o propósito de Deus para o seu casamento

Diretor
Lester Bello

Autor
Myles Munroe

Título Original
The Purspose and Power of Love and Marriage

Tradução
Idiomas e Cia, por Elizabeth Jany

Revisão
Idiomas e Cia, por Ana Carla Lacerda

Design capa (Adaptação)
Fernando Rezende
Ronald Machado (Direção de arte)

Diagramação
Julio Fado
Ronald Machado (Direção de arte)

Impressão e Acabamento
Promove Artes Gráficas

Rua Cachangá, 466 - Guarani
Cep: 31.840-150 - Belo Horizonte
MG/Brasil - Tel.: (31) 3524-7700
contato@bellopublicacoes.com.br
www.bellopublicacoes.com.br

Publicado pela Bello Com. e Publicações
Ltda-ME com devida autorização de
FaithWords, New York, New York.

1ª Edição - Julho 2009
1ª Reimpressão - Julho 2015

M968 Munroe, Myles
O propósito e o poder do amor e do casamento / Myles Munroe; tradução de Idiomas e Cia. – Belo Horizonte: Bello Publicações, 2015.
312p.
Título original: The purpose and power of love marriage.
ISBN: 978-85-61721-34-3
1. Amor – Aspectos religiosos. 2. Casamento – Aspectos religiosos. I. Título.

CDD: 152.4
CDU: 177.61

Todas as citações bíblicas, salvo indicação contrária, foram extraídas da *Bíblia Sagrada, Nova Versão Internacional*, Editora Vida, 2000. Todos os direitos reservados. *As ênfases que aparecem em algumas transcrições das Escrituras foram inseridas pelo próprio autor.*

Publicação em acordo com as orientações do NOVO ACORDO ORTOGRÁFICO DA LÍNGUA PORTUGUESA, em vigor desde janeiro de 2009.

Dedicatória

À minha linda, fantástica, maravilhosa, sensível esposa, Ruth — seu apoio, respeito, compromisso, dedicação, paciência e orações por mim fizeram com que eu me tornasse um bom marido e pai. Obrigado por transformar os princípios deste livro em uma realidade prática. Agradeço a você por fazer com que nosso casamento seja tudo o que eu esperava que esta aventura de relações humanas fosse. Eu a amo.

À minha querida filha, Charisa e meu amado filho, Chairo. Que seus casamentos sejam construídos sobre princípios e preceitos inerentes à sabedoria das incontestáveis verdades da Palavra de Deus. Que este livro possa ser meu maior presente de casamento para vocês e seus filhos e que vocês adotem seus ensinamentos.

A meu pai e falecida mãe, Matthias and Louise Munroe. Seu casamento de mais de 50 anos foi um modelo da beleza e dos benefícios de um relacionamento edificado sobre o fundamento da Palavra de Deus. Agradeço-lhes por me ensinarem como amar minha esposa e filhos.

A todos os solteiros que desejam ter o casamento bem-sucedido que o Criador originalmente tinha em mente para nós. Que a sabedoria deste livro contribua para esse desejo.

A todos os casais que almejam melhorar seu casamento e aperfeiçoar seu relacionamento. Que vocês possam aplicar os princípios deste livro para ajudá-los a cumprir seus votos e experimentar o casamento que o Criador inicialmente desejava para a humanidade.

À fonte de toda sabedoria, conhecimento e compreensão, o Criador da instituição do casamento, meu Senhor e Redentor, Jeová-Shalom, o Deus da Paz, Jesus.

Índice

PARTE UM

Compreendendo o amor:
o casamento ainda é uma grande ideia

PARTE DOIS

Compreendendo o amor e os segredos do coração

PARTE TRÊS
Compreendendo o amor para uma vida inteira

Prefácio

A maior fonte de alegria e dor humana encontra-se no drama dos relacionamentos e do amor. O casamento sempre foi o contexto mais comum para este drama. Atualmente, muitos discutem a viabilidade e a validade do casamento e se perguntam abertamente se deveria continuar a ser considerado o alicerce do desenvolvimento social.

O aumento explosivo da taxa de divórcio acrescenta mais combustível ao medo, desesperança, desilusão e desespero que as pessoas sentem com relação ao casamento. Muitos são céticos e questionam suas chances de sucesso.

A situação é tão séria que alguns optaram por viver juntos sem qualquer contrato formal ou acordo legal, com a compreensão de que não há nenhum compromisso envolvido — sem laços conjugais. Essencialmente, estamos produzindo uma geração cujo apreço e respeito pela instituição do casamento está se desintegrando.

Muitas vítimas de casamentos fracassados e famílias divorciadas desenvolveram ressentimento e raiva reprimida, que se manifestam em uma transferência de geração para geração de relacionamentos rompidos e disfunção emocional. Em função do medo do fracasso, alguns têm afirmado claramente que não acreditam no casamento nem pretendem se casar. A cobertura negativa da imprensa dada às celebridades do entretenimento, esportes, política, e, infelizmente, da igreja, cujos casamentos também fracassaram vítimas do fim dos relacionamentos, não ajuda, ao contrário, serve apenas para desgastar ainda mais o respeito, a confiança e a alta posição que o casamento ocupava na estrutura social de nossas comunidades.

Para onde tudo está indo? Onde iremos parar? Será que a instituição do casamento sobreviverá ao violento ataque das reportagens negativas, histórias de horror e aos defensores de mudanças radicais na sociedade que promovem a ideia de que o casamento deixou de ter utilidade e valor para a sociedade humana?

Estou curioso: se acabarmos com a instituição tradicional do casamento, com o que a substituiremos? Que arranjo mais eficaz e eficiente poderíamos encontrar para assegurar o nível de comprometimento, lealdade, apoio, sentido de comunidade e amor necessários para atender às necessidades básicas do espírito humano; necessidades como amor, uma sensação de pertencimento, importância, segurança e respeito mútuo? Ao longo dos últimos seis mil anos nenhuma civilização ou cultura produziu um conceito melhor para o desenvolvimento social ordenado do que a tradicional instituição do casamento. Toda sociedade e cultura já reconheceu a necessidade e desejo instintivos de um arranjo formal para o desenvolvimento saudável das famílias.

Estou convicto de que não importa o quanto o homem possa ter avançado na ciência, tecnologia, sistemas e conhecimentos, nunca poderá melhorar os preceitos fundamentais do casamento como o alicerce do desenvolvimento social. Também tenho certeza absoluta *de que o casamento é uma ideia tão boa que somente Deus poderia tê-la concebido.*

Apesar de muitos casamentos fracassados, lares despedaçados, casos de divórcio e frutos desiludidos de relacionamentos falidos, o casamento ainda é uma boa ideia. De fato, é a melhor ideia.

PARTE UM

Compreendendo o amor: o casamento ainda é uma grande ideia

CAPÍTULO UM

O casamento é como uma pedra preciosa

Muitas pessoas estão confusas com o casamento nestes dias. Aos olhos de muitos indivíduos, a instituição do casamento tornou-se irrelevante, uma relíquia arcaica de um tempo mais simples e mais ingênuo. Questionam se o casamento ainda é uma boa ideia, particularmente na cultura mais "liberal" e "esclarecida" dos dias de hoje. Conceitos como honra, confiança, fidelidade e compromisso parecem ser ultrapassados e não ter sentido na sociedade moderna. Muitos mudam de parceiros com a mesma facilidade com que mudam de sapatos (e quase com a mesma frequência!).

Esta confusão com relação ao casamento não deveria nos surpreender, considerando a onda desconcertante de atitudes e filosofias mundanas que nos atinge a cada mudança. Todos os dias somos bombardeados por livros, revistas, filmes, seriados, programas no horário nobre e novelas de TV com imagens de mulheres traindo seus maridos e maridos traindo suas esposas. Mulheres e homens solteiros pulam nas camas uns dos outros com imensa rapidez, e da mesma forma saltam delas novamente para encontrar um próximo parceiro.

As pessoas atualmente passeiam pelos relacionamentos da mesma forma com que compram roupas. Elas "experimentam conforme o tamanho" e se não lhes serve simplesmente tentam alguma outra coisa. Quando encontram algo que lhes satisfaça, usam por um tempo até que a moda passe ou saia de estilo. Então, jogam fora ou penduram na parte de trás do armário e correm para substituir por outro.

Vivemos em uma sociedade "descartável" que perdeu em grande parte qualquer sentido real de permanência. É um mundo de expiração de datas de validade, vida limitada na prateleira e onde as coisas rapidamente se tornam ultrapassadas. Nada é absoluto. A verdade só existe aos olhos de quem vê e a moralidade é considerada artigo raro. Em um ambiente assim, não é de se admirar que as pessoas perguntem, "Não existe *algo* que dure? Não há *alguma coisa* da qual eu possa depender?"

Um dos principais sintomas de uma sociedade doente é quando apresentamos em nossos relacionamentos humanos a mesma atitude de descompromisso e impessoalidade que mostramos com relação aos itens inanimados e descartáveis que utilizamos na vida cotidiana.

Contudo, o casamento ainda é o mais profundo e íntimo de todos os relacionamentos humanos, ainda que esteja sob ataque. Mas ele ainda é viável na sociedade moderna? O casamento ainda é uma boa ideia?

O casamento é uma ideia de Deus

A resposta é *sim*. O casamento ainda *é* uma boa ideia, porque a ideia é de *Deus*. Ele o criou. Ele o projetou, estabeleceu-o e definiu seus parâmetros. Ao contrário de muitos pensamentos e ensinamentos contemporâneos, o casamento não é um conceito humano. A humanidade não gerou o casamento em algum lugar ao longo de uma linhagem como uma forma conveniente de lidar com os relacionamentos e as responsabilidades entre homens e mulheres ou com a gravidez e suas outras consequências. O casamento é de origem divina.

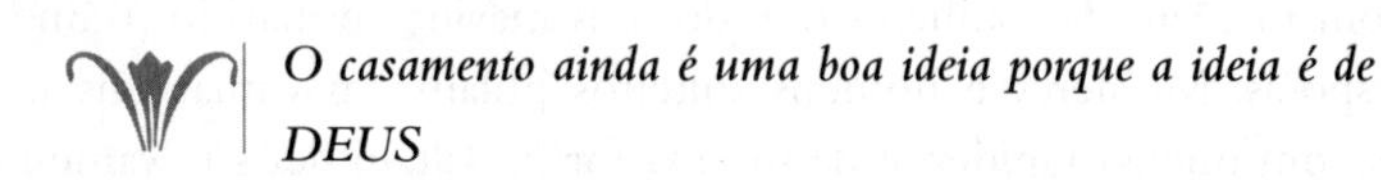
O casamento ainda é uma boa ideia porque a ideia é de DEUS

O próprio Deus estabeleceu e ordenou o casamento logo no começo da história da humanidade. O segundo capítulo de Gênesis descreve como Deus tirou uma costela do homem que criou e com ela formou uma mulher para que fosse uma "ajudadora idônea" para o homem

(Gênesis 2:18 e 21). Então, Deus uniu o homem e a mulher e confirmou seu relacionamento como marido e esposa, determinando, dessa forma, a instituição do casamento.

Desde o princípio, Deus estabeleceu o casamento como um relacionamento permanente, a união de duas pessoas separadas — um homem e uma mulher — em "uma só carne".

Quando Adão viu Eva, exclamou, "Esta, sim, é *osso dos meus ossos e carne da minha carne*! Ela será chamada mulher, porque do homem foi tirada" (Gênesis 2:23). O projeto de Deus para o casamento é encontrado no versículo seguinte: "Por essa razão, o homem deixará pai e mãe e se unirá à sua mulher, e eles se tornarão uma só carne" (Gênesis 2:24).

"Uma só carne" não é simplesmente "grudar" duas pessoas, mas uma "fusão" de dois elementos distintos em um. Se eu grudo duas peças de madeira, elas permanecem juntas, mas não se fundem. Continuam a ser duas peças de madeira e bastante calor ou pressão quebrará o seu vínculo. No mundo da química, elementos diferentes são ligados uns aos outros por aglutinações químicas que lhes permitem permanecer juntos de uma forma específica. Se essa aglutinação for rompida, esses elementos são liberados e seguirão para destinos distintos.

É diferente com a fusão. Quando dois elementos são fundidos em um eles se tornam inseparáveis. Uma força de grande magnitude pode *destruí-los*, mas nunca poderá *separá-los*. Um homem e uma mulher que se tornam "uma só carne" segundo o plano de Deus não podem se separar sem que sofram um grande dano ou até mesmo destruição. Seria como ter um braço ou uma perna arrancado de seus corpos.

Quando Deus ordenou que o homem e a mulher deveriam "se tornar uma só carne" tinha em mente um relacionamento permanente e perpétuo. Jesus, o grande mestre, tornou isto bastante claro durante sua discussão sobre divórcio com alguns fariseus. Os fariseus perguntaram a Jesus se era permitido ao homem se divorciar de sua mulher, ressaltando que Moisés havia tornado o divórcio lícito.

> *Respondeu Jesus: "Moisés escreveu essa lei por causa da dureza de coração de vocês. Mas no princípio da criação Deus 'os fez homem e mulher'. 'Por esta razão, o homem deixará pai e mãe e se unirá à sua mulher e os dois se tornarão uma só carne'. Assim, eles já não são dois, mas sim uma só carne. Portanto, o que Deus uniu, ninguém o separe"* (Marcos 10:5-9).

"Portanto, o que Deus uniu, ninguém o separe". Se o casamento fosse de origem humana, então, os seres humanos deveriam ter o direito de revogá-lo sempre que quisessem. Mas por ter sido Deus quem instituiu o casamento, somente Ele tem a autoridade para determinar seus padrões e estabelecer suas regras. Somente Ele possui autoridade para acabar com essa instituição. E Ele não fará isso, já que as Escrituras são claras: o casamento é uma instituição ordenada por Deus, envolvendo a união de um homem e uma mulher como "uma só carne" em um relacionamento para a vida inteira. Esta instituição durará o quanto a vida humana durar na terra. Somente na vida vindoura o casamento será dispensado.

O casamento é uma instituição fundamental

Outra importante verdade a respeito do casamento é que Deus o estabeleceu como o primeiro e mais fundamental elemento da sociedade humana. Enquanto a família é um fundamento básico de qualquer sociedade saudável, o casamento é o fundamento da família. É uma instituição fundamental que antecede todas as outras instituições. Antes de existirem nações e governos; antes de existirem igrejas, escolas ou negócios havia a família, e antes de sua existência, havia o casamento.

Enquanto a família é um fundamento básico de qualquer sociedade saudável, o casamento é o fundamento da família

O casamento é fundamental porque foi a partir desse relacionamento que Deus começou a construir a sociedade. Quando Deus uniu Adão e Eva no jardim, o casamento era a estrutura para o desenvolvimento de sua interação social enquanto cresciam juntos. Foi no contexto do casamento que eles aprenderam suas responsabilidades e compromissos um para com o outro.

A sociedade humana em todas as suas formas depende do casamento para sua sobrevivência. É por isso que a atual falta de consideração ao casamento existente nas mentes das pessoas é tão perigosa. Com todos os valores e fundamentos tradicionais sendo atacados a cada mudança, não é de se admirar que o casamento esteja também sendo atacado! Com tantas pessoas confusas com o casamento, não é de se admirar que a sociedade em geral esteja tão desordenada. O ataque global do adversário contra o casamento é na realidade um ataque contra a própria sociedade, e, em última análise, um ataque contra Deus, o Criador da sociedade e do casamento. O adversário sabe que se puder destruir o casamento, poderá destruir famílias; se puder destruir famílias, poderá destruir a sociedade; e se puder destruir a sociedade, poderá destruir a humanidade.

O casamento é também o fundamento sobre o qual a Igreja e os cristãos, o povo escolhido de Deus, estão apoiados. O Novo Testamento descreve a relação entre Cristo e Sua Igreja como algo semelhante ao noivo e sua noiva. Esta analogia possui implicações significantes para a compreensão de como os maridos e as esposas devem se relacionar uns com os outros. Por exemplo, em sua carta à igreja de Éfeso, Paulo, o apóstolo judeu do primeiro século, escreveu:

> *Sujeitem-se uns aos outros, por temor a Cristo. Mulheres, sujeitem-se cada uma a seu marido, como ao Senhor, pois o marido é o cabeça da mulher, como também Cristo é o cabeça da igreja, que é o seu corpo, do qual ele é o Salvador... Maridos, ame cada um a sua mulher, assim como Cristo amou a igreja e entregou-se por ela... 'Por essa razão, o homem deixará pai e mãe e se unirá à sua mulher, e os dois se tornarão uma só carne.' Este é um mistério profundo; refiro-me, porém, a Cristo e à igreja* (Efésios 5:21-23, 25, 31-32).

O relacionamento entre Cristo e Sua Igreja é um modelo para a existência entre o homem e a mulher: um relacionamento de respeito, submissão mútua e amor sacrificial.

De Gênesis a Apocalipse a Bíblia usa com frequência a palavra *casa*, referindo-se à unidade menor e mais básica da sociedade — a família. A "casa" é o fundamento da sociedade e o casamento é o fundamento da "casa". A saúde de um casamento determina a saúde de uma "casa" e a saúde das "casas" de uma nação determina a saúde da nação.

Uma "casa" saudável é a chave para uma igreja saudável e uma sociedade saudável

Concepções errôneas sobre o casamento

Ocorre o mesmo na Igreja. A saúde de uma igreja depende da saúde das "casas" de seus membros, especialmente dos que fazem parte da liderança. Uma boa administração familiar é um requisito fundamental para os líderes da igreja. Paulo deixou isto claro, quando escreveu para Timóteo: "Esta afirmação é digna de confiança: Se alguém deseja ser bispo deseja uma nobre função" (1 Timóteo 3:1). Entre outras coisas, "Ele deve governar bem sua própria família, tendo os filhos sujeitos a ele, com toda a dignidade. Pois, se alguém não sabe governar sua própria família, como poderá cuidar da igreja de Deus?" (1 Timóteo 3:4-5).

Uma "casa" saudável é a chave para uma igreja saudável e uma sociedade saudável. E uma "casa" saudável requer um casamento saudável. Por isso, o casamento é uma instituição fundamental.

A procriação não é o propósito primordial do casamento

Uma concepção errônea que muitas pessoas têm tanto dentro como fora de igreja é de que o propósito primordial do casamento é a reprodução da raça humana. A Bíblia indica o contrário. Embora em Gênesis 1:28 Deus tenha encarregado o homem de "ser fértil e multiplicar-se" e apesar de ter definido o casamento como o parâmetro através do qual a reprodução deveria ocorrer, a procriação não é o propósito primordial do casamento.

O comando de Deus tinha a ver com a criação e com subjugar a ordem criada. "Deus os abençoou, e lhes disse: "'Sejam férteis e multipliquem-se! Encham e subjuguem a terra! Dominem sobre os peixes do mar, sobre as aves do céu e sobre todos os animais que se movem pela terra'" (Gênesis 1:28). Deus criou o homem — homem e mulher — e esperou que procriassem e enchessem a terra com outros seres humanos, que por sua vez viessem a reinar sobre a ordem criada como Seus vice-regentes. O casamento era essencialmente uma *aliança de companheirismo,* a estrutura relacional por meio da qual homens e mulheres — maridos e esposas — iriam se unir e se tornar uma só carne e *juntos* teriam o domínio da terra que Deus lhes deu. A procriação é uma função do casamento, mas não o foco principal.

Como a sociedade contemporânea demonstra claramente, o casamento não é necessário para a procriação. Mulheres e homens solteiros não têm problema nenhum em fazer bebês. Em muitas partes do mundo o número de nascimentos fora do matrimônio excede o número de bebês nascidos de mulheres casadas. Esta é a uma das razões pela qual muitos cientistas e sociólogos estão preocupados com o ritmo atual, visto que daqui a uma ou duas gerações a população global irá crescer além da capacidade da terra de sustentá-la.

Ao contrário da ideia comum de que o casamento tem como foco principal fazer bebês, na verdade ele serve como uma forma de contenção de uma reprodução exagerada. Há pelo menos dois motivos para isso. Primeiramente, a exigência social e moral de ser casado antes de ter filhos é ainda muito forte em diversos lugares. A maior parte das pessoas ainda é sensível à respeitabilidade do casamento, e o respeito impede a procriação que de outra forma ocorreria. Se não fosse pela instituição do casamento, os seres humanos seriam ainda mais "reprodutores" do que já são. Em segundo lugar, casais unidos pelo matrimônio que levam suas responsabilidades a sério tomam cuidado para não ter mais filhos do que poderiam amar e cuidar de forma adequada. Paulo expressou algumas fortes opiniões sobre este assunto: "Se alguém não cuida de seus parentes, e especialmente dos de sua própria família, negou a fé e é pior que um descrente" (1 Timóteo 5:8).

Não há nada de pecaminoso ou não bíblico no cuidadoso e *antecipado* planejamento familiar. (Deixe-me esclarecer que o aborto *não* é "planejamento familiar", nem "medicina preventiva". O aborto é a destruição premeditada de uma vida potencial e o seu término. É a morte do destino e a interferência no protocolo divino. O aborto é uma rebelião contra a conhecida vontade de Deus). Ao contrário, o verdadeiro planejamento familiar é sinal de maturidade, uma mordomia responsável.

O sexo não é o propósito primordial do casamento

Outro equívoco é pensar que o casamento existe com a finalidade de legitimar as relações sexuais. O casamento nunca deveria ser comparado com o sexo, porque o sexo não é o propósito primordial do casamento. A união sexual não é e nunca foi a mesma coisa que a união conjugal. O casamento é uma união que implica e envolve união sexual como o estabelecimento de uma aliança de sangue, um comprometimento central e um prazer (vide 1 Coríntios 7:3-5), mas os três não são a mesma coisa.

Antes de tudo, o casamento envolve compromisso. O sexo tem pouco a ver com compromisso; é uma resposta totalmente física a estímulos fisiológicos e bioquímicos. O sexo é uma expressão do compromisso no casamento, mas nunca cria comprometimento. Por si só, o sexo nem *cria* nem *destrói* um casamento, pois ele é muito mais amplo e profundo do que o sexo e o transcende. O sexo talvez represente 1 por cento do casamento; o resto é a vida normal e cotidiana. Se você se casar por sexo, como vai lidar com os outros 99 por cento?

Durante muitos anos tem existido a crença comum de que o adultério acaba com um casamento. Isto simplesmente não é verdade. O sexo não cria um casamento, então, como pode arruiná-lo? O adultério é pecado e, de acordo com a Bíblia, a única razão legítima para o divórcio de um crente. Mesmo assim não é automático. O divórcio não é obrigatório em tais casos. O adultério não desfaz o casamento. A ruptura do casamento é uma *escolha*.

Reconhecer que a união sexual e conjugal não são a mesma coisa é absolutamente essencial para qualquer compreensão apropriada do casamento. É também essencial para a compreensão do divórcio e do ato de se casar novamente. O casamento é maior e diferente, mas engloba a união sexual. A ausência da atividade sexual nunca destrói um casamento, da mesma forma que o sexo por si só não transforma um relacionamento em um casamento. O casamento e o sexo estão relacionados, mas não são a mesma coisa.

A "joia" de um casamento

Como, então, deveríamos definir o casamento? Se o casamento não tem como propósito primordial nem o sexo nem a procriação, então, para quê existe? Como sempre, podemos encontrar a resposta na Bíblia. A Palavra de Deus é verdadeiramente surpreendente; nada do que lemos nela está lá por acaso. A palavra grega básica para "casar" ou "casamento" é *gameo,* que é proveniente da mesma raiz da palavra em inglês "gem", que significa em português, pedra preciosa, joia. A raiz da palavra literalmente significa "fundir". A fusão de diferentes elementos em um só descreve o processo pelo qual as joias ou pedras preciosas são formadas nas profundezas da terra. Esse processo é também uma descrição apropriada do casamento.

As pedras preciosas como diamantes, rubis, esmeraldas e safiras são formadas no subterrâneo da terra a partir de elementos simples que são submetidos a um grande calor e pressão maciça durante um período prolongado de tempo. O calor, a pressão e o tempo trabalhando em conjunto podem transformar até mesmo o material mais comum em algo extraordinário. Pegue o carvão, por exemplo. O carvão é formado quando a madeira parcialmente descomposta ou outra matéria da planta são misturadas com a umidade em um ambiente com pouca ventilação sob intenso calor e pressão. Este processo não ocorre do dia para a noite, mas leva séculos.

Embora o carvão seja basicamente uma forma de carbono, seus elementos constitutivos podem ser identificados através de uma análise química. O carvão que permanece na terra por tempo suficiente — durante milhares de anos — sob contínuo calor e pressão acaba se transformando em diamante. Quimicamente, o diamante é carbono puro, e os diferentes elementos utilizados na sua formação não podem mais ser identificados. A pressão os fundiu em *um* elemento inseparável. O calor dá ao diamante seu brilho.

Leva apenas alguns minutos para se casar, mas construir um casamento requer uma vida inteira

O casamento como Deus projetou é como uma pedra preciosa. Antes de qualquer coisa, ele se desenvolve ao longo do tempo. Os diamantes não se formam em dez anos; requerem milênios. Leva apenas alguns minutos para *se casar,* mas *construir* um casamento requer uma vida inteira. Este é o motivo pelo qual Deus estabeleceu o casamento como um relacionamento permanente, para toda a vida. Precisa haver tempo suficiente para que duas pessoas com personalidades e históricos separados e distintos se *fundam* em uma só carne.

Em segundo lugar, o casamento divino se torna mais forte sob pressão. Um diamante é a substância mais dura da terra. Milhões de toneladas de pressão durante milhares de anos fundem e transformam a matéria carbonizada em um cristal que pode resistir a qualquer ataque. Um diamante pode ser cortado apenas sob determinadas condições e com o uso de ferramentas especialmente projetadas. De forma semelhante, as pressões externas equilibram e fortalecem um casamento divino, aproximando ainda mais o marido e a mulher. Assim como a pressão purifica um diamante, da mesma forma os problemas e desafios da vida purificam um casamento planejado por Deus. Quanto mais difíceis as coisas ficam, mais forte sua união se torna. O casamento funde duas pessoas diferentes, tornando-as só uma, de forma que sob pressão se tornam tão fortes e firmes que nada pode separá-las.

Casamentos edificados por Deus e casamentos onde Ele não está presente respondem de forma diferente à pressão. No mundo, quando o caminho fica difícil, os parceiros se separam. Como aqueles dois pedaços de madeira grudados, eles estão juntos, mas não fundidos. O calor e a pressão da vida os afastam. Esse mesmo calor e pressão fundem um casal de Deus de maneira que seu casamento passa a ser ainda mais sólido, até que se tornem inseparáveis e indestrutíveis.

Colisão de histórias

O casamento nunca é apenas a união de duas pessoas, mas a colisão de suas histórias. É um choque de culturas, experiências, memórias e hábitos. O casamento é uma bela conciliação de uma outra existência.

Construir um casamento forte leva tempo, paciência e trabalho duro. Um dos ajustes mais difíceis que qualquer um enfrenta é passar de uma vida de solteiro para uma vida de casado. Vamos ser honestos, as pessoas não mudam do dia para a noite! Quando você se casa com alguém, "casa-se" com uma família inteira, uma história repleta de experiências. É por isso que é sempre tão difícil no início compreender esta pessoa que está agora compartilhando sua casa e sua cama. Vocês dois trazem para o casamento 20 ou 30 anos de experiências de vida que mostram como cada um vê e responde ao mundo. Na maioria das vezes você descobre rapidamente que vê muitas coisas de forma diferente da outra pessoa. Diferenças de opiniões representam uma das grandes fontes de estresse e conflito nos casamentos com pouco tempo de existência. Ajustar estas diferenças é essencial para a sobrevivência conjugal. Infelizmente, muitos casamentos fracassam justamente neste ponto.

Todos nós filtramos o que vemos e ouvimos através das lentes de nossas próprias experiências. Tragédias pessoais, abusos sexuais ou físicos, qualidade de vida familiar durante o crescimento, nível educacional, fé ou falta dela — qualquer um destes itens afeta a forma de ver o mundo ao nosso redor. Eles nos ajudam a moldar nossas expectativas de vida e influenciam como interpretamos o que as outras pessoas nos dizem ou fazem.

Nenhum de nós entra no casamento "em branco". Em um ou outro nível, cada um de nós traz sua própria bagagem emocional, psicológica e espiritual. Qualquer coisa que nosso cônjuge diz, é ouvida através do filtro de nossa própria história e experiência. Nosso cônjuge ouve tudo que dizemos da mesma forma. Compreender e se adaptar a isto requer bastante tempo e experiência.

Ao longo do tempo e sob as pressões da vida diária, marido e esposa passam a se entender cada vez mais. Começam a pensar, agir e até mesmo sentir de forma semelhante. Aprendem a perceber o humor de cada um e com frequência reconhecem o que está errado até mesmo sem ter de perguntar. Gradualmente, suas atitudes e opiniões pessoais mudam e avançam na direção um do outro de forma que sua mentalidade não é mais "sua" e "minha", mas "nossa". Isto acontece quando a qualidade da pedra preciosa do casamento brilha de forma ainda mais reluzente. A fusão cria unidade.

Há outra razão para comprarmos um casamento divino a uma pedra preciosa. Normalmente, não encontramos joias simplesmente andando e procurando no chão, como se procura conchinhas na praia. Para encontrá-las, temos de escavar profundamente a terra e cavar a rocha dura. Da mesma maneira, nunca alcançaremos o verdadeiro casamento planejado por Deus simplesmente andando pela multidão, fazendo o que todo mundo faz. Temos de cavar profundamente dentro do coração de Deus para descobrir Seus princípios. As pedras preciosas são raras e um casamento genuinamente de Deus também. Não existem atalhos nem fórmulas fáceis. Temos apenas a Palavra de Deus para nos instruir e Seu Espírito para nos dar compreensão e discernimento, mas isto é tudo o que precisamos.

Nunca alcançaremos o verdadeiro casamento planejado por Deus simplesmente andando pela multidão, fazendo o que todo mundo faz. Temos de cavar profundamente dentro do coração de Deus para descobrir Seus princípios

Raramente iremos encontrar alguma coisa de verdadeiro valor simplesmente caída no chão. As coisas boas são mais frequentemente encontradas nas profundezas, onde temos de trabalhar para consegui-las. Um bom casamento é algo que precisamos trabalhar, não ocorre por acaso. Assim como um diamante de grande valor é o resultado final de um longo e intenso processo, também o é o casamento.

Então, o que é o casamento? É uma instituição ordenada por Deus, um relacionamento para a vida toda entre um homem e uma mulher. Ao longo do tempo e sob as tensões e as pressões da vida, duas pessoas sob a aliança do casamento ficam juntas e se perdem uma na outra de tal forma que se torna impossível dizer onde uma começa e a outra termina. O casamento é um *processo*, uma *fusão* de elementos distintos e diferentes em um — uma joia cintilante de amor, fidelidade e compromisso que brilha profundamente em um mundo de instabilidade e moda passageira.

PRINCÍPIOS

1. O casamento ainda é uma boa ideia, porque é uma ideia de Deus.
2. O casamento é uma instituição fundamental que antecede todas as outras instituições.
3. A procriação não é o propósito primordial do casamento.
4. O sexo não é o propósito primordial do casamento.
5. O casamento projetado por Deus é como uma pedra preciosa: uma fusão de dois elementos diferentes em um só.
6. O casamento divino se desenvolve ao longo do tempo.
7. O casamento divino torna-se mais forte sob pressão.
8. O casamento divino é uma fusão que cria unidade.

CAPÍTULO DOIS

O casamento é digno de honra

Algum tempo atrás, durante uma viagem à Alemanha, tive a oportunidade de aconselhar um casal que estava à beira do divórcio. O marido me apanhou no aeroporto e durante as duas horas e meia da viagem de carro em direção à sua casa ele teve bastante tempo para falar. Começou abrindo seu coração para mim, dizendo o quanto amava sua esposa e mesmo assim nada parecia estar dando certo. A pressão e o atrito contínuo em seu relacionamento chegaram a tal ponto que estavam prestes a desistir. As coisas ficaram tão ruins que nem dormiam mais juntos. Este marido perturbado não conseguia entender o que tinha ido mal entre ele e sua esposa. Ele estava começando a suplicar algumas respostas. Eu lhe disse que não poderia conversar somente com ele, porque o casamento envolve duas pessoas. Teria de conversar com os dois juntos.

Era muito tarde quando chegamos a sua casa, mas em vez de ir para cama, sentamos os três e começamos a conversar. Quando terminamos, eram 4 horas da manhã. Enquanto explicavam para mim as dificuldades que estavam enfrentando, compartilhei com eles a principal causa do fracasso conjugal, que é quando as pessoas não compreendem que o casamento em si é digno de honra, mais do que aqueles que nele estão envolvidos.

Para que haja sucesso no casamento é mais importante que os cônjuges se comprometam com o CASAMENTO, a instituição imutável à qual OS DOIS se associaram, do que se comprometam UM COM O OUTRO

O casamento é uma instituição estável e imutável iniciada por duas pessoas que estão em constante mudança à medida que crescem e amadurecem. Essas mudanças podem ser desanimadoras e frustrantes e podem facilmente desencadear um conflito. O respeito pela integridade e estabilidade do casamento pode fornecer ao marido e à mulher uma âncora sólida que lhes permite resistir aos distúrbios da mudança conforme crescem em direção à unidade. O reconhecimento da natureza imutável do casamento como uma instituição pode encorajá-los durante os tempos de conflito, para que busquem alternativas, evitando o fim de seu casamento. Para que haja sucesso no casamento é mais importante que os cônjuges se comprometam com o *casamento*, a instituição imutável à qual *os dois* se associaram, do que se comprometam *um com o outro*.

Não é quem você ama, mas o quê ama

A Bíblia apresenta o casamento como uma instituição que deveria ser altamente respeitada e considerada acima de todas as outras instituições. Hebreus 13:4 diz, "O casamento deve ser honrado por todos; o leito conjugal, conservado puro; pois Deus julgará os imorais e os adúlteros". A Versão King James declara, "O casamento é honrado em tudo..." "Honrado" é a tradução da palavra grega *timios*, que também significa "valioso, precioso, consagrado, estimado, amado e perfeito". *Tudo* é a tradução da palavra grega *pas*, que significa "tudo, qualquer um, todo mundo, a totalidade, completamente, seja o que for e seja quem for". O casamento, então, deveria ser valorizado, estimado e mantido na mais alta honra em todos os tempos, em todas as coisas, por todas as pessoas, em qualquer lugar. Esse é o plano de Deus. Observe que o versículo diz, "O casamento deve ser honrado por todos"; não fala nada sobre as pessoas *no* casamento. Uma noção comum que a maior parte das pessoas tem é que os parceiros em um casamento — o marido e a mulher — deveriam honrar um ao outro e manter uma alta estima um pelo outro. Isto é certamente verdadeiro, mas em última análise não é o que faz um casamento funcionar. O que é mais importante é que eles honrem e valorizem o *próprio casamento*. Sejamos realistas, nenhum de nós é amável o tempo todo. Há vezes em que dizemos algumas coisas detestáveis ou fazemos algo absurdo, deixando nosso cônjuge ferido ou zangado. Talvez ele ou ela tenha feito o mesmo conosco. De qualquer forma, manter nosso casamento em alta honra e estima irá nos ajudar a seguir em frente durante esses tempos turbulentos em que é difícil amar ou honrar um de nós.

Uma das chaves para um casamento longo e feliz é compreender que não é *quem* você ama, mas *o quê* ama que é importante. Deixe-me explicar. Considere um casal comum; nós os chamaremos de João e Sara. João e Sara se encontraram em uma festa e começaram a conversar. João tem 22 anos, é bonito, cabelos escuros, tem um tipo atlético e um trabalho com um bom salário. Sara tem 20 anos, é atraente, inteligente, possui um lindo cabelo e também tem um bom trabalho. Sentindo-se mutuamente atraídos logo de cara, começaram a sair juntos. Seu relacionamento continua a crescer até que uma noite João diz, "Sara, eu te amo", e Sara responde, "Eu te amo também, João".

João e Sara se apaixonaram, e decidiram se casar. João dá a Sara um anel e eles começam a planejar o casamento. Eles estão tão felizes com seu amor que creem que ele irá mantê-los juntos para sempre. Em algum momento ao longo do caminho, todavia, ambos percebem que é melhor descobrir *o quê* amam um no outro ou terão problemas no seu casamento. João precisa se perguntar, "Por que amo Sara? O que existe nela que faz com que eu a ame? Eu a amo porque *quem* ela é, ou por algum outro motivo? Será que a amo porque é atraente ou por causa de seu lindo cabelo ou seu bom emprego?" Sara com seus 20 anos é todas estas coisas, mas o que será quando tiver 40? E se aos 40 anos Sara tiver engordado e perdido sua forma, porque teve três ou quatro filhos? E se ela não tiver mais esse bom emprego, porque ficou em casa cuidando das crianças? Se João amar todas estas coisas que Sara tem aos 20 anos, como se sentirá quando ela tiver 40?

Sara precisa fazer estas mesmas perguntas a si mesma. Aos 22 anos, João pode ter tudo que Sara sonhou com respeito a um homem, mas como será aos 42, quando seu cabelo começar a cair? E se tiver perdido muito de seu tipo jovem e atlético por trabalhar dia após dia durante 20 anos? E se a empresa onde trabalhou falir e o único trabalho que ele puder encontrar for de ajudante de pedreiro, ganhando metade do que ganhava antes?

Não é o bastante apenas conhecer *quem* amamos; precisamos saber *o quê* amamos. Precisamos saber *por que* amamos a pessoa que amamos. Isto é muito importante para a construção de um casamento feliz e bem-sucedido.

A pessoa com quem casamos não é a pessoa com a qual iremos viver, porque ela está mudando o tempo todo

O ponto que estou tentando defender é este: a pessoa com quem casamos não é a pessoa com a qual iremos viver, porque ela está mudando o tempo todo. Atualmente, minha esposa não é a mesma mulher com a qual casei nem eu sou o mesmo homem com quem ela se casou. Nós dois mudamos de diversas formas e continuamos a mudar todos os dias. Se nós, que estamos em constante mudança, confiássemos exclusivamente um no outro para manter nosso casamento, estaríamos em sérias dificuldades. Não importa o quanto nos amemos, honremos e estimemos, somente isto não é suficiente a longo prazo. Respeitar e estimar a integridade do casamento como uma instituição imutável ajuda a trazer estabilidade para um relacionamento em constante mudança. A pessoa com quem casamos não é a pessoa com quem iremos viver. É por isso que o próprio casamento deve ser honrado e estimado mais do que as pessoas que nele se encontram. As pessoas mudam, mas o casamento é inalterável. Devemos amar o casamento mais do que nosso cônjuge.

O casamento é maior do que as duas pessoas nele envolvidas

Se o próprio casamento deve ser honrando e estimado até mesmo acima das pessoas nele envolvidas, o que isso significa em termos práticos? Para fins ilustrativos, pode ajudar comparar o casamento com o trabalho em uma empresa. Vamos imaginar que você vai trabalhar na mesma empresa que eu. A empresa é uma forma de instituição e nós ingressamos nessa instituição, aceitando trabalhar nela. Comprometemo-nos com a *instituição*.

Suponhamos que acabemos trabalhando lado a lado em mesas próximas. Então, um dia temos um grande desentendimento com respeito a alguma coisa e trocamos palavras enfurecidas. Ambos decidimos não falar mais um com o outro. O que acontece depois? Largamos nosso trabalho simplesmente porque tivemos uma desavença? Creio que não (Algumas pessoas deixam o trabalho por causa desse tipo de coisa, mas isto é quase sempre um sinal de imaturidade). Em vez disso, vamos para casa, ainda zangados e em conflito, mas no dia seguinte lá estamos nós novamente, de volta às nossas mesas. Por quê? Porque estamos comprometidos com a *instituição* mais do que com as pessoas *na* instituição. Uma semana se passa, e muito embora ainda não estejamos nos falando, estamos lá, continuando a trabalhar lado a lado. Pode haver conflito entre nós, mas ambos continuamos comprometidos com a instituição.

Mais uma semana se passa, e um dia você repentinamente me pede, "Pode me emprestar a borracha?" E eu digo, "Claro". Lentamente, nosso desentendimento vai passando e começamos a nos comunicar novamente. Não muito depois disso, já estamos conversando e rindo como velhos amigos e almoçando juntos, e tudo volta novamente ao normal. Acabamos com a desavença porque a instituição é mais importante do que nossos sentimentos pessoais. Este tipo de coisa acontece o tempo todo nas instituições. As pessoas têm conflitos, mas eventualmente conciliam as diferenças porque a instituição é maior do que seu conflito.

Esta verdade é a chave para a compreensão adequada do casamento. A instituição do casamento é mais importante do que nossos sentimentos pessoais. Haverá momentos em que não estaremos de acordo com nosso cônjuge, mas isso não tem nada a ver com o casamento. Nunca devemos confundir nossos conflitos ou sentimentos pessoais com a instituição do casamento. O casamento é digno de honra, respeito e é imutável, enquanto nós somos algumas vezes desonrosos, intolerantes e passamos por constantes mudanças. O casamento é perfeito, embora nós sejamos imperfeitos.

O compromisso com o casamento, em vez de o compromisso com a pessoa, é a chave para o sucesso. Não importa o que minha esposa me diga ou faça, continuo persistindo, e sei que independentemente do que eu faça, ela ainda estará lá por mim. Estamos comprometidos com o nosso casamento ainda mais do que um com o outro. Quando discordamos, discutimos ou há algum outro conflito, arranjamos uma solução, porque é apenas temporário. Não rompemos com a instituição, pois ela é maior do que nós.

Quando você tem um conflito com um colega de trabalho, procura solucioná-lo por causa da instituição — a empresa — que é maior do que vocês dois. Já que vocês têm de trabalhar juntos, podem também resolver o problema. A mesma atitude deveria ser aplicada ao casamento. Quando os cônjuges estão em conflito, deveriam se unir e concordar, "Certamente temos nossas diferenças, e estamos sempre mudando, mas este casamento é maior do que nós dois. Temos um longo trajeto pela frente, então, vamos nos reconciliar. Vamos fazer o que for preciso para que dê certo."

O casamento é maior do que as duas pessoas que nele se encontram, é assim que deve ser. Deus instituiu o casamento, ele pertence ao Senhor, não a nós. *O casamento é constituído de duas pessoas imperfeitas comprometidas entre si com uma perfeita instituição, tornando perfeito os votos proferidos por lábios imperfeitos, diante de um Deus perfeito.*

Um voto perfeito proferido por lábios imperfeitos

Um voto é diferente de uma promessa. Uma promessa é um compromisso de fazer ou não uma determinada coisa, tal como um pai prometendo levar seu filho ao zoológico. Um voto, por outro lado, é uma afirmação que liga quem efetuou o voto a determinada ação, serviço ou condição, como um voto de pobreza. Conforme escrevi em meu livro anterior, *Single, Married, Separated, and Life After Divorce (*Solteiro, Casado, Separado e Vida Pós-Divórcio):

> Uma promessa é um compromisso para fazer algo posteriormente, um voto é um compromisso vinculativo de fazer algo agora e continuar a fazê-lo durante a vigência do voto. Alguns

> votos ou contratos são para toda a vida; outros são por períodos limitados de tempo.[1]
>
> Deus leva os votos muito a sério:
>
> Um voto é para a morte, motivo pelo qual Deus diz, "Não o faça se não for cumpri-lo"...
>
> "Para a morte" não significa "até sua morte natural". Quer dizer dar a Deus o direito de permitir que você morra se violar sua palavra. Segundo o Antigo Testamento, se quebrassem seus votos e a misericórdia de Deus não interviesse, alguma coisa grave acontecia.
>
> Um voto não é feito para uma outra pessoa. Os votos são feitos a Deus ou diante de Deus, em outras palavras, com Deus como testemunha.[2]

A atitude de Deus para com os votos é revelada claramente nas Escrituras. "Quando você fizer um voto, cumpra-o sem demora, pois os tolos desagradam a Deus; cumpra o seu voto. É melhor não fazer voto do que fazer e não cumprir" (Eclesiastes 5:4-5).

O casamento é um voto e quebrar esse voto é um assunto sério, porque também rompe a comunhão com Deus. O profeta Malaquias do Antigo Testamento expressou a visão de Deus sobre a fidelidade para com o voto do casamento nas palavras a seguir:

> *Há outra coisa que vocês fazem: Enchem de lágrimas o altar do Senhor; choram e gemem porque ele já não dá atenção às suas ofertas nem as aceita com prazer. E vocês ainda perguntam: "Por quê?" É porque o Senhor é testemunha entre você e a mulher da sua mocidade, pois você não cumpriu a sua promessa de fidelidade, embora ela fosse a sua companheira, a mulher do seu acordo matrimonial* (Malaquias 2:13-14).

O casamento é maior do que as duas pessoas nele envolvidas

Porque o casamento é um voto perfeito, feito diante de um Deus perfeito, proferido por duas pessoas imperfeitas, somente Deus pode fazer com que dê certo. Não espere perfeição de seu cônjuge. *O **casamento** é perfeito, mas as **pessoas** são imperfeitas.* Se você não acredita nisso, dê só uma olhada no espelho. A instituição do casamento é constante, imutável. As pessoas mudam o tempo todo. Se você quer ter sucesso no seu casamento, comprometa-se com aquilo que não muda. Comprometa-se com a instituição do casamento. Isso se tornará o centro de equilíbrio e irá ajudá-lo a se manter forte.

A resposta não é mudar de instituição

Quando compreendamos que o casamento é uma instituição a ser respeitada e estimada, os pensamentos de divórcio nunca entram em nossas mentes. O respeito pela instituição do casamento nos ajuda a persistir naqueles tempos em que tanto o cônjuge quanto nós agimos de forma desrespeitosa. Não abandonamos a instituição porque surgem conflitos ou dificuldades.

Um dos problemas que muitas pessoas em nossa sociedade têm é uma tendência a mudar com frequência de emprego, desistindo sempre que algo não está de seu jeito. Isto não é apenas um sinal de imaturidade e má vontade para resolver os assuntos, mas desgasta rapidamente sua credibilidade aos olhos de potenciais empregadores. Considere isto: você vai a uma entrevista de trabalho e eles lhe perguntam, "Onde você trabalhou pela última vez?" Depois que você responde, eles perguntam, "Por que saiu do trabalho?" O propósito destas questões é avaliar sua credibilidade. Este empregador sabe que tipo de pessoa você é e se será ou não uma boa aquisição para sua empresa.

Suponha que você responda, "Saí porque não gostava do meu chefe," ou "Saí porque tive problemas com meus colegas." Não se surpreenda se este empregador não contratá-lo. Por que ele deveria pensar que você agiria de forma diferente trabalhando com ele? Se ele descobrir que você teve dez empregos nos últimos três anos, certamente não irá contratá-lo. Ele não quer ser o número onze da sua lista.

Mudar de instituição não é a solução para o problema. A chave para o crescimento e a maturidade é persistir durante os tempos difíceis e resolver os problemas. Isto é verdadeiro tanto para o casamento quanto para o trabalho. Quando os problemas surgem no casamento, muitas pessoas pensam que as dificuldades desaparecerão se elas simplesmente se divorciarem e, depois, casarem com outra pessoa. Isto não é verdade.

As dificuldades conjugais quase nunca são unilaterais. Se você sair do casamento antes de resolver as questões, então, quaisquer que sejam os problemas que você trouxe para esse relacionamento, levará para o próximo. Eles podem tomar uma forma diferente, mas serão os mesmos problemas.

Mudar de instituição não é a solução para o problema. A chave para o crescimento e a maturidade é persistir durante os tempos difíceis e resolver os problemas

Houve um tempo, não faz muitos anos, em que a visão tradicional do casamento e da família era mantida na mais alta honra e respeito na sociedade ocidental. Quase não se ouvia falar do divórcio e quando ocorria, carregava um forte estigma social. Não é mais assim. Os conceitos bíblicos de casamento e família encontram-se sob forte ataque ao longo das duas últimas gerações. As filosofias humanísticas tão predominantes atualmente ajudaram a remover os estigmas sociais e morais do divórcio. Consequentemente, o divórcio e o novo casamento se tornaram não apenas uma prática comum, mas também aceitáveis até mesmo aos olhos de muitos crentes. Alguns foram tão longe que chegaram a sugerir que a medida da feminilidade ou masculinidade da pessoa é determinada pelo número de parceiros sexuais diferentes que possui. Este conceito é totalmente distorcido. É doente e satânico, mas reflete o que atualmente está acontecendo em nossa sociedade.

Devido à difusão das filosofias seculares com relação ao casamento e a família, muitos crentes são ignorantes no que diz respeito aos padrões de Deus. Precisamos olhar novamente para as palavras de Jesus, quando disse, "Mas no princípio da criação Deus 'os fez homem e mulher'. 'Por esta razão, o homem deixará pai e mãe e se unirá à sua mulher e os dois se tornarão uma só carne'. Assim, eles já não são dois, mas sim uma só carne. Portanto, o que Deus uniu, ninguém o separe" (Marcos 10:6-9).

Estes versículos revelam duas importantes verdades para a compreensão do casamento do tipo de Deus. Primeiramente, Deus unirá somente o que Ele pode permitir. Ele não irá aprovar o pecado de forma nenhuma. Você pode imaginar Deus tomando dois pecadores, unindo e abençoando a ambos? Fazer isso seria abençoar e incentivar o pecado. "No princípio da criação," quando Deus os uniu, Adão e Eva eram puros e santos, imaculados e íntegros com respeito ao pecado. Antes da queda, seu casamento era o modelo de tudo que Deus pretendia. Deus não pode e não irá abençoar um relacionamento pecaminoso. Nenhuma união aprovada por Deus pode existir entre não crentes ou entre aqueles que "casam" com pecados não resolvidos em suas vidas ou que ficam juntos sob circunstâncias que são pecaminosas ou contrárias aos padrões de Deus.A segunda verdade de Marcos 10:6-9 é o que Deus *uniu*, o homem não deve separar. O governo humano civil não possui nem autoridade nem poder para separar um casamento ordenado por Deus entre dois crentes. No mundo natural, os casamentos "civis" estabelecidos pelas leis civis podem também ser cancelados por esta lei civil. As pessoas que se casam sem Deus podem também descasar sem Deus. No mundo espiritual, o casamento que Deus aprovou não pode ser rompido por um decreto do homem. Isto levanta uma importante questão. "*Se os crentes vêm para o altar do casamento para que Deus os una, por que muitos deles vão para o tribunal a fim de se separarem*"?

Os tribunais humanos não têm poder para separar o que Deus uniu. O casamento do estilo de Deus é uma fusão, não uma ligação. O que Deus uniu, somente Ele pode separar. Contudo, Ele não o fará, porque isso violaria Seus próprios padrões. Para os crentes, mudar de instituição não é a resposta.

Um casamento bem-sucedido depende de conhecimento

O conhecimento é a resposta. Um casamento bem-sucedido tem pouco a ver com amor. O amor não garante sucesso no casamento. O amor é muito importante para a *felicidade* no casamento, mas ele por si só não pode fazer com que o casamento dê certo. A única coisa que faz o casamento funcionar é o conhecimento. Na realidade, somente o conhecimento consegue fazer com que *qualquer coisa* funcione. O sucesso depende de quanto *conhecimento* temos a respeito de algo, não de como nós nos *sentimos* sobre isso.

A maioria das pessoas casadas ama e se sente bem com relação à outra, mas muitas não sabem se comunicar de forma eficaz ou se relacionar bem com a outra.

Há uma imensa diferença entre reconhecer sentimentos e saber como lidar com o conflito. Alguns indivíduos definem inteligência como a habilidade para resolver problemas complexos. Mais precisamente, inteligência é a habilidade de enfrentar a realidade e lidar com os problemas enquanto a pessoa mantém sua sanidade. Lidar com problemas não é necessariamente o mesmo que resolvê-los. Alguns não podem ser resolvidos. Uma pessoa inteligente é alguém que pode manter sua estabilidade e sentimento de autoestima sob qualquer circunstância, avalia a situação, lida de forma eficiente com o problema e sai intacta. Há uma grande necessidade atualmente de inteligência e conhecimento sobre o casamento para compensar a enorme ignorância no assunto. Mesmo a Igreja Cristã, que deveria ser a voz de autoridade sobre assuntos de casamento, está sofrendo porque muitos crentes, incluindo líderes, são biblicamente analfabetos no que diz respeito ao casamento e a família. Hoje em dia, quando os valores antigos estão sendo desafiados por todos os lados tanto dentro como fora da Igreja, muitas pessoas estão confusas, incertas com relação àquilo no qual devem acreditar. A fonte desta confusão é a falta de conhecimento.

O conhecimento é decisivo para o sucesso e a sobrevivência de qualquer coisa. Em Oséias 4:6 Deus diz, "Meu povo foi destruído por falta de conhecimento." "Meu povo" refere-se aos filhos de Deus. Até mesmo os cristãos precisam de conhecimento. O maior conhecimento de todos é conhecer a Deus. Provérbios 1:7 diz, "O temor do Senhor é o *princípio* do conhecimento, mas os insensatos desprezam a sabedoria e a disciplina" (ênfases acrescentadas). Não importa com que frequência vamos à igreja ou adoramos ao Senhor, sem conhecimento, não temos nenhuma garantia de sucesso.

Uma das coisas que realmente me incomodava como jovem cristão era ficar sabendo que muitos outros cristãos estavam se divorciando. Se aqueles que seguem a Cristo estavam fracassando em seus casamentos, que esperança poderia haver para qualquer outra pessoa? Aqui estavam pessoas que supostamente eram cheias do Espírito Santo, que supostamente conheciam o Deus Santo, e mesmo assim não conseguiam viver juntas e se dar bem. Se isto era verdade, poderíamos esquecer todo o resto! Levei algum tempo para aprender que o sucesso no casamento é mais do que ser salvo. É mais do que estar apaixonado. Ser crente e estar apaixonado são importantes no casamento, mas não oferecem garantia automática de sucesso conjugal. Precisamos de conhecimento de princípios bíblicos; os parâmetros do plano que o próprio Deus estabeleceu. Os princípios bíblicos nunca mudam. Os princípios para ter êxito no casamento e na família dados por Deus a Adão e Eva ainda funcionam nos dias de hoje. São universalmente aplicáveis em todas as épocas e culturas. Os transtornos vêm quando violamos ou ignoramos esses princípios.

Em última análise, o casamento não vai sobreviver só com amor ou sentimentos. Por si só também, ser nascido de novo não é suficiente para garantir sucesso. *Um casamento bem-sucedido depende de conhecimento — conhecer e compreender os princípios de Deus.*

Deus concebeu o casamento para ter êxito, e apenas Seu conselho pode torná-lo bem-sucedido

O casamento é digno de honra. Deus instituiu o casamento e somente Ele tem o direito de impor os seus termos. A instituição do casamento está sujeita a regras, direções e condições que Deus estabeleceu e Ele as revelou na Sua Palavra.

Deus concebeu o casamento para ter êxito, e apenas Seu conselho pode torná-lo bem-sucedido. Ninguém é melhor para fazer algo funcionar do que a pessoa que o concebeu. Seria um erro usar peças de um Toyota para consertar um automóvel da Ford. As peças do Toyota foram projetadas para esses carros, não para automóveis da Ford. Em vez disso, você deveria levar seu carro da Ford a uma concessionária autorizada dessa empresa. Ninguém conhece melhor os carros da Ford do que a Ford Motor Company. Você levaria seu Mercedes-Benz a uma concessionária Ford para assistência técnica? Não se for esperto. Apenas uma concessionária da Mercedes poderia garantir um conserto apropriado. Garantia do sucesso significa usar o "homem certo" para o serviço. Quer dizer voltar-se para o fabricante. O mesmo acontece com o casamento. O êxito no casamento significa usar o "homem certo" ou a "concessionária autorizada" — voltar-se para o fabricante para obter direção. Ninguém conhece melhor um produto do que seu fabricante. Ninguém compreende melhor o casamento do que Deus que o criou. Ele concebeu, estabeleceu, ordenou e abençoou o casamento. Somente

Ele pode fazê-lo funcionar. O casamento é digno de honra porque é de origem divina e não humana. Se desejamos que *nosso* casamento seja digno de respeito e bem-sucedido, devemos conhecer, entender e seguir os princípios que Deus instituiu em Seu "manual", a Bíblia. Esta é a única certeza de conserto para a ignorância e a desinformação que tanto caracterizam a visão do mundo sobre o casamento.

PRINCÍPIOS

1. O casamento é uma instituição estável e imutável iniciada por duas pessoas que estão em constante mudança à medida que crescem e amadurecem.
2. A instituição do casamento é mais importante do que nossos sentimentos pessoais.
3. O compromisso com o casamento, em vez de o compromisso com a pessoa, é a chave para o sucesso.
4. O casamento é constituído de duas pessoas imperfeitas comprometidas entre si com uma perfeita instituição, tornando perfeito os votos proferidos por lábios imperfeitos.
5. Deus unirá somente o que Ele pode permitir.
6. O que *Deus uniu*, o homem não deve separar.
7. O sucesso depende de quanto *conhecimento* temos a respeito de algo, não de como nós nos *sentimos* sobre isso.
8. Um casamento bem-sucedido depende de conhecimento — conhecer e compreender os princípios de Deus.

Notas finais

1. Myles Munroe, *Single, Married, Separated, and Life After Divorce*. (Ship - pensburg: Destiny Image Publishers, Inc., 1992) p. 91.
2. *Ibid*.

CAPÍTULO TRÊS

Por que casar, afinal?

As pessoas casam por diversos motivos, alguns bons e outros não tão bons. Muitos casamentos hoje em dia fracassam porque o casal não entende nem o propósito nem os princípios de um casamento bem-sucedido. Carecem de *conhecimento.* A confusão da sociedade moderna sobre o casamento resulta de muitos casais casarem pelos motivos errados — motivos que são insuficientes para sustentar um relacionamento saudável e destinado a durar a vida inteira.

Ninguém deveria casar sem primeiro responder com cuidado e clareza à pergunta: "Por quê?" Uma consideração prévia – feita de forma ponderada e cautelosa - irá prevenir muitos problemas, sofrimento e arrependimento mais tarde. Saber por que você deseja se casar pode confirmar uma boa decisão e ajudá-lo a evitar tomar uma decisão errada.

Como o conhecimento é um fator crucial para o sucesso, é importante em primeiro lugar reconhecer alguns dos mais comuns motivos *não saudáveis* que as pessoas usam para se casar. Relacionei dez. Esta lista não é baseada em conjecturas, mas em evidências extraídas de estudos de inúmeros casamentos fracassados. Não estamos falando de ficção aqui, mas da vida real.

Dez motivos não saudáveis para se casar

1. Para magoar os pais

Acredite ou não, alguns se casam para magoar ou se vingar dos pais. "Estou tão cansado de ter de fazer tudo o que eles me mandam! Vou lhes mostrar! Não tenho mais de ficar perto deles!" Podem estar cansados das regras de seus pais ou irritados com sua disciplina. Podem ficar com raiva da desaprovação dos pais de seus amigos, particularmente daquele especial namorado ou namorada. Essa ira ou ressentimento pode levá-los a fazer algo tolo, como se casar sem refletir sobre o assunto. Ainda que não saibam nada sobre casamento, agarram a possibilidade porque a veem como um caminho rápido para se livrar das restrições de seus pais.

Casar para magoar os pais é um motivo louco. Esse casamento é levado imediatamente a problemas. A emoção primordial é negativa — raiva, ressentimento, amargura — e não conduz a um relacionamento saudável a longo prazo. As qualidades essenciais para o sucesso, como o amor, compromisso e fidelidade estão ausentes ou assumem um papel secundário atrás da principal motivação da mágoa. Uma pessoa que se casa para magoar não vê seu cônjuge como amante, companheiro e amigo, mas como um meio de escapar do domínio dos pais. Esta é uma base insuficiente para construir um casamento feliz e bem-sucedido.

2. Para escapar de um lar infeliz

Este é um motivo semelhante ao primeiro. Algumas pessoas crescem em lares com situações difíceis e infelizes e desejam fugir. Podem ter sido vítimas de abuso físico, verbal ou sexual. O pai ou a mãe, ou os dois, podem ser dependentes de álcool ou drogas. A vida em casa pode ser uma constante ladainha de raiva, gritaria, palavrões e brigas. Qualquer que seja o motivo, alguns jovens não veem a hora de sair de casa e com frequência consideram o casamento como uma saída. Essa é uma atitude extremamente tola e insensata. O desejo de escapar de um lar infeliz não é motivo para casar. Se você simplesmente *precisa* ir embora, então, encontre um trabalho, consiga um apartamento e saia por conta própria. As pessoas que se casam para escapar raramente encontram o que estão procurando. No final, simplesmente trocam um tipo de infelicidade por outro.

3. Uma autoimagem negativa

Infelizmente, alguns se casam na esperança de que isto os fará se sentir valorizados e lhes dará significado à vida. Sua autoimagem é tão baixa que constantemente precisam de uma outra pessoa para afirmar seu valor e dizer-lhes que são bons. Um casamento que inicia nesta base está com problemas antes mesmo de começar.

Um cônjuge que entra em um casamento com uma autoimagem negativa chega nesse relacionamento como se fosse somente metade de uma pessoa. Se *ambos* possuírem problemas de autoimagem, encontram-se realmente em apuros. Um casamento saudável junta duas partes inteiras, não duas metades, formando uma união que é maior do que a soma de suas partes. Duas pessoas que se unem, têm confiança em sua autoestima e estão à vontade com suas identidades pessoais podem construir um casamento bem-sucedido e significativo.

O casamento não irá resolver problemas de autoimagem negativa. O casamento aumenta os defeitos de nosso caráter e expõe nossa vaidade. Isto só torna as coisas piores. Todos nós devemos encontrar nosso sentimento de autoestima em nosso relacionamento com Cristo; em nossa identidade como filhos amados de Deus e herdeiros de Seu Reino: almas preciosas criadas à imagem de Deus pelas quais Jesus morreu. A verdadeira compreensão de que somos membros da "família real" irá afetar como pensamos, sentimos e agimos. Esta é a cura para uma autoimagem negativa.

4. Casar para se recuperar

Este motivo está intimamente relacionado ao último. As pessoas que foram feridas em um casamento ou uma relação anterior com frequência se sentem desencorajadas ou deprimidas, com sua autoestima extremamente abalada. Rapidamente saltam para outro relacionamento com a primeira pessoa que aparece oferecendo simpatia ou interesse. Através disto esperam não apenas amenizar sua dor, mas também provar para si mesmas que não há nada de errado com elas. Você não precisa se casar para provar que está tudo bem consigo; há outras maneiras de se fazer isso. Voltamos aqui à questão da autoimagem. Se você está bem, você está bem, o casamento não irá mudar isso de forma nenhuma.

O problema com a atitude de casar para se recuperar é que não se trata de um casamento de amor, mas de conveniência. Você está ferido e duvidando de si mesmo, nesse momento chega alguém que mostra simpatia e compaixão. Ambos podem confundir isto com o verdadeiro amor e tomar uma precipitada decisão de se casar. Na realidade, porém, não há amor envolvido nisso. Para você é apenas um casamento por conveniência, uma forma "rápida e fácil" de sair de seu dilema. Não caia nessa. Um casamento "para se recuperar" está destinado a problemas.

5. Medo de ser deixado de lado

Este medo afeta tanto os homens quanto as mulheres, mas tende a atingir mais as mulheres, particularmente aquelas que estão ficando mais velhas. Mesmo em nossa sociedade moderna, o senso de valor da mulher está vinculado ao casamento, lar e família, mais do que ao homem. Muitas mulheres começam a ficar preocupadas se chegam aos 30 anos e ainda não se casaram. Algumas vezes o pânico começa a se instalar. "O que eu vou fazer? Todo mundo está casando menos eu! Todas as minhas amigas estão se casando e eu sou a única da minha classe que não está casada. O que há de errado comigo?"

Com esta mentalidade, algumas mulheres irão agarrar o primeiro sujeito que aparecer e mostrar algum interesse por elas. Pode não ser nada bom para elas, mas isso não importa. Pode ter um defeito de caráter que venha a significar a falta de algo que elas realmente necessitam, mas elas não enxergam isso. Estão desesperadas! Tudo que veem é que ele está interessado por elas. Mesmo se estiver somente se aproveitando, estão convencidas de que ele as ama e elas também o amam. Quando surge inesperadamente a pergunta, dizem, "Graças a Deus!" E aceitam impulsivamente. O único problema é que Deus não tinha nada a ver com isso. Seu pânico e "medo de ficar para titia" fez com que tomassem uma má decisão.

Os homens cometem o mesmo erro. Com medo de pensar que podem ficar solteiros pelo resto de suas vidas, alguns homens se casam com mulheres que não são as pessoas certas para eles. O medo de ser deixado de lado impulsiona muitos homens e mulheres a decidirem por um casamento que é menos do que poderia ter sido se tivessem sido pacientes e confiado em Deus.

Quando uma pessoa se casa por medo de ser deixada de lado, uma destas duas coisas geralmente acontece: ou o casamento se desfaz ou eles "dão um sorriso amarelo e aguentam", demasiadamente constrangidos para admitir para o mundo e especialmente para seus amigos e família que cometeram um erro. De qualquer maneira, a felicidade que procuravam escapou deles e tudo que sabem é que a tristeza tomou seu lugar.

6. Medo da independência

Algumas pessoas crescem tão dependentes de seus pais que quando se tornam adultas e enfrentam a perspectiva de ficarem por conta própria, casam-se para ter uma outra pessoa de quem depender. Muitas vezes os pais assumem a responsabilidade de seus filhos por causa da dependência deles. Seja deliberadamente ou não, insistem em fazer tudo por eles, deixando de lhes ensinar como pensar ou agir de forma independente. Alguns pais têm a tendência de sempre ver seus filhos como "meus bebês", e tentam segurá-los para sempre.

Os filhos que crescem dependentes de seus pais com frequência entram no casamento esperando que seu cônjuge tome conta deles e lhes propicie a mesma segurança que sempre tiveram. A primeira vez que têm de se posicionar e ser independentes, desmoronam, porque nunca aprenderam como fazê-lo. Logo que encaram a necessidade de tratar de responsabilidades com as quais nunca tiveram de se preocupar antes, alguns não conseguem lidar com isso.

Ninguém que tem medo de independência está pronto para casar. O casamento bem-sucedido requer que tanto o marido quanto a mulher sejam capazes e se sintam bem com a independência.

7. Medo de magoar a outra pessoa

Isto acontece com mais frequência do que gostaríamos de admitir. Vamos dizer que um jovem casal vem namorando há bastante tempo. Ela começa a falar de casamento, mas ele não está seguro. Muito embora ele perceba que não a ama e saiba que o casamento não é a resposta, tem medo do que irá acontecer se romper com ela. Talvez ela tenha dito mais de uma vez, "Se você me deixar, eu simplesmente vou morrer!" Pode ser que tenha falado até de forma mais ameaçadora, "Se um dia você me deixar, eu me mato!" Por ter dificuldade para dizer "não" e não desejar decepcionar ou ferir a namorada, acaba por pedi-la em casamento. Estes papéis podem ser facilmente invertidos, com o homem colocando pressão em sua namorada que não tem certeza se deseja se casar com ele.

Um dos motivos para o aparecimento deste problema é o fato de algumas pessoas não compreenderem os diferentes níveis de amizade. Só porque um rapaz leva uma garota para tomar sorvete não significa que eles estão prontos para casar. São apenas amigos. Talvez tudo esteja indo bem até que um ou outro começa a se entusiasmar e considerar esse relacionamento mais do que ele realmente é. Essa pessoa passa a pressionar até que o outro começa a se sentir culpado e obrigado.

Nenhum casamento pode dar certo se for baseado em qualquer tipo de medo. Não se case simplesmente porque você tem medo de magoar a outra pessoa. É muito melhor para ambos passar por um sofrimento temporário agora do que casar e viver sofrendo para o resto da vida.

8. Para ser um terapeuta ou um conselheiro da outra pessoa

Pode parecer loucura, mas este é um motivo pelo qual algumas pessoas se casam. Elas têm uma sensação de responsabilidade por alguém que precisa tirar proveito de sua sabedoria, conselho ou recomendação. Tenha cuidado. Não se deixe levar. Homens, só porque uma jovem está buscando seu conselho não significa que você precisa se casar com ela. Mulheres, só porque um jovem pede sua opinião, não quer dizer que deveria se tornar seu marido. O casamento não é a instituição apropriada para a terapia. Existem outros caminhos.

Não é tão incomum indivíduos que fazem terapia há muito tempo desenvolverem sentimentos românticos por seu terapeuta. Pessoas inseguras são atraídas facilmente por aquelas que consideram figuras de autoridade, ou até mesmo substitutos dos pais. Os conselheiros profissionais têm de tomar cuidado com este tipo de coisa o tempo todo.

Um casamento saudável é a união de um homem e uma mulher como parceiros iguais, ambos emocionalmente maduros e seguros com relação à sua autoimagem e identidade pessoal

Um casamento saudável é a união de um homem e uma mulher como parceiros iguais, ambos emocionalmente maduros e seguros com relação à sua autoimagem e identidade pessoal. Se você se casar com alguém que está sempre procurando um conselheiro, nunca terá descanso e será drenado emocionalmente. Em função de sua falta de segurança em suas próprias capacidades e falta de autoconfiança, seu cônjuge irá consultá-lo a respeito de todo e qualquer detalhe. Nada poderá esgotá-lo com mais rapidez do que um companheiro que não pode pensar por si mesmo ou tomar decisões sozinho. Não caia nessa armadilha. Ninguém que precisa de conselhos para tudo está pronto para casar.

9. Por causa de relações sexuais

Há um antigo ditado popular que diz "amigado com fé casado é", fazendo referência a um homem e uma mulher que estão tendo relações sexuais. Isto simplesmente não é verdade. Já vimos que o sexo não equivale a casamento. Somente o sexo não faz nem rompe um casamento. De acordo com o plano de Deus, o sexo é apenas adequado dentro dos laços do casamento. Isso aperfeiçoa e enriquece um casamento que já se encontra estabelecido em bases apropriadas. Fora do casamento, o sexo é impróprio e psicologicamente prejudicial, emocionalmente perigoso e pecaminoso. Ter relações sexuais, entretanto, não é motivo para se casar; é motivo para se arrepender. A abstinência sexual é um comportamento apropriado somente para pessoas não casadas, e, em especial, crentes.

A abstinência sexual é um comportamento apropriado somente para pessoas não casadas, e, em especial, crentes

10. Por causa de gravidez

Assim como na questão das relações sexuais, estar grávida não é motivo para se casar. O tempo de "casar à força" já passou. Mesmo assim, há algumas pessoas que sentem que muito embora o sexo por si só não seja motivo suficiente para o casamento, a gravidez muda as coisas. Sem dúvida isto levanta questões éticas, morais e legais, especialmente para o pai da criança. Ainda assim, o fato da gravidez por si só é uma base insuficiente para o casamento. Superficialmente, uma gravidez é apenas evidência de atividades sexuais. Não indica necessariamente a existência de amor e compromisso entre o homem e a mulher que conceberam a criança. Combinar o pecado e o erro de uma gravidez fora do casamento é imprudente e insensato. Levará inevitavelmente ao sofrimento e angústia de todos os envolvidos, e, especialmente, da inocente criança enredada no meio de tudo isso.

Um erro não é motivo para destruir toda uma vida. Muitas pessoas que conceberam filhos fora do casamento mais tarde têm um feliz casamento. Como o sexo, a gravidez em si não é motivo para se casar, mas é motivo para *se arrepender.* Mesmo que você nunca se case com a pessoa com quem teve um filho, Deus pode conceder aos dois a graça e a sabedoria de se comportarem responsavelmente para a saúde e o bem-estar da criança.

Dez motivos saudáveis para se casar

Agora que identificamos alguns motivos comuns não saudáveis para o casamento, precisamos examinar alguns motivos saudáveis. Os dez motivos a seguir não deveriam ser considerados separadamente, mas como parte de um todo. Ao mesmo tempo em que cada um deles é um bom motivo para casar, nenhum deles *sozinho* é suficiente. Um casamento saudável, bem-sucedido e divino irá abranger a maioria, mas não necessariamente todos eles.

1. Por ser a vontade de Deus

Este é talvez o mais importante motivo de todos. Deus concebeu o casamento e ninguém o conhece melhor do que Ele. Como crentes, nossa principal prioridade deveria ser discernir e obedecer à vontade de Deus *em todas as coisas.* Isto inclui a escolha do nosso parceiro. Por alguma razão, seja por falta de conhecimento ou falta de fé, muitos crentes têm dificuldade em confiar em Deus nesta área de suas vidas. Um casal que está considerando se casar precisa dedicar bastante tempo orando juntos, buscando a vontade de Deus para esse assunto. Só porque ambos são crentes não significa automaticamente que são as pessoas certas para o casamento. Sejam pacientes. Confiem em Deus e honesta e humildemente submetam-se à Sua vontade e sabedoria. Se Deus o chamou para se casar, Ele deseja uni-lo a alguém com quem você possa construir um lar divino, sólido e cheio de amor e graça — um lar que exalte Jesus Cristo como Senhor e demonstre harmonia com Sua visão e propósito. Se buscar Seu conselho, Ele irá trazer a pessoa certa para sua vida, e você saberá quando Ele o fizer.

Se Deus o chamou para se casar, Ele deseja uni-lo a alguém com quem você possa construir um lar divino, sólido e cheio de amor e graça — um lar que exalte Jesus Cristo como Senhor

2. Expressar o amor de Deus por outra pessoa

O casamento é uma imagem física da união espiritual e amor que existe entre o Pai, o Filho e o Espírito Santo. Também representa o amor de Deus por seu povo e o amor de Cristo por Sua Igreja. O amor divino, ou *ágape*, é o amor essencial, o amor original e ideal a partir do qual todas as outras formas de amor se derivam. O *ágape* é uma *escolha*, um ato da vontade. Por Sua própria natureza, Deus *escolhe* nos amar ainda que não tenhamos nada em nós mesmos que inspire esse amor. Paulo, o grande líder e missionário da igreja primitiva, escreveu: "Mas Deus demonstra Seu amor por nós: Cristo morreu em nosso favor quando ainda éramos pecadores" (Romanos 5:8). O amor de Deus é incondicional.

Apropriadamente expresso, o amor humano em todas as suas formas extrai seu padrão do ágape divino que provém do Pai. Uma vez que *ágape* é o amor que Deus mostra por todos, uma pessoa não tem de se casar para experimentá-lo. Todavia, um casamento realmente propicia maravilhosas possibilidades através das quais um homem e uma mulher podem experimentar este amor divino entre si de uma forma exclusivamente pessoal. O *ágape* é o catalisador da "fusão" que caracteriza o verdadeiro casamento. Quando um marido e uma mulher *escolhem* amar um ao outro incondicionalmente, esta escolha irá ajudá-los a persistir durante os momentos em que não estão dispostos a ser amáveis. Um casamento saudável e bem-sucedido sempre começa com o *ágape*. Outras formas de amor têm origem e são construídas sobre o firme fundamento do amor de Deus.

Apropriadamente expresso, o amor humano em todas as suas formas extrai seu padrão do ágape divino que provém do Pai

3. Expressar o amor pessoal por outra pessoa

O amor conjugal saudável envolve uma mistura de vários tipos e graus de amor. O primeiro é o *ágape,* o amor incondicional de Deus que dá origem a todas as outras formas. O casamento deveria ser também uma expressão do amor pessoal entre o marido e a esposa, um desejo de mostrar um nível de estima e consideração um para com o outro que não demonstram por mais ninguém. O amor conjugal inclui o elemento *phileo,* um conceito grego de amor melhor entendido como "afeição carinhosa". Os maridos e mulheres deveriam ser carinhosos e afetuosos uns para com os outros. Um relacionamento conjugal é também caracterizado pelo *eros,* que é o amor físico ou sexual. Estas expressões de amor pessoal são motivos saudáveis para o casamento, mas devem ser apropriadamente fundamentadas no amor incondicional *ágape* que provém de Deus.

4. Satisfazer necessidades e desejos sexuais de uma forma santa

O desejo sexual é dado por Deus e, em seu devido lugar, é saudável e bom. Por si mesmo o desejo por sexo é um motivo medíocre e frívolo para se casar. Em conjunto com outros motivos, todavia, como o amor e o desejo de companhia, o desejo por satisfação sexual é uma motivação consistente e natural.

O amor que produz em um homem e uma mulher o desejo de se comprometerem mutuamente em um relacionamento para toda vida também gera o desejo de expressar esse amor sexualmente. Os crentes que são sérios com relação ao seu compromisso com Cristo irão buscar satisfazer suas necessidades e desejos sexuais de uma forma santa. O casamento é o veículo ordenado por Deus para saciar o desejo sexual. As palavras de Paulo aos crentes de Corinto fornecem um conselho sábio e prático sobre o assunto:

> *Quanto aos assuntos sobre os quais vocês escreveram, é bom que o homem não toque em mulher, mas, por causa da imoralidade, cada um deve ter sua esposa, e cada mulher o seu próprio marido.* ***O marido deve cumprir os seus deveres conjugais para com a sua mulher, e da mesma forma a mulher para com o seu marido.*** *A mulher não tem autoridade sobre o seu próprio corpo, mas sim o marido. Da mesma forma, o marido não tem autoridade sobre o seu próprio corpo, mas sim a mulher.* ***Não se recusem um ao outro, exceto por mútuo consentimento*** *e durante certo tempo, para se dedicarem à oração. Depois, unam-se de novo, para que Satanás não os tente por não terem domínio próprio... Digo, porém, aos solteiros e às viúvas: É bom que permaneçam como eu.* ***Mas, se não conseguem controlar-se, devem casar-se, pois é melhor casar-se do que ficar ardendo de desejo*** (1 Coríntios 7:1-5, 8-9).

O casamento é o veículo ordenado por Deus para saciar o desejo sexual

5. O desejo de começar uma família

O desejo de ter filhos é um desejo santo, mas não é um motivo fundamental ou mesmo necessário para um casamento. Há muitos casais felizes em seus casamentos e que não têm filhos, seja por escolha ou não. A felicidade e o sucesso conjugal não dependem da presença de filhos. Os filhos constituem uma maravilhosa bênção e aprimoram o casamento; os casais que querem tê-los desejam uma coisa boa. O Salmo 127:3-5 diz, "Os filhos são herança do Senhor, uma recompensa que ele dá. Como flechas nas mãos do guerreiro são os filhos nascidos na juventude. Como é feliz o homem que tem a sua aljava cheia deles! Não será humilhado quando enfrentar seus inimigos no tribunal." Não existe melhor ambiente para criar os filhos do que um lar cristão ancorado em um sólido casamento cristão.

6. Companhia

O desejo de companhia é um motivo digno para casar.Todos possuem uma necessidade interior de um "amigo do peito", um amigo íntimo ou uma companhia. Embora essa companhia ou amizade possa ser encontrada fora do casamento, a companhia formada entre um homem e uma mulher é particularmente rica e gratificante. Os seres humanos são seres sociais, criados para desfrutar e florescer na companhia um do outro. Quando Deus criou o primeiro homem, não encontrou entre as outras criaturas "uma ajudadora idônea".

Um marido deveria ser o melhor amigo e companheiro de sua mulher, e uma mulher, do seu marido

Então o Senhor Deus fez o homem cair em profundo sono e, enquanto este dormia, tirou-lhe uma das costelas fechando o lugar com carne. Com a costela que havia tirado do homem, o Senhor Deus fez uma mulher e a levou até ele. Disse então o homem: "Esta, sim, é osso dos meus ossos e carne da minha carne! Ela será chamada mulher, porque do homem foi tirada". Por essa razão, o homem deixará pai e mãe e se unirá à sua mulher, e eles se tornarão uma só carne (Gênesis 2:21-24).

Um marido deveria ser o melhor amigo e companheiro de sua mulher, e uma mulher, do seu marido. O casamento foi concebido para que haja companheirismo.

7. Compartilhar todas as coisas junto com a outra pessoa

Há bastante verdade no velho ditado que diz que quando compartilhamos nossa tristeza, a tristeza é dividida ao meio e quando compartilhamos nossa alegria, a alegria é dobrada. Os tempos de tristeza e dificuldade em nossas vidas são mais fáceis de aguentar quando temos uma alma gêmea para partilhá-los. Nossa alegria e risos multiplicam-se quando temos um amigo íntimo que participa deles. O amor santo que atrai um homem e uma mulher cria neles um desejo de compartilhar todas as coisas juntos, especialmente a aventura dos acontecimentos diários da própria vida. O casamento é planejado para o homem e a mulher que decidiram que desejam passar o resto de suas vidas juntos em um relacionamento de participação, amor e respeito mútuo.

8. Trabalhar juntos para atender às necessidades mútuas

O amor conjugal também provoca em um marido e uma esposa o desejo de atender às necessidades um do outro. Esse é um processo de dar e receber que exige muita sensibilidade de ambas as partes. Toda pessoa nasce com contínuas necessidades físicas, mentais, emocionais e espirituais. Há a necessidade de alimento, água, vestuário e abrigo; a necessidade de segurança e paz de espírito; a necessidade de não ter medo; a necessidade de enriquecimento harmonioso; a necessidade de paz com Deus e uma comunhão íntima com Ele. O casamento é uma oportunidade concebida especificamente para um homem e uma mulher trabalharem juntos a fim de satisfazerem suas legítimas necessidades. Em conjunto e com uma confiança firme no Senhor, podem enfrentar qualquer desafio e superar qualquer obstáculo. "Um homem sozinho pode ser vencido, mas dois conseguem defender-se. Um cordão de três dobras não se rompe com facilidade" (Eclesiastes 4:12).

9. Maximizar o potencial de cada um

A chave para uma vida bem-sucedida é morrer vazio — maximizar seu potencial aprendendo a pensar e agir além de suas limitações autoimpostas. Em um casamento bem-sucedido, ambos os parceiros estão comprometidos em se ajudar mutuamente a alcançar seu potencial. O desejo de ajudar a pessoa amada a se tornar tudo que pode ser é uma motivação saudável para o casamento. Os laços da união conjugal propiciam um ambiente ideal no qual maridos e esposas podem se esforçar para expressar seu pleno potencial pessoal, espiritual e profissional. Na parceria eles podem incentivar, levantar, orar, defender, desafiar, confortar e sustentar um ao outro.

Os laços da união conjugal propiciam um ambiente ideal no qual maridos e esposas podem se esforçar para expressar seu pleno potencial pessoal, espiritual e profissional

10. Aperfeiçoar o crescimento espiritual

Por ter origem em Deus, o casamento é projetado para crentes: homens e mulheres que andam pela fé e não pelo que veem e vivem em um relacionamento de amor pessoal diário e crescente com Jesus Cristo. O homem e a mulher juntos deveriam incentivar um ao outro continuamente a crescer no Senhor. Deveriam adorar, orar, ler e discutir as Escrituras juntos e mantendo-se mutuamente responsáveis pela sua caminhada espiritual com Cristo. De forma estrutural, "... pois o marido é o cabeça da mulher, como também Cristo é o cabeça da igreja..." (Efésios 5:23). Através desta liderança e submissão a Cristo, o marido estabelece a tendência e a direção do crescimento espiritual da família, mas tanto o marido quanto a mulher possuem responsabilidade mútua pela saúde espiritual de seu casamento. Qualquer casal que leva a sério a construção de um casamento santo terá como prioridade o aperfeiçoamento do crescimento espiritual mútuo.

~

Uma característica comum em todos os dez motivos *não saudáveis* para o casamento é que são essencialmente *egocêntricos*. O egoísmo nunca é uma qualidade saudável sobre a qual se deva construir um casamento.

Todavia, os dez motivos *saudáveis* são fundamentalmente *altruístas.* Por serem baseados na natureza altruísta de Deus, são motivos *generosos,* que enfocam as necessidades e o bem-estar da outra pessoa. Esta é uma peculiaridade crucial que pode fazer diferença entre o sucesso ou o fracasso, felicidade ou infelicidade e entre um bom e um mau casamento.

PRINCÍPIOS

1. Um casamento saudável junta duas partes inteiras, não duas metades, formando uma união que é maior do que a soma de suas partes.
2. Todos nós devemos encontrar nosso sentimento de autoestima em nosso relacionamento com Cristo; em nossa identidade como filhos amados de Deus e herdeiros de Seu Reino, almas preciosas criadas à imagem de Deus pelas quais Jesus morreu.
3. Dez motivos saudáveis para o casamento:
   - Vontade de Deus
   - Expressar o amor de Deus por outra pessoa
   - Expressar o amor pessoal por outra pessoa
   - Satisfazer necessidades e desejos sexuais de uma forma santa
   - O desejo de começar uma família
   - Companhia
   - Compartilhar todas as coisas junto com a outra pessoa
   - Trabalhar juntos para atender às necessidades mútuas
   - Maximizar o potencial de cada um
   - Aperfeiçoar o crescimento espiritual
4. Por ter origem em Deus, o casamento é projetado para crentes: homens e mulheres que andam pela fé e não pelo que veem e vivem em um relacionamento de amor pessoal diário e crescente com Jesus Cristo.

CAPÍTULO QUATRO

Todos deveriam ter um casamento no jardim

O primeiro casamento do mundo ocorreu no Jardim do Éden. Lá, Deus ordenou e santificou o casamento do homem e da mulher que Ele criou. Os capítulos 1 e 2 de Gênesis descrevem o casamento em seu estado ideal, como Deus o concebeu, quando Adão e Eva desfrutavam de um relacionamento caracterizado por paz, harmonia e igualdade, juntamente com uma comunhão contínua e ininterrupta com seu Criador. O capítulo 3 de Gênesis apresenta um quadro totalmente diferente: o pecado havia arruinado a harmonia do relacionamento do casal e destruído sua comunhão com Deus. Os capítulos 1 e 2 retratam o casamento "dentro do jardim", enquanto que o capítulo 3 mostra o casamento "fora do jardim". O único lugar para experimentar o casamento de Deus é "dentro do jardim". Qualquer casamento "fora do jardim" não é um casamento de Deus.

Gênesis capítulos 1 e 2 apresentam o casamento antes da Queda, conforme Deus o planejou. O capítulo 3 revela o que o casamento se tornou após a Queda, visto que o mundo o corrompeu. Em termos práticos, isto significa que nenhuma das condições, bênçãos ou promessas que estão presentes no casamento "dentro do jardim" dos capítulos 1 e 2 são garantidas no casamento "fora do jardim" constante no capítulo 3. Dentro do jardim, Adão e Eva usufruem de amor, respeito e igualdade mútuos; fora do dele, inventam desculpas, mentem para Deus e culpam um ao outro. No jardim, compartilham do mesmo espírito, o Espírito de Deus; fora dele, esse Espírito afastou-se deles e são como estranhos um para o outro. No jardim estavam unidos no espírito *e* na carne; fora, tudo o que têm é carne.

O padrão de casamento de Deus é baseado na qualidade do jardim. Ninguém pode verdadeiramente alegar que Deus uniu aqueles que não vêm para o altar do casamento no contexto do jardim. Por ser concebido para crentes, o verdadeiro casamento é uma união de espíritos assim como uma união da carne. No Jardim do Éden não havia necessidade de Adão e Eva estarem casados em espírito, porque já compartilhavam do mesmo espírito. Seus espíritos já eram *fundidos.* Na carne, todavia, eram pessoas separadas. Seu casamento "dentro do jardim" era para uni-los fisicamente — *fundi-los* em "uma só carne", da mesma forma que já eram "um só espírito".

Todos os dias, milhares de casais em todo o mundo se casam, pressupondo que Deus os uniu. Na maioria dos casos, isto simplesmente não é verdade, porque eles não se casaram dentro do contexto do jardim. Não compartilham o mesmo espírito, porque um deles ou ambos nunca nasceram de novo no Espírito de Deus. Em função disso, não têm garantia de sucesso, nenhuma defesa contra as forças destrutivas que os tentará separar. As promessas de Deus nas Escrituras aplicam-se a todos que O obedecem e Nele creem — todos que são chamados de filhos de Deus e que compartilham do Seu Espírito. Ninguém que está fora do Espírito de Deus tem qualquer garantia de receber Suas promessas. Quando há zelo pelo casamento, o seu sucesso ou fracasso podem depender em grande medida se ele se encontra ou não no contexto do jardim.

Muito embora eles sejam nascidos de novo, muitos crentes têm dificuldades em seus casamentos porque inconscientemente trocaram os valores e concepções de Deus pelos valores e concepções do mundo

O conhecimento é a chave crucial para o sucesso de qualquer coisa, e o casamento não é uma exceção. Até mesmo os crentes cheios do Espírito de Deus podem fracassar no casamento a menos que conheçam e compreendam as diferenças fundamentais entre o casamento "dentro e fora do jardim". Muito embora eles sejam nascidos de novo, muitos crentes têm dificuldades em seus casamentos porque inconscientemente trocaram os valores e concepções de Deus pelos valores e concepções do mundo. Precisam aprender a buscar o Espírito Santo para obter sabedoria e conhecimento, a fim de levar seus casamentos para "dentro do jardim".

Igual autoridade, igual domínio

Os dois primeiros capítulos de Gênesis contêm importantes dicas para nos ajudar a compreender o que o casamento estava destinado a ser e o relacionamento que deveria existir entre o homem e a mulher. No sexto e último dia da criação, após os céus e a terra terem sido criados e a terra estar cheia de plantas, animais e vida no mar, Deus atinge o clímax de Sua atividade inovadora ao criar o homem. A humanidade — homem e mulher — foi o ápice, a glória culminante da faculdade criadora de Deus. Ele tinha um lugar e um plano especial para eles, os maiores de Sua Criação.

> *Então disse Deus: "Façamos o homem à Nossa imagem, conforme a Nossa semelhança. Domine* ***ele*** *sobre os peixes do mar, sobre as aves do céu, sobre os grandes animais de toda a terra e sobre todos os pequenos animais que se movem rente ao chão". Criou Deus o homem à Sua imagem, à imagem de Deus o criou;* ***homem e mulher os criou****. Deus* ***os*** *abençoou, e* ***lhes*** *disse: "Sejam férteis e multipliquem-se! Encham e subjuguem a terra! Dominem sobre os peixes do mar, sobre as aves do céu e sobre todos os animais que se movem pela terra"* (Gênesis 1:26-28).

Observe que a autoridade para governar a ordem criada e encher a subjugar a terra foi dada ao homem e a mulher *juntos. Ambos* foram criados à imagem de Deus, cada um projetado para completar e aperfeiçoar perfeitamente o outro. Ao*s dois* foi concedida a capacidade e autoridade para dominar o reino físico como vice-regentes de Deus. Observe também que sua autoridade para administrar estendia-se a todas as criaturas menores de Deus — peixes, pássaros e animais terrestres — mas *não* um ao outro. De acordo com o plano original, homem e mulher deveriam exercer *igual* autoridade e *igual* domínio.

O comando de Deus para subjugar e dominar aplica-se igualmente aos dois, homem e mulher. No Jardim do Éden, Adão e Eva possuíam o mesmo espírito, agiam com a mesma autoridade e exerciam o mesmo poder. Tinham domínio sobre "todos os pequenos animais que se movem rente ao chão". Isto incluía a serpente. O capítulo 3 de Gênesis deixa claro que satã, o anjo caído, o tentador e acusador, estava presente no jardim, na forma de uma serpente. Em virtude de Adão e Eva representarem a criação máxima de Deus, e por satã estar no seu reino, estava sob sua jurisdição. Adão e Eva possuíam autoridade e poder para subjugar o diabo. Sua incapacidade de fazer isto levou à tragédia.

No jardim, Adão e Eva eram iguais em individualidade e autoridade

O segundo capítulo de Gênesis também revela que no jardim Adão e Eva eram iguais em individualidade e autoridade. Gênesis 2:18-24 descreve como Deus formou Eva a partir da costela de Adão a fim de que fosse uma "ajudadora idônea" para ele, alguém que seria perfeita e completamente compatível com ele fisicamente. A palavra hebraica para "costela" pode também ser traduzida como "lado". Eva foi formada de uma parte lateral de Adão. Era do mesmo "material" que Adão: o mesmo espírito, a mesma mente, a mesma essência e a mesma imagem divina. Ela era osso de seu osso e carne de sua carne, em cada aspecto essencial e fundamental era igual a ele. Um provérbio hebraico antigo encontrado no Talmude, a coleção autorizada da tradição judaica, diz, "Deus não criou a mulher de um pedaço da cabeça do homem, para que ele viesse a mandar nela; nem da sola de seus pés, para que fosse sua escrava, mas de sua costela, para que ela ficasse perto do seu coração".

Um só espírito e uma só carne, o homem e a mulher no jardim exerciam poder e autoridade iguais, governando juntos o domínio físico e terreno que Deus lhes deu

Um só espírito e uma só carne, o homem e a mulher no jardim exerciam poder e autoridade iguais, governando juntos o domínio físico e terreno que Deus lhes deu.

A chefia do homem é baseada no conhecimento

Igualdade de individualidade, poder e autoridade não quer dizer que não havia nenhuma prioridade de liderança entre Adão e Eva no jardim. Uma coisa que o capítulo 2 de Gênesis deixa claro é que Deus posicionou o homem como o cabeça da unidade familiar. No plano de Deus, a chefia no casamento é responsabilidade do homem. Tão logo Deus colocou Adão no Jardim do Éden, estabeleceu os parâmetros sob os quais ele iria viver e trabalhar.

> *O Senhor Deus colocou o homem no jardim do Éden para cuidar dele e cultivá-lo. E o Senhor Deus ordenou ao homem: "Coma livremente de qualquer árvore do jardim, mas não coma da árvore do conhecimento do bem e do mal, porque no dia em que dela comer, certamente você morrerá"* (Gênesis 2:15-17).

Deus deu a Adão um trabalho frutífero e produtivo para fazer, responsabilizando-o pelo cuidado do jardim. Ao mesmo tempo, Deus lhe deu liberdade para reinar em todo seu domínio. A única restrição foi a proibição de Deus para que não comesse da árvore do conhecimento do bem e do mal.

É importante notar que Adão recebeu estas instruções antes de Eva entrar em cena. Por ter sido criado antes, teve acesso a uma informação privilegiada de Deus que Eva não teve. Era sua responsabilidade passar esta informação à sua mulher. Como "cabeça" da união, Adão era a cobertura de sua família. Essa cobertura foi baseada na sua responsabilidade.

Por que Adão foi constituído como cabeça da família? Por que era fisicamente mais forte? Não. Atualmente é comum que homens e mulheres sejam essencialmente iguais na força física, mas de maneiras diferentes. Geralmente, os homens são mais fortes da cintura para cima enquanto as mulheres são mais fortes da cintura para baixo. O corpo da mulher foi especificamente projetado para aguentar a pressão e o estresse físico das dores do parto. Bem poucos homens poderiam suportar esse tipo de dor. A posição de chefia de Adão não era por causa de sua força física. Foi em função de sua aparência física? Creio que não. Fisicamente, as mulheres em geral são mais atraentes do que os homens. Alguém uma vez disse ironicamente que devido ao fato de o homem ter sido criado antes, era a "cópia grosseira", enquanto a mulher era o produto final mais refinado.

Adão era mais esperto? Não. Homens e mulheres possuem igual capacidade intelectual. Era mais espiritual? Não. Adão e Eva compartilhavam do mesmo espírito.

Parece que a chefia de Adão foi mais uma questão de tempo do que qualquer outra coisa. Adão era o cabeça porque foi criado antes e possuía a informação que Eva não tinha. A chefia de Adão foi baseada no *conhecimento*. Este fato tem sérias implicações para a compreensão do significado de chefia. O marido é o cabeça da mulher (vide Efésios 5:23), mas isto *não* significa que era chefe de Eva. Chefia não é domínio; é ***liderança***. Como cabeça, o homem deve propiciar direção e liderança espiritual à família. Ele deveria traçar a diretriz. Sua temperatura espiritual deveria estabelecer o clima para toda sua casa.

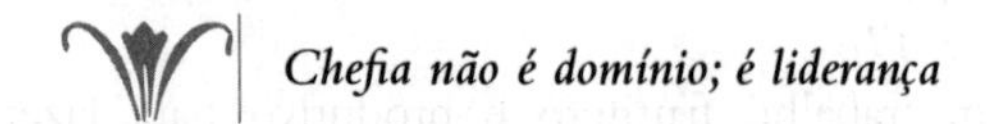
Chefia não é domínio; é liderança

Muitos casamentos hoje em dia, incluindo casamentos cristãos, sofrem porque os maridos não compreendem ou não cumprem de forma apropriada suas responsabilidades como cabeça de suas famílias. Com frequência, sua chefia degringola para um governo autoritário que domina tanto a esposa como os filhos. Às vezes abdicam de sua liderança totalmente de forma que a chefia recai sobre suas esposas, pelo menos na prática, se não no nome.

Quando um homem e uma mulher entendem a questão da chefia, esta compreensão irá promover harmonia e sucesso conjugais. O marido decide para onde a família vai, ao passo que a esposa decide como lá ficarão. O marido fornece direção; a esposa, manutenção. A orientação dada pelo marido tem tudo a ver com o que sua esposa faz e o que ela faz tem tudo a ver com a orientação dele. Os dois são necessários e ambos trabalham juntos. A direção é o primeiro passo e a ação é o segundo.

Em sua chefia, Adão tinha informações vitais provenientes de Deus imprescindíveis para a segurança e bem-estar de Eva. Ele tinha a responsabilidade de instruí-la acerca da ordem de Deus com relação à árvore do conhecimento do bem e do mal. A chefia do homem, portanto, é baseada no *conhecimento* e envolve fundamentalmente ensino e instrução à sua família nos caminhos de Deus e em todos os assuntos espirituais em geral.

Saindo do jardim

Na beleza do Jardim do Éden, Adão e Eva exerciam domínio sobre a ordem criada, desfrutavam de alegria e harmonia conjugal e possuíam comunhão ininterrupta com seu Criador. Estas condições idílicas foram arruinadas pelos esquemas sutis e astuciosos do adversário. Na forma de uma serpente, este inimigo mortal de Deus tinha como alvo destruir a pureza, inocência e ordem da vida no jardim. A mulher foi seu alvo e a dúvida sua arma.

> *Ora, a serpente era o mais astuto de todos os animais selvagens que o Senhor Deus tinha feito. E ela perguntou à mulher: "Foi isto mesmo que Deus disse: 'Não comam de nenhum fruto das árvores do jardim'?" Respondeu a mulher à serpente: "Podemos comer do fruto das árvores do jardim, mas Deus disse: 'Não comam do fruto da árvore que está no meio do jardim, nem toquem nele; do contrário vocês morrerão'". Disse a serpente à mulher: "Certamente não morrerão! Deus sabe que, no dia em que dele comerem, seus olhos se abrirão, e vocês, como Deus serão conhecedores do bem e do mal". Quando a mulher viu que a árvore parecia agradável ao paladar, era atraente aos olhos e, além disso, desejável para dela se obter discernimento, tomou do seu fruto, comeu-o e o deu a seu marido, que comeu também. Os olhos dos dois se abriram, e perceberam que estavam nus; então juntaram folhas de figueira para cobrir-se* (Gênesis 3:1-7).

Como Eva não expressou nenhuma surpresa quando a serpente falou com ela, é razoável concluir que esta provavelmente não era sua primeira conversa. Em sua inocência com respeito ao conhecimento do bem e do mal, Eva não tinha motivo para desconfiar das palavras da serpente ou suspeitar de sua trapaça. Sua pergunta era muito sutil, semeando habilmente em sua mente uma semente de dúvida acerca de integridade de Deus: "Foi *isto mesmo* que Deus disse: 'Não comam de nenhum fruto das árvores do jardim'?" (Ênfases acrescentadas). É assim que o adversário opera. O arquiinimigo de Deus, identificado nas Escrituras judaico-cristãs como o diabo ou satã, busca minar o caráter de Deus nas mentes das pessoas através de insinuações e dúvidas, distorcendo a verdade.

Uma das principais táticas do adversário é fazer com que duvidemos de quem somos

A resposta de Eva à pergunta da serpente revela que Adão tinha cumprido com sua responsabilidade de informá-la sobre a ordem de Deus em relação à árvore do conhecimento do bem e do mal. Quando ela diz que tocar ou comer da árvore significaria morte, a serpente contradiz claramente o Senhor: "Certamente não morrerão, [mas] seus olhos se abrirão, e vocês, como Deus serão conhecedores do bem e do mal". Uma das principais táticas do adversário é fazer com que duvidemos de quem somos. Adão e Eva foram criados à imagem e semelhança de quem? *De Deus.* Não precisavam comer o fruto da árvore do bem e do mal para que se tornassem igual a Deus; *eles já eram igual a Ele!* A semente da dúvida cresceu na mente de Eva até deixá-la confusa com relação a quem era e com respeito ao que Deus havia lhe dito. Na sua confusão e em razão do fruto da árvore parecer atraente, decidiu comê-lo. Onde estava Adão enquanto tudo isto estava acontecendo? De acordo com o versículo 6 ele estava *com ela*, pelo menos na hora em que ela comeu o fruto, porque ela o deu a seu marido e ele também comeu. A passagem não nos conta onde ele estava durante a conversa de Eva com a serpente. Embora não haja nenhuma interrupção na narrativa, a decisão de Eva de comer o fruto não ocorreu necessariamente imediatamente depois. Algum tempo pode ter passado enquanto sua dúvida aumentava e a tentação ficava maior.

Aparentemente Adão não estava por perto quando Eva e a serpente conversaram. Por causa dessa ausência, Adão fracassou em sua responsabilidade de defender e proteger sua esposa. Apesar de ambos possuírem a autoridade sobre a serpente, eles entregaram a ela essa autoridade ao ouvi-la, e ela obteve controle sobre eles. Eva foi enganada, mas Adão pecou com seus olhos bem abertos. O "conhecimento" que receberam por toda sua confusão foi a consciência de que tinham pecado e de que o Espírito de Deus havia se afastado deles. De repente, estavam afastados um do outro e também de Deus. A "lua-de-mel" tinha acabado. Por sua desobediência seu casamento mudou-se para "fora do jardim".

Adão, onde está você?

Depois que Adão e Eva desobedeceram a Deus no jardim, Ele os confrontou com seu pecado, e a forma como fez isso revela uma importante verdade sobre Seu plano para o casamento.

Ouvindo o homem e sua mulher os passos do Senhor Deus que andava pelo jardim quando soprava a brisa do dia, esconderam-se da presença do Senhor Deus entre as árvores do jardim. Mas o Senhor Deus chamou o homem, perguntando: "Onde está você?" E ele respondeu: "Ouvi teus passos no jardim e fiquei com medo, porque estava nu; por isso me escondi". E Deus perguntou: "Quem lhe disse que você estava nu? Você comeu do fruto da árvore da qual lhe proibi comer?" Disse o homem: "Foi a mulher que me deste por companheira que me deu do fruto da árvore, e eu comi". O Senhor Deus perguntou então à mulher: "Que foi que você fez?" Respondeu a mulher: "A serpente me enganou, e eu comi" (Gênesis 3:8-13).

Observe que embora tenha sido Eva que ouviu a serpente, foi enganada por ela, tomou o fruto e o comeu, quando Deus os confrontou Ele procurou por *Adão*. "Mas o Senhor Deus chamou o *homem*, perguntando: 'Onde está você?'" Esta não era uma pergunta sobre sua localização, mas disposição. Deus já sabia onde Adão estava e o que tinha feito. A pergunta tinha intenção de fazer com que Adão reconhecesse seu pecado e se responsabilizasse por suas ações. O Senhor estava dizendo a Adão, "Como você chegou ao estado em que se encontra? Você caiu em pecado e Meu Espírito o deixou. Não existe mais qualquer comunhão entre nós. Como chegou a esta condição?"

Se Eva fosse a causadora do problema, a primeira a desobedecer, comendo do fruto proibido, por que Deus procurou por Adão? Há pelo menos duas razões. Por um lado, ainda que Eva tivesse pecado antes, Adão era tão culpado quanto ela, porque também comeu do fruto. Poderia ter recusado, mas não o fez. Mais importante ainda, todavia, Deus se aproximou de Adão porque, como chefe da família, ele era responsável. Adão tinha a responsabilidade não apenas de contar para sua esposa o que Deus havia dito, o que ele aparentemente fez, mas também de vigiar e cuidar dela. Deveria ser sua proteção. Onde estava durante o encontro de sua mulher com o adversário? Por não estar onde deveria ou fazendo o que se esperava que fizesse, Adão teve responsabilidade direta por sua falha.

O medo e a separação não são parte do plano de Deus nem o que Ele deseja para nós

A resposta de Adão à pergunta do Senhor torna claro que algumas mudanças fundamentais ocorreram em seu relacionamento. "Ouvi teus passos no jardim e fiquei com medo, porque estava nu; por isso me escondi". Quando uma pessoa perde a comunhão com Deus, diversas coisas importantes acontecem. Primeiramente, sua percepção de separação faz com que se esconda Dele. Adão se escondeu. Em segundo lugar, passa a ter medo. Adão ficou com medo. Até desobedecer a Deus ele nunca havia conhecido o medo. Agora o medo seguia obstinadamente cada passo seu.

O amor e o medo não podem coexistir. Onde abunda o amor, o medo é banido; onde há medo, o amor diminui

O medo e a separação não são parte do plano de Deus nem o que Ele deseja para nós. Ele nos criou para amá-Lo e para desfrutar de uma comunhão permanente com Ele. O medo é um elemento estranho nesse relacionamento. Interfere na liberdade de expressão do amor. Em sua segunda carta a Timóteo, seu jovem discípulo, Paulo, o grande missionário e mestre do primeiro século, escreveu, "Pois Deus não nos deu espírito de covardia, mas de poder, de amor e de equilíbrio" (2 Timóteo 1:7). Uma outra palavra para timidez é *medo*. João, um dos escritores do Novo Testamento e um dos discípulos especiais de Jesus, escreveu, "... Deus é amor. Todo aquele que permanece no amor permanece em Deus, e Deus nele.... No amor não há medo; ao contrário o perfeito amor expulsa o medo, porque o medo supõe castigo. Aquele que tem medo não está aperfeiçoado no amor" (1 João 4:16, 18).

O amor e o medo não podem coexistir. Onde abunda o amor, o medo é banido; onde há medo, o amor diminui. Por causa do pecado, Adão e Eva perderam o amor, paz, harmonia e comunhão que tinham com Deus e um com o outro e perceberam que a culpa e o medo os havia substituído. Esta mudança afetou todas as áreas de suas vidas, incluindo seu casamento. Um casamento sem amor é escravo do medo e da divisão. Estas são características comuns do casamento "fora do jardim".

Um casamento sem amor é escravo do medo e da divisão

Fazendo o jogo da culpa

Outro sinal de mudança fundamental que o pecado trouxe para o seu relacionamento é que Adão e Eva começaram a fazer o jogo da culpa. A culpa se desenvolve onde o amor está ausente. Adão culpou Eva, Eva culpou a serpente e nenhum dos dois estava disposto a aceitar a responsabilidade pessoal por suas ações. As pessoas com frequência dizem ou fazem coisas ridículas quando tentam evitar assumir a responsabilidade por algo. Considere o que Adão disse: "Foi a mulher que me deste por companheira que me deu do fruto da árvore, e eu comi". Ele faz parecer como se estivesse completamente indefeso. De fato, Adão estava dizendo para Deus, "É culpa dela, esta mulher que o *Senhor* me deu imobilizou minha cabeça, abriu minha boca, enfiou a fruta lá, movendo minhas mandíbulas, dizendo, 'Vamos, mastigue'"

A culpa se desenvolve onde o amor está ausente

Simplificando, Adão não quis assumir a responsabilidade pelo que aconteceu à sua família. Nem Eva. Quando Deus perguntou, "Que foi que você fez?" Ela tentou colocar a culpa em alguém. "A serpente me enganou, e eu comi". Superficialmente, o que ela disse é verdade; a serpente *realmente* a enganou. Todavia, isso não a isenta da responsabilidade. Ela sabia o que Deus havia dito e resolveu desobedecer.

A relutância em assumir responsabilidades é um problema muito comum em nossa sociedade moderna, um sintoma da pecaminosidade da raça humana na rebelião contra nosso Criador. A psicologia "*pop*" nos diz que somos todos "vítimas". Se estamos destruídos é por causa do ambiente, ou porque sofremos abuso quando crianças, ou passamos por privações sociais ou econômicas ou qualquer outro tipo de desculpa. Não assumimos nenhuma responsabilidade por nossas ações ou pelo que nos tornamos. Não importa o que aconteça, a culpa é sempre de uma outra pessoa — nosso marido, esposa, filhos ou chefe — qualquer um menos nós.

Esta mesma atitude caracteriza o casamento "fora do jardim". Quando ninguém está disposto a assumir a responsabilidade, todos sofrem. As pessoas podem se tornar completamente incoerentes, quando querem evitar responsabilidade. Em um esforço para justificar um comportamento irresponsável, começam a dar desculpas que não fazem sentido, declarando-as como se fossem verdades irrefutáveis. O plano do mundo para o casamento é o oposto do plano de Deus. O casamento "fora do jardim" é o casamento da culpa, atividade irresponsável, transferindo e jogando a culpa nos outros e os homens falhando em assumir seu lugar legítimo e responsável como chefe da casa. No sistema do mundo, o casamento pode ser desfeito quando está ficando difícil.

Uma característica adicional do "casamento fora do jardim" é os maridos exercerem domínio autoritário sobre suas esposas. Isto é uma consequência do pecado de Eva. Deus disse para ela, "À mulher, ele declarou: "Multiplicarei grandemente o seu sofrimento na gravidez; com sofrimento você dará à luz filhos. Seu desejo será para o seu marido, e *ele a dominará*" (Gênesis 3:16). É importante observar que isto não é parte do plano original do relacionamento entre marido e mulher, mas uma descrição da situação que existe agora por causa do pecado.

O marido tem responsabilidade total pela saúde e bem-estar de sua esposa e família, mas não é o "chefe"

No casamento planejado por Deus, o marido não *domina* sua esposa, mas exerce *liderança. Fornece direção e orientação, mas eles governam juntos.* O *marido tem responsabilidade total pela saúde e bem-estar de sua esposa e família, mas não é o* "chefe". Como cabeça da família ele a lidera, não como um tirano ou ditador, mas com amor, graça, sabedoria e conhecimento sob o senhorio de Cristo.

PRINCÍPIOS

1. De acordo com o plano original, homem e mulher deveriam exercer *igual* autoridade e *igual* domínio.
2. No plano de Deus, a chefia no casamento é responsabilidade do homem.
3. Chefia não é domínio; é *liderança.*
4. A chefia do homem é baseada no *conhecimento* e envolve principalmente ensinar e instruir sua família nos caminhos de Deus em todos os assuntos espirituais em geral.
5. O casamento "fora do jardim" é o casamento da culpa, atividade irresponsável, transferindo e jogando a culpa nos outros e os homens falhando em assumir seu lugar legítimo e responsável como chefe da casa.
6. Como cabeça da família o homem lidera sua esposa, não como um tirano ou ditador, mas com amor, graça, sabedoria e conhecimento sob o senhorio de Cristo.

CAPÍTULO CINCO

Um casamento feliz não é um acaso

Um casamento feliz não é um acaso. Como em qualquer outra área da vida, o sucesso no casamento não acontece automaticamente. O segredo para o sucesso em qualquer empreendimento é *planejar,* e o sucesso do planejamento depende de *conhecimento.* Somente quando temos informação adequada e precisa podemos planejar para o sucesso.

Muitos de nós estamos dispostos a passar anos na escola recebendo uma educação que -acreditamos - irá nos preparar para o sucesso em nossa carreira ou profissão escolhida.

Almejamos a educação, porque pode nos tornar versáteis e a versatilidade aumenta nosso valor. O valor agregado aumenta a possibilidade de sucesso. Em vez de deixarmos nosso sucesso ao acaso, nós o planejamento cuidadosamente.

Houve um tempo em que as pessoas começavam a trabalhar aos 18 ou 21 anos, e passavam a vida inteira trabalhando com o mesmo empregador. Hoje em dia não é tão incomum os trabalhadores mudarem de emprego ou empregadores cinco vezes ou mais durante suas carreiras. O fato de as frequentes mudanças de carreira terem se tornado a norma na sociedade moderna faz com que a educação e o conhecimento sejam ainda mais importantes para o sucesso.

Se somos tão diligentes no planejamento do sucesso da carreira, por que não fazemos o mesmo para obter sucesso no casamento? Afinal, passamos anos nos preparando para ter uma carreira que pode mudar a qualquer momento, no entanto, dedicamos bem pouco tempo criando condições para ter um relacionamento que deveria durar a vida inteira.

Se não formos diligentes, podemos acabar passando tempo demais nos preparando para coisas erradas. Não há nada de errado em ir para a escola e instruir-se ou deliberadamente planejar para ter sucesso em metas de carreiras pessoais. O problema é que há muitas pessoas com carreiras bem-sucedidas, mas casamentos fracassados porque passaram muito tempo aprendendo a como se dar bem com o seu chefe e não fizeram o mesmo para aprender a se entender com sua esposa. Investimos mais em preparação para ganhar dinheiro do que em viver efetivamente.

Como qualquer outro empreendimento na vida, o sucesso no casamento depende de informação e planejamento. É um investimento e o sucesso é diretamente proporcional à quantia de conhecimento e tempo nele envolvidos. O sucesso não é um dom, mas o resultado de uma preparação dinâmica e diligente. Está diretamente relacionado ao investimento: quando você aplica em tempo e paixão tem mais possibilidade de obter êxito.

Ninguém que espera construir uma casa nova trata do projeto de maneira desleixada. O sucesso nesse empreendimento significa comprar o lote certo da propriedade, assegurando-se de que os serviços sejam executados por um arquiteto qualificado; depois, certificar-se de que há disponibilidade de um financiamento suficiente para que todo o projeto seja concluído de forma apropriada. É importante planejar o *fim* antes do começo, estimar o custo antecipadamente e tentar prever armadilhas e dificuldades que irão ocorrer ao longo do caminho. Jesus enfatizou a importância deste tipo de planejamento antecipado quando disse, "Qual de vocês, se quiser construir uma torre, primeiro não se assenta e calcula o preço, para ver se tem dinheiro suficiente para completá-la? Pois, se lançar o alicerce e não for capaz de terminá-la, todos os que a virem rirão dele, dizendo: 'Este homem começou a construir e não foi capaz de terminar'" (Lucas 14:28-30). Embora Jesus estivesse falando aqui especificamente da importância do custo de se tornar seu discípulo, Suas palavras propiciam um sábio conselho para nós com respeito a qualquer projeto com o qual nos comprometemos. Devemos *planejar* para obter sucesso. Devemos dedicar à edificação de um lar a mesma atenção empregada na construção de uma casa. Muitas casas bonitas não são lares.

Conhecimento e revelação

O casamento não é diferente. Os mesmos princípios podem ser aplicados. Um casamento feliz não pode ser deixado ao acaso. Do mesmo modo que na construção de uma casa, um casamento bem-sucedido é o produto de um planejamento cuidadoso e de um projeto ponderado, o material certo, boas recomendações e empreiteiros qualificados.

Muitos crentes cometem o erro de presumir que pelo fato de conhecerem a Deus e possuírem o Espírito Santo têm êxito garantido no casamento. Provérbios 1:7 diz, "O temor do Senhor é o princípio do conhecimento, mas os insensatos desprezam a sabedoria e a disciplina". O temor do Senhor *é o princípio* do conhecimento. Não importa o quanto inteligentes e instruídos sejamos, até que conheçamos o Senhor não temos o verdadeiro conhecimento. É por aí que devemos começar.

Devemos nos tornar estudantes da Palavra de Deus, fluentes nos princípios espirituais que governam a vida

Um dos ministérios do Espírito Santo em nossas vidas é nos levar ao conhecimento da verdade. Jesus disse, "Mas o Conselheiro, o Espírito Santo, que o Pai enviará em meu nome, *lhes ensinará* todas as coisas e *lhes fará lembrar* tudo o que eu lhes disse" (João 14:26, ênfases acrescentadas). O Espírito Santo não pode nos ensinar se não nos sentarmos para aprender e também não pode nos lembrar de coisas que nunca aprendemos antes. Devemos nos tornar estudantes da Palavra de Deus, fluentes nos princípios espirituais que governam a vida. Somente então o Espírito Santo pode nos ensinar e nos fazer lembrar.

Quando se refere ao casamento, não temos nenhuma garantia de sucesso se não conhecermos os princípios do sucesso. Não podemos esperar que o Espírito de Deus nos "lembre" de princípios e verdades que nunca aprendemos antes. Se nunca aprendemos como nos comunicar com nossa esposa e também como nos relacionar de maneira apropriada ou como lidar com o conflito, o Espírito Santo não tem nada do que nos "lembrar". É por isso que o conhecimento é tão importante. Ao mesmo tempo, o conhecimento em si não é suficiente. Ele, por si só, pode nos levar a conclusões erradas. Quando iluminado pelo Espírito

Santo o conhecimento se torna revelação. Precisamos da sabedoria do Espírito para nos capacitar a compreender e aplicar adequadamente nosso conhecimento.

O conhecimento supera o analfabetismo conjugal

Um dos maiores desafios que os casais de hoje enfrentam, quer sejam casados ou não, é o analfabetismo conjugal. Muitos casamentos fracassam ou deixam de atingir seu pleno potencial porque os casais nunca aprenderam o que realmente significa o casamento. O entendimento que possuem é muito superficial ou moldado pela filosofia do mundo em vez de pelos princípios de Deus, ou ambos. A probabilidade de sucesso aumenta grandemente quando as concepções errôneas da ignorância são dissipadas à luz da verdade e do conhecimento.

O relacionamento no casamento é uma escola, um ambiente de aprendizagem no qual ambos os parceiros podem crescer e se desenvolver ao longo do tempo. O casamento não exige perfeição, mas deve ser lhe dada prioridade. É uma instituição povoada exclusivamente por pecadores e encontra sua maior glória quando eles o veem como a forma de Deus conduzi-los através de Seu principal plano de ensino de amor e justiça.

O casamento é um ambiente de aprendizagem no qual ambos os parceiros podem crescer e se desenvolver ao longo do tempo

O casamento possui o potencial de expressar o amor de Deus no seu mais pleno nível possível na terra. A vontade do casal é o fator crucial. O relacionamento do casamento irá expressar o amor de Deus somente até o ponto em que ambos os parceiros estiverem dispostos a permitir que o Senhor realmente opere neles e através deles. Este é um amor totalmente altruísta no qual o marido e a mulher "submetem-se um ao outro por temor a Cristo" (Efésios 5:21); o marido ama sua mulher como a si mesmo (versículo 33), "assim como Cristo amou a igreja e entregou-Se por ela" (versículo 25).

Quando duas pessoas totalmente diferentes unem-se, vivem e operam como só uma, amando, perdoando, compreendendo, suportando e entregando-se um ao outro generosamente, aqueles que as observam de fora irão ver pelo menos um pouco o que significa o amor de Deus.

O casamento é um dos processos de refinamento através do qual Deus molda a mulher e o homem, tornando-os as pessoas que deseja que sejam

Um casamento cristão é um comprometimento total de um homem e uma mulher recíproca e individualmente com a pessoa de Jesus Cristo, um comprometimento que não retém nada quer do reino natural ou do espiritual. É um compromisso de fidelidade mútua, uma parceria de subordinação também mútua. O casamento é um dos processos de refinamento através do qual Deus molda a mulher e o homem, tornando-os as pessoas que deseja que sejam.

Construindo uma fundação sólida

Qualquer coisa de natureza permanente é construída sobre uma fundação sólida, e com o casamento não é diferente. A única fundação segura para a vida é a Palavra de Deus. Em um dos Seus mais famosos ensinos, Jesus ilustrou brilhantemente o perigo de tentar construir uma vida sobre uma fundação inadequada.

> *Portanto, quem ouve estas minhas palavras e as pratica é como um homem prudente que construiu a sua casa sobre a rocha. Caiu a chuva, transbordaram os rios, sopraram os ventos e deram contra aquela casa, e ela não caiu, porque tinha seus alicerces na rocha. Mas quem ouve estas minhas palavras e não as pratica é como um insensato que construiu a sua casa sobre a areia. Caiu a chuva, transbordaram os rios, sopraram os ventos e deram contra aquela casa, e ela caiu. E foi grande a sua queda* (Mateus 7:24-27).

Assim como uma casa construída sobre uma fundação ruim será destruída em uma tempestade, da mesma forma um casamento tem pouca probabilidade de sobreviver às tempestades da vida, exceto se estiver firmemente estabelecido no alicerce dos princípios espirituais. Vamos considerar os dez alicerces sobre os quais se deve construir uma casamento feliz e bem-sucedido.

1. Amor

O amor pode ser descrito de muitas formas diferentes, mas estamos nos referindo aqui ao ágape, o amor que define a verdadeira natureza de Deus. O amor ágape é um amor de autonegação, sacrificial e altruísta, do tipo que Paulo, um dos escritores do Novo Testamento, falou quando escreveu:

> *O amor é paciente, o amor é bondoso. Não inveja, não se vangloria, não se orgulha. Não maltrata, não procura seus interesses, não se ira facilmente, não guarda rancor. O amor não se alegra com a injustiça, mas se alegra com a verdade. Tudo sofre, tudo crê, tudo espera, tudo suporta. O amor nunca perece* (1 Coríntios 13:4-8).

O amor no casamento é mais do que simplesmente um sentimento ou uma emoção; é uma *escolha*. O amor é uma decisão que você vê de uma forma nova todos os dias com relação ao seu cônjuge. Sempre que se levanta pela manhã, deita-se à noite ou passa pelos afazeres do dia, está escolhendo continuamente amar aquele homem ou aquela mulher com quem casou.

O amor no casamento é mais do que simplesmente um sentimento ou uma emoção; é uma ESCOLHA

A compreensão de que o amor é uma escolha irá ajudá-lo a ficar longe dos problemas quando a tentação vier (e ela virá). Saber que você fez uma decisão de amar seu cônjuge irá auxiliá-lo a persistir nos momentos em que ele ou ela estiverem bravos, ou quando você olhar um colega de trabalho bonito ou atraente. Você poderia ter se casado com qualquer outra pessoa, mas esse não é o ponto. O ponto é que você tomou uma decisão. Quando se casou com seu cônjuge, escolheu amá-lo e valorizá-lo pelo resto de sua vida.

Esse amor deve ser renovado diariamente.

Um dos mais importantes alicerces para um casamento é um amor sacrificial pelo seu cônjuge, um amor que você decidiu renovar diariamente.

2. Verdade

A verdade é fundamental no casamento. Um casamento que não esteja baseado na verdade terá problemas. A maior e mais confiável fonte da verdade é a Bíblia, a Palavra de Deus, pois Ele em si é a verdade, aquele que planejou e instituiu o casamento. Todos os maridos e esposas conscientes deveriam medir seu casamento pelo padrão imutável dos princípios encontrados na Palavra de Deus. A Bíblia é um guia fiel e confiável para cada área da vida.

Todos os maridos e esposas conscientes deveriam medir seu casamento pelo padrão imutável dos princípios encontrados na Palavra de Deus

A fidelidade entre marido e mulher é uma parte indispensável de um casamento bem-sucedido. Os interesses de nenhum dos dois são satisfeitos se os cônjuges não forem honestos um para com o outro. Honestidade, temperada e condimentada com amor promove um ambiente de confiança.

3. Confiança

A confiança está estreitamente relacionada com a verdade. Se um marido e uma esposa desejam que seu casamento seja feliz e bem-sucedido, devem ser capazes de confiar cegamente um no outro. Nada prejudica mais um casamento do que perder a confiança. É difícil crescer e prosperar em uma atmosfera de amargura, ressentimento e desconfiança.

É por isso que ambos os parceiros deveriam tomar muito cuidado para garantir que não dirão ou farão nada que possa gerar qualquer motivo para dúvida ou desconfiança de nenhuma das partes.

A confiança permite que o marido e a esposa desfrutem de um relacionamento caracterizado por abertura e transparência, sem nenhum segredo ou mistério entre eles. A confiança é também um componente essencial do compromisso.

Nada prejudica mais um casamento do que perder a confiança

4. Compromisso

O compromisso é uma palavra assustadora para muitas pessoas de nossa sociedade hoje em dia. Elas têm medo de ficarem atadas ou presas a qualquer acordo a longo prazo. É por esta razão que muitos casamentos não duram. Um homem e uma mulher se aproximam do altar e trocam votos, mas são levados somente pelos movimentos, falando apenas com os lábios sobre compromisso. Sua ideia de casamento é permanecerem juntos até as coisas ficarem difíceis, e, então, eles podem se separar. Se seu casamento "funcionar", tudo bem, e caso contrário, que pena. Poucas pessoas que se casam *planejam* o fracasso de seus casamentos, mas também não *planejam* seu sucesso. Aqueles que não planejam o sucesso têm o fracasso praticamente garantido.

O compromisso é a essência do casamento. Parte de nosso problema é que não compreendemos a natureza da aliança. O casamento é uma "aliança de sangue" e, como as antigas alianças de sangue, dura para sempre. Uma aliança de sangue nunca era facilmente desfeita ou rompida. A quebra de uma aliança de sangue trazia sérias consequências. O casamento envolve também um sério compromisso. É um compromisso antes de tudo com a própria instituição do casamento e, em segundo lugar, um compromisso exclusivo com aquela pessoa que escolhemos amar e valorizar por toda a vida.

O compromisso é a essência do casamento

5. Respeito

Qualquer relação saudável, incluindo o casamento, deve ser construída sobre respeito mútuo. Respeitar alguém significa estimar essa pessoa, considerá-la digna de atenção. As esposas deveriam respeitar seus maridos e os maridos deveriam respeitar suas respectivas esposas. A razão pela qual tantos casamentos encontram-se em dificuldades é porque o marido nunca aprendeu a tratar sua esposa com o devido respeito. Muitos homens crescem considerando as mulheres praticamente como objetos sexuais a serem possuídos e utilizados de acordo com sua vontade. Sem aprender nada diferente disso, levam para o casamento esta concepção ignorante.

Quem desejar respeito deve* mostrar *respeito pelos outros e viver de forma digna de respeito

Deus criou o homem — homens e mulheres — à Sua própria imagem. Criou-os iguais de todas as formas significativas. Maridos e esposas que se veem criados à imagem de Deus nunca terão nenhum problema com respeito. Quem desejar respeito deve mostrar respeito pelos outros e viver de forma digna de respeito. Qualquer um que queira ser respeitado deve ser uma pessoa respeitável.

6. Submissão

Casamentos saudáveis são construídos não apenas sobre respeito mútuo, mas também mútua submissão. Ouvimos com tanta frequência que as esposas deveriam se submeter aos seus maridos que nos esquecemos de que essa submissão é recíproca. "Sujeitem-se uns aos outros, por temor a Cristo. Mulheres, sujeite-se cada uma a seu marido, como ao Senhor, pois o marido é o cabeça da mulher, como também Cristo é o cabeça da igreja, que é o seu corpo, do qual ele é o Salvador. Assim como a igreja está sujeita a Cristo, também as mulheres estejam em tudo sujeitas a seus maridos... Maridos, ame cada um a sua mulher, assim como Cristo amou a igreja e entregou-se por ela" (Efésios 5:21, 22,25). Jesus entregando-Se à morte por Sua Igreja foi o ato supremo de submissão. Efésios 5:25 diz que os maridos devem amar suas esposas da mesma forma, um amor caracterizado por uma submissão sacrificial, altruísta.

Submissão é a disposição de renunciar aos nossos próprios direitos para livremente cessar nossa insistência em ter tudo do nosso jeito o tempo todo

Corretamente compreendida, não há nada de humilhante na submissão. É uma questão de livre escolha, sem pressão exterior. Essencialmente, a submissão é a disposição de renunciar aos nossos próprios direitos para livremente cessar nossa insistência em ter tudo do nosso jeito o tempo todo. Submissão significa colocar as necessidades, direitos e bem-estar de uma outra pessoa à frente dos nossos. Um casamento construído sobre este tipo de submissão irá se desenvolver de forma saudável, sólida e satisfatória.

7. Conhecimento

Seria quase impossível enfatizar de forma suficiente a importância do conhecimento como um fundamento firme do casamento. Muitos casamentos têm dificuldades ou fracassam por falta de conhecimento. Os casais entram na vida de casado sem ter ideia do que o casamento é ou não é. Possuem expectativas fantasiosas ou absurdas de si mesmos, seus cônjuges e seu relacionamento como um todo.

Com todos os recursos que se encontram atualmente disponíveis e por haver tanta coisa em jogo, não há nenhuma desculpa para a ignorância ou o analfabetismo conjugal

É por isso que um período de namoro e noivado é tão importante e por que o aconselhamento antes do casamento é indispensável. Eles precisam de tempo para conversar sobre seus sonhos, desejos e expectativas. Necessitam de tempo para estudar e aprender os fundamentos e princípios espirituais do casamento que Deus nos deu em Sua Palavra. Com todos os recursos que se encontram atualmente disponíveis e por haver tanta coisa em jogo, não há nenhuma desculpa para a ignorância ou o analfabetismo conjugal.

8. Fidelidade

A fidelidade está estreitamente relacionada com o compromisso e também tem muito a ver com a confiança. Quando falamos de fidelidade no casamento, quase sempre temos em mente relações sexuais. Os parceiros fiéis estarão verdadeiramente reservando as expressões sexuais um para o outro. É por isso que muitos casais que eram sexualmente ativos antes do casamento com frequência têm dificuldades no relacionamento. Estão faltando os componentes básicos da fidelidade. Embora tivessem feito votos de serem fiéis um ao outro, há sempre uma sombra de dúvida. Não leva muito tempo para que essa sombra se transforme em uma nuvem escura de tempestade que envolve tudo.

A fidelidade conjugal significa que o bem-estar, segurança, saúde e felicidade de seu cônjuge ocupam um lugar mais alto em sua vida do que qualquer outra coisa exceto o seu relacionamento com o Senhor

A fidelidade conjugal envolve mais do que simplesmente a fidelidade sexual. Ser fiel para com sua esposa significa defendê-la e declarar sua beleza, inteligência e integridade em todos os momentos, especialmente diante de outras pessoas.

Fidelidade para com seu marido significa apoiá-lo, sempre fortalecendo-o e nunca desanimando-o. A fidelidade conjugal significa que o bem-estar, segurança, saúde e felicidade de seu cônjuge ocupam um lugar mais alto em sua vida do que qualquer outra coisa exceto o seu relacionamento com o Senhor.

9. Paciência

A paciência é outro fundamento essencial para a construção de um casamento bem-sucedido e feliz. Por quê? O casamento une duas pessoas com experiências, históricos, temperamentos, gostos e, às vezes, até mesmo culturas totalmente diferentes. Por causa destas diferenças, ambos os parceiros terão de fazer grandes adaptações em suas vidas e atitudes se quiserem obter êxito em seu casamento. Alguns ferimentos e contusões ao longo do caminho são inevitáveis. Ela pode gostar de ter seu cabelo de um jeito que não agrada a ele. Ele pode enlouquecê-la com seu hábito de deixar as roupas sujas espalhadas por todos os lados. Podem ter conflitos com relação a expectativas, gerenciamento do dinheiro, uso do tempo de lazer, sexo, maternidade, paternidade — várias coisas. O ponto crucial no tratamento dos conflitos e adaptações às diferenças é a paciência. Ambos os parceiros necessitarão de caminhões dela!

O ponto crucial no tratamento dos conflitos e adaptações às diferenças é paciência

10. Estabilidade financeira

A estabilidade financeira é um dos alicerces mais negligenciados no casamento. Muitos jovens casais que estão planejando se casar dão pouca atenção à importância de entrarem no casamento com uma base financeira bem estabelecida. É difícil contar o número de vezes que eu mesmo vi isso acontecer. Um jovem casal vem falar comigo e diz, "Gostaríamos de nos casar".

"Algum de vocês está trabalhando?"

"Não."

"Então, como esperam fazer isso?"

"Estamos apaixonados. Vamos conseguir. O amor vai encontrar um caminho."

O amor é certamente importante, até mesmo crucial, mas sejamos práticos: ele não irá pagar o aluguel ou colocar a comida na mesa. A última coisa que os casais precisam é ir para o casamento com dívidas. A instabilidade financeira é uma das maiores dificuldades de todas. Se vocês estão com problemas de dinheiro *antes* de casarem, o que os faz pensar que eles irão *passar* depois de se casarem? A hora de pensar nas finanças é *antes* do casamento — bem antes. Um casal deveria discutir o assunto franca e honestamente e ter um claro e apropriado plano financeiro antes de se casar. Deveria haver uma fonte de renda segura e confiável. No mínimo, o homem deveria ter um emprego fixo. Nenhuma mulher, ainda que tenha sua própria carreira e planos de continuar trabalhando, deveria se casar com um homem que não tenha um trabalho. Se o fizer, é bem provável que vai acabar sustentando-o, em vez de ocorrer o contrário. A dificuldade financeira é uma das principais causas do fracasso conjugal. *Nunca* subestime a importância da estabilidade financeira para um casamento bem-sucedido.

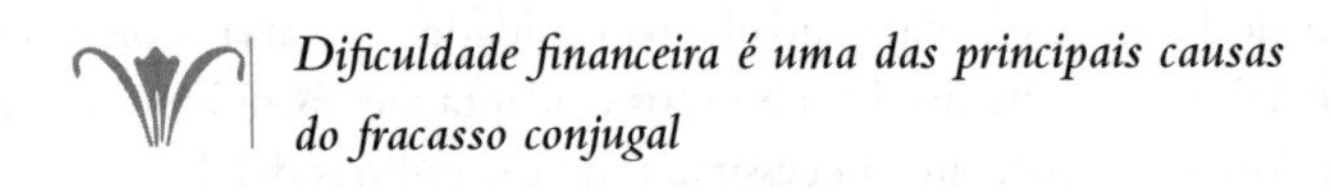
Dificuldade financeira é uma das principais causas do fracasso conjugal

Verificando as "aptidões para o casamento"

Além destes alicerces, existem diversas "aptidões para o casamento" que deveríamos considerar — qualidades de personalidade e caráter que irão aprimorar a construção de um sólido casamento. Verifique e observe onde você se encontra. Relacionei oito aptidões que você deverá ter ou desenvolver:

1. Adaptabilidade. Significa a habilidade de se adaptar às condições de mudança. Não importa quão cuidadosamente nos preparemos para casar, não podemos prever todas as coisas. Situações inesperadas surgirão com uma frequência irritante, forçando-nos a mudar nossos planos. Somente o fato de duas pessoas completamente diferentes se unirem, tornando-se uma só irá inevitavelmente exigir flexibilidade. Seja adaptável. Espere o inesperado. Considere cada nova situação como uma oportunidade para crescer, mudar para uma direção que você nunca poderia ter imaginado.

2. Empatia. É a sensibilidade para com as necessidades, sofrimento e desejos dos outros — a habilidade de sentir o que a pessoa sente e experimentar o mundo a partir da perspectiva dela. Muito conflito e desentendimento entre os casais poderia ser evitado se eles simplesmente pudessem tentar aumentar sua habilidade de empatia mútua, colocar-se no lugar do outro por um momento.

3. Capacidade de tomar decisões em relação aos problemas. Isto não é o mesmo que *resolver* problemas. Alguns problemas não podem ser resolvidos, mas os casais unidos pelo matrimônio precisam ter a capacidade para identificar e analisar problemas, propor e escolher uma possível solução e executá-la. Desta forma, eles serão capazes de resolver *a maior parte* dos problemas e aprenderão a abordar aqueles sem solução. O importante é estarem empenhados em lidar com os problemas, não fugir deles.

4. Capacidade de dar e receber amor. Isto não é tão fácil quanto parece, particularmente para a maioria dos homens. Dar e receber amor é algo natural para as mulheres. Os homens, por outro lado, aprenderam na sociedade que ser viril ou "macho" significa não mostrar abertamente seu lado sensível. Como resultado, muitos homens têm dificuldade em expressar seus verdadeiros sentimentos. O casamento é um constante dar e receber e isto inclui a manifestação do amor.

5. Estabilidade emocional. Isto significa ser capaz de dominar nossas emoções e não deixá-las fugir ao controle. Significa conter nosso temperamento e não dar desculpas para explosões imaturas. Perdas ocasionais de controle é algo humano, mas um padrão de comportamento descontrolado revela um problema mais profundo. Qualquer um que constantemente se descontrole e em seguida diga, "Não consegui me controlar," não está sendo honesto. Se esse for *verdadeiramente* o caso, então, essa pessoa precisa de ajuda profissional. Geralmente, no entanto, não é uma questão de ser incapaz, mas de má vontade. Estabilidade emocional quer dizer estar disposto e ser capaz de aceitar responsabilidade por seus sentimentos, palavras e ações.

6. Capacidade de comunicação. A verdadeira comunicação não é fácil e raramente ocorre. A comunicação é a capacidade de garantir que as pessoas compreenderam não apenas o que você diz, mas também o que quis dizer. É também a aptidão para ouvir e compreender os outros. Desenvolver estes dois aspectos de comunicação demanda bastante tempo, paciência e esforço.

7. Semelhanças entre os dois. Qualquer casamento envolve a união de duas pessoas totalmente diferentes, mas elas deveriam ter algumas nítidas similaridades também: interesses, *hobbies,* uma fé em comum ou opiniões políticas semelhantes, por exemplo. Necessita haver entre os dois a convergência de algumas áreas de conhecimento.

8. Contexto familiar semelhante. Embora este não seja um fator altamente decisivo — pessoas de diferentes contextos familiares constituem casamentos bem-sucedidos todos os dias — este componente é sempre útil. Um casal deveria entrar no casamento com todas as vantagens ou trunfos possíveis e esta similaridade é definitivamente um "trunfo".

~

Por mais importantes que sejam, os alicerces por si só são incompletos. Apenas formam a base sobre a qual a estrutura completa deve ser construída. Os fundamentos do amor, verdade, confiança, compromisso, respeito, submissão, conhecimento, fidelidade, paciência e estabilidade financeira não se constituem um fim por si só. Eles são as bases sobre as quais se constrói e exibe a linda joia que chamamos de casamento — uma fusão de duas pessoas distintas em uma só carne, alma e espírito. O sucesso e a felicidade não ocorrem por acaso, mas representam o resultado e a recompensa de um planejamento ponderado, trabalho diligente e crescimento paciente.

PRINCÍPIOS

1. O casamento é um investimento e o sucesso é diretamente proporcional à quantia de conhecimento e tempo nele envolvidos.
2. Um casamento bem-sucedido é o produto de um planejamento cuidadoso e de um projeto ponderado.
3. Dez sólidos alicerces para construção de um casamento bem-sucedido:
   - Amor
   - Verdade
   - Confiança
   - Compromisso
   - Respeito
   - Submissão
   - Conhecimento
   - Fidelidade
   - Paciência
   - Estabilidade financeira
4. Oito importantes características das "aptidões para o casamento":
   - Adaptabilidade
   - Empatia
   - Capacidade de tomar decisões em relação aos problemas
   - Capacidade de dar e receber amor
   - Estabilidade emocional
   - Capacidade de comunicação
   - Semelhanças entre os dois
   - Contexto familiar semelhante

CAPÍTULO SEIS

Perdendo os vínculos

Qualquer conselheiro experiente irá lhe dizer que os problemas conjugais são mais numerosos do que os problemas da vida e de relacionamento combinados. Surgem muito mais dificuldades no casamento do que em questões concernentes a drogas, crime, finanças ou distúrbios psicológicos ou emocionais. Isso é um importante sinal dos nossos tempos que indica que uma instituição tão essencial para nossa cultura e civilização como o casamento está em grande crise. Um dos mais difíceis desafios que os recém-casados enfrentam na adaptação à sua vida a dois é aprender como se relacionar com seus pais e famílias de origem à luz de suas novas circunstâncias. O casamento ocasiona mudanças fundamentais nos relacionamentos existentes entre o casal e as famílias nas quais foram criados. Muitos recém-casados têm dificuldade para soltar os vínculos que os prendem aos seus pais e ao estilo de vida que conheciam enquanto adultos solteiros. Com frequência se sentem divididos entre sua responsabilidade para com seu cônjuge e a responsabilidade apreendida com seus pais. Esta tensão cria conflito no casamento, particularmente quando um dos parceiros acha mais difícil deixar os vínculos do que o outro. As adaptações à vida de casados podem ser difíceis tanto para os pais quanto para os próprios recém-casados. Às vezes os pais criam o problema, tentando segurar seus filhos casados, pelo menos emocionalmente. Quer seja de forma consciente ou inconsciente, muitos pais tentam fazer com que os filhos se sintam culpados por tentarem se afastar deles. Resistem à ideia de que seu "bebê" está deixando o ninho. Se possuírem uma dependência emocional ou financeira desse filho, temem que as mudanças possam atingir esse relacionamento, por causa da nova pessoa na vida dele.

Independente de sua origem, a confusão sobre como os recém-casados deveriam se relacionar com seus pais e família ocasionará estresse no casamento. A menos que aprendam como lidar com isso, os "vínculos que os prendem" podem se tornar uma prisão que sufoca a vida de seu relacionamento.

O casamento é o principal relacionamento humano

De acordo com a Bíblia, o mais alto e mais importante relacionamento que existe é entre um ser humano e Deus. Este é o relacionamento espiritual fundamental e essencial. No reino natural, e em segundo lugar, apenas depois do relacionamento divino/humano, encontra-se o relacionamento entre um homem e uma mulher. O relacionamento entre marido/esposa é o principal relacionamento humano. Sempre que estes relacionamentos são tirados de sua posição de prioridade, os problemas acontecem. A maioria das causas primordiais dos problemas na vida acontece quando os indivíduos colocam uma outra pessoa ou coisa em uma posição de prioridade mais alta do que Deus ou seu cônjuge.

A relação entre marido e esposa é primordial porque Deus a estabeleceu em primeiro lugar, como o mais básico relacionamento humano.

> *Então o Senhor Deus fez o homem cair em profundo sono e, enquanto este dormia, tirou-lhe uma das costelas fechando o lugar com carne. Com a costela que havia tirado do homem, o Senhor Deus fez uma mulher e a levou até ele. Disse então o homem: "Esta, sim, é osso dos meus ossos e carne da minha carne! Ela será chamada mulher, porque do homem foi tirada". Por essa razão, o homem deixará pai e mãe e se unirá à sua mulher, e eles se tornarão uma só carne* (Gênesis 2:21-24).

Observe que quando Deus criou a raça humana, começou com um marido e uma mulher, não com um pai e um filho. Pelo plano de Deus, o relacionamento marido/esposa precede e tem prioridade sobre o relacionamento pais/filhos. O versículo 24 diz que o homem deve deixar seu pai e mãe e unir-se à sua esposa. A palavra "deixar" sugere um estado temporário, ao passo que a palavra "unir" indica uma condição permanente. A principal responsabilidade do marido e da esposa no casamento é de um para com o outro, não para com seus pais ou família.

O relacionamento entre marido e esposa é fundamental e a chave para todos os outros relacionamentos na vida. Adão e Eva eram marido e mulher antes de serem pais. Um dos motivos do relacionamento conjugal ter prioridade sobre o relacionamento pais/filhos é porque o marido e a esposa fazem uma promessa de aliança para satisfazer a necessidade de companhia por toda vida. Não existe essa aliança entre pais e filhos. Os pais têm a responsabilidade de amar e cuidar de seus filhos e atender às suas necessidades físicas, emocionais e espirituais, mas isto é fundamentalmente diferente da "unidade" que compartilham como marido e mulher.

O relacionamento pais/filhos é temporário e deve ser rompido, ao passo que o relacionamento entre marido/esposa é permanente e não deve ser rompido

Essencialmente, o relacionamento pais/filhos é temporário e deve ser rompido, ao passo que o relacionamento entre marido/esposa é permanente e não deve ser rompido. Os pais deveriam criar seus filhos com o objetivo deliberado de vê-los crescer tornando-se adultos maduros, *independentes.* Uma vez que os filhos tenham crescido e sejam independentes, uma mudança fundamental ocorre no seu relacionamento com seus pais. Esta mudança é ainda maior depois que os filhos se casam.

Embora os pais devam sempre ser amados, honrados e respeitados, eles não têm mais lugar predominante nas vidas e prioridades de seus filhos. Estes filhos casados têm uma nova prioridade que tem primazia sobre seus pais — seu cônjuge. É assim que deveria ser. Um relacionamento temporário entre pais/filhos abre caminho para o relacionamento permanente de marido/esposa.

Casamento significa deixar a casa

Em algumas culturas é costume pensar no casamento como uma união de duas famílias em uma só. O marido representa sua família de origem e a mulher representa a sua, e, juntos, eles e todos os parentes tornam-se parte de uma grande e feliz família. Por mais comum que essa mentalidade possa ser em alguns lugares, é incorreta e não está de acordo com as Escrituras. *O casamento não une duas famílias em uma só, mas cria uma terceira família.* Quando o marido e a esposa ficam juntos formam uma unidade familiar individual, completa, separada e distinta que é independente de suas respectivas famílias de origem. Isto é o que Gênesis 2:24 diz, "Por essa razão, o homem *deixará pai e mãe* e se unirá à sua mulher, e eles se tornarão uma só carne". No casamento, um homem e uma mulher de duas famílias separadas unem-se para formar uma terceira família que é separada das outras duas.

Ainda que este versículo fale especificamente do marido que deixa mãe e pai, também inclui a mulher. Como o homem pode se unir à sua esposa se ela também não deixar sua casa? É somente quando ambos deixam seus pais que podem estabelecer com sucesso sua própria casa. Este versículo enfatiza o homem, porque é ele que se tornará o cabeça da nova família, a nova unidade que toma decisões, estabelecida por este casamento.

Um dos caminhos mais rápidos para entrar em conflito em um casamento é quando um marido compete com os pais de sua esposa por prioridade no relacionamento. O mesmo é verdadeiro com relação à esposa cujo marido tem dificuldade de cortar os vínculos. É por isso que a instrução bíblica é tão enfática e específica quando diz que eles devem *deixar* seu pai e sua mãe e se unirem.

Deixar a casa é um princípio fundamental do casamento. A primeira instrução sobre o casamento encontrada na Bíblia é a ordem de "deixar". Embora o pensamento principal seja de partida, significa mais do que a simples ideia de sair fisicamente. Quando um homem e uma mulher se casam devem deixar suas famílias de origem não apenas fisicamente, mas também mental, física e emocionalmente. Isto não quer dizer romper todas as futuras conexões com suas famílias, mas realmente significa que suas famílias não deveriam desempenhar um papel nas decisões que fazem como casal ou no caminho de construção de sua casa e casamento. Deixar significa que um casal unido pelos laços do matrimônio não é mais da responsabilidade de seus pais nem responsável por eles.

Quando um homem e uma mulher se casam devem deixar suas famílias de origem não apenas fisicamente, mas também mental, física e emocionalmente

A palavra *deixar* indica que a família de origem pode ou não desejar que eles saiam. Muitos pais lutam com isto, encontrando dificuldade em deixar seus filhos saírem e permitir que vivam suas próprias vidas como adultos maduros e independentes. É por isso que Deus em Sua sabedoria não dá opção aos pais. Quando um filho adulto se casa e deixa o ninho, ele ou ela está dizendo, "Estou pronto para viver minha própria vida agora. Escolhi esta pessoa para passar o resto de minha vida com ela. Eu os amo, mas tenho de tomar minhas próprias decisões. Não importa como vocês se sentem, estou partindo. Sua opinião importa para mim, mas não posso permitir que seja um fator determinante no que faço. Tenho de escolher o que é certo para mim."

Muitos jovens poderiam preferir não deixar a casa até que tenham o consentimento de seus pais. Embora esta não seja uma exigência bíblica, certamente não há nada de errado com ela. Deixar a casa com a bênção de seus pais é sempre bom, mas também está certo deixá-la sem ela. A principal preocupação é fazer a vontade de Deus. É mais importante obedecer a Deus do que obedecer aos desejos de seus pais. Permanecer em casa para satisfazer seus desejos depois de Deus ter-lhe dito para deixar é desobedecer a Deus.

Cultivando o companheirismo

Existem muitas razões pelas quais é essencial que jovens casal unidos pelo matrimônio deixem a casa física e emocionalmente. Uma das mais importantes é para lhes dar a oportunidade logo no princípio do casamento de cultivarem o companheirismo, pois ele é a base para todo casamento bem-sucedido. O relacionamento pais/filhos é estabelecido por nascimento ou adoção, mas o relacionamento marido/esposa é estabelecido por aliança e há uma diferença. Em virtude de o casamento ser uma aliança estabelecida por Deus e selada pelo Espírito Santo, substitui os laços de sangue. O sangue pode ser mais denso do que a água, mas não é mais denso do que uma promessa.

O relacionamento pais/filhos é estabelecido por nascimento ou adoção, mas o relacionamento marido/esposa é estabelecido por aliança

No casamento, nosso cônjuge é mais importante do que qualquer outra pessoa na terra. Diferente do Senhor, ninguém, e quero dizer *ninguém,* deveria ter primazia sobre nosso marido ou esposa em atenção ou afeto. Deveríamos ter respeito um para com o ouro à frente de nossos pais, família ou quaisquer outros laços de sangue ou familiares. As opiniões, desejos ou exigências dos membros de família não imperam mais. Os cônjuges deveriam se colocar mutuamente em primeiro lugar. Eles precisam ter tempo para ficar juntos e sozinhos, conhecerem-se não apenas como cônjuges, mas também como amantes, amigos e companheiros para toda a vida. O companheirismo no casamento é mais importante do que as circunstâncias de sangue ou nascimento.

O companheirismo no casamento é mais importante do que as circunstâncias de sangue ou nascimento

Como qualquer outro empreendimento de valor, construir companheirismo requer paciência, tempo e esforço. O companheirismo deve ser cultivado. Qualquer um que deseja ter um lindo jardim deve estar disposto a dedicar o tempo para revolver e preparar o solo, acrescentar fertilizante, plantar as sementes, irrigá-lo cuidadosamente, arrancar as ervas daninhas diligentemente e ter paciência e atenção diária para com as novas plantas. O companheirismo no casamento deve ser nutrido com o mesmo grau de cuidado. Não irá se desenvolver do dia para a noite ou por acaso. Qualquer "erva daninha" que venha a sufocar o desenvolvimento da flor do companheirismo deve ser extirpada.

Uma dessas "ervas daninhas" que de vez em quando perturba muitos casamentos é a bem-intencionada, mas imprópria interferência dos membros da família nos assuntos diários da relação e da vida do casal. Uma vez que um homem e uma mulher tenham se casado, a única coisa que deveriam receber de seus pais é conselho e recomendação, e, também, *somente* quando pedem. Os pais não deveriam oferecer opiniões ou conselhos sem serem solicitados. Fazer isso enfraquece o desenvolvimento da liderança e independência do casal. Quando casaram, a liderança e as responsabilidades de tomar decisões foram transferidas de suas antigas casas para a nova que estão construindo juntos. Toda liderança agora recai sobre eles. São responsáveis por tomar suas próprias decisões. Parte do cultivo do companheirismo é aprender como exercer estas responsabilidades realmente juntos.

Quão decisivo é o princípio da independência para o sucesso de um casal recém-casado? É tão importante que o casal, mesmo correndo o risco de parecer rude ou ferir sentimentos, deve fazer tudo o que for necessário para impedir que seus pais ou outros membros da família imponham suas opiniões ou conselhos não solicitados. Pode não ser fácil, mas é necessário a fim de que sejam obedientes à Palavra de Deus.

Os filhos deveriam sustentar seus pais?

Muitos jovens casais começam a vida de casados lutando para compreender quais responsabilidades eles têm agora para com seus pais. Uma atitude comum nas Bahamas, onde vivo, é os pais esperarem que seus filhos crescidos, mesmo aqueles que são casados, os sustentem financeiramente e de outras formas em uma base contínua. Afinal, é justo que os filhos os "compensem" por terem criado e cuidado deles. Esta atitude não é exclusiva das Bahamas, ou mesmo do terceiro mundo. Em maior ou menor grau é encontrada em todas as culturas, particularmente nas famílias e grupos étnicos nos quais os vínculos das gerações tradicionais são muito fortes. Mas é uma atitude correta? Os filhos casados são responsáveis pelo sustento dos pais? Para encontrar a resposta precisamos procurar na Bíblia, a Palavra de Deus, que originalmente planejou o casamento e a família. Observe o que Paulo, o missionário, teólogo e escritor do primeiro século tinha a dizer:

> *Agora, estou pronto para visitá-los pela terceira vez e não lhes serei um peso, porque o que desejo não são os seus bens, mas vocês mesmos. Além disso, os filhos não devem ajuntar riquezas para os pais, mas os pais para os filhos* (2 Coríntios 12:14).

A verdadeira independência funciona de ambas as formas: os filhos não são dependentes de seus pais e os pais não são dependentes de seus filhos

Embora no contexto Paulo estivesse se referindo aos fiéis da igreja em Corinto como seus "filhos" espirituais, o princípio também se aplica na esfera das relações humanas familiares: "O filhos não deveriam poupar para seus pais, mas os pais para os filhos." Paulo afirmou à igreja de Corinto que ele não seria um peso quando os visitasse. Da mesma maneira, os pais não devem ser pesos para seus filhos no âmbito financeiro ou de qualquer outra forma. Ao contrário, o versículo diz que os pais devem "ajuntar riquezas" para seus filhos. Os pais têm a responsabilidade de sustentar os filhos e fazer tudo que puderem para preparar o caminho a fim de que se tornem adultos maduros, produtivos e independentes. A verdadeira independência funciona de ambas as formas: os filhos não são dependentes de seus pais e os pais não são dependentes de seus filhos.

Adaptar-se à vida de casado é desafiador o suficiente sem que o casal sinta a pressão da culpa ou o costume de sustentar seus pais. Eles precisam de liberdade para estabelecer sua própria casa, montar seu próprio orçamento e determinar suas próprias prioridades. Isto não significa que não deveriam ter de se preocupar com o bem-estar de seus pais. Se seus pais estiverem realmente com dificuldades e o casal tiver meios de ajudá-los, tudo bem. A decisão de ajudar deveria ser uma escolha feita livremente pelo casal em conjunto, porém, não deveria ser imposta a eles a partir de um costume ou uma expectativa exterior.

Ao mesmo tempo, a Bíblia indica claramente que os filhos realmente têm algumas responsabilidades pelo bem-estar de seus pais, especialmente aqueles que são viúvos ou que não possuem meios legítimos de cuidar de si mesmos. O próprio Jesus, mesmo enquanto pendurado na Cruz, indicou o filho mais velho de Sua família terrena para se encarregar de Sua mãe, deixando-a aos cuidados de João, Seu discípulo e amigo íntimo (vide João 19:26-27). Tiago diz que a responsabilidade dos crentes era "cuidar dos órfãos e das viúvas em suas dificuldades" (Tiago 1:27). Os órfãos e as viúvas representavam as classes mais pobres e impotentes da sociedade naqueles tempos — pessoas que não tinham ninguém que intercedesse a favor delas. Embora as instruções de Tiago sejam para a Igreja como um todo, com certeza alguns destes órfãos e viúvas tinham filhos e outros parentes na Igreja.

No quinto capítulo de 1 Timóteo, Paulo fornece conselhos práticos para lidar com uma situação específica que envolva viúvas.

> *Trate adequadamente as viúvas que são realmente necessitadas. Mas se uma viúva tem filhos ou netos, que estes aprendam primeiramente a colocar a sua religião em prática, cuidando de sua própria família e retribuindo o bem recebido de seus pais e avós, pois isso agrada a Deus.... Se alguém não cuida de seus parentes, e especialmente dos de sua própria família, negou a fé e é pior que um descrente* (1 Timóteo 5:3-4,8).

A Igreja neste caso tinha a responsabilidade e o ministério de cuidar das viúvas que estivessem "realmente necessitadas". Estas eram mulheres que, sem seus maridos, não tinham ninguém para cuidar delas. Muitos desses homens podem ter morrido como mártires por sua fé. A perseguição poderia ter aumentado de tal forma as fileiras de viúvas que precisavam de ajuda que os recursos da igreja foram rigorosamente tributados. Paulo disse que a responsabilidade da Igreja primitiva era para com essas viúvas que não tinham ninguém — nem mesmo filhos ou netos — para cuidar delas. As viúvas que tinham filhos ou netos na Igreja eram de responsabilidade deles.

Em outras palavras, filhos e netos são responsáveis, segundo Deus, pelo cuidado de pais e avós que, por causa da saúde, pobreza ou outros motivos, *não podiam cuidar de si mesmos.* Os pais que são saudáveis e possuem condições de se sustentar não deveriam se tornar fardos para seus filhos. Os filhos, por outro lado, têm a responsabilidade de propiciar o bem-estar dos pais que não podem mais cuidar de si mesmos.

Estabelecer antecipadamente parâmetros de relacionamento

Muito conflito e confusão entre um casal e suas respectivas famílias poderia ser evitado simplesmente dedicando um tempo logo no início do casamento para estabelecer parâmetros claros sobre como essas famílias irão se relacionar umas com as outras, certificando-se de que todos os envolvidos compreendem esses parâmetros. Este é um importante propósito do período de noivado. O noivado não é apenas para propiciar tempo para que o casal se conheça e planeje seu casamento, mas permitir que os membros das duas famílias envolvidas se confraternizem também.

Um casal deveria dedicar um tempo logo no início de seu casamento para estabelecer parâmetros claros sobre como essas famílias irão se relacionar umas com as outras, certificando-se de que todos os envolvidos compreendem esses parâmetros

Durante o noivado o casal deveria discutir exaustivamente suas filosofias de vida e entrarem em um acordo com relação aos princípios que irão orientar seu casamento. Os dois deveriam compartilhar seus sonhos, identificar seus objetivos e planejar sua estratégia para a realização desses sonhos e metas. Deveriam ter uma compreensão mútua em relação ao planejamento financeiro, incluindo investimentos, poupança e o orçamento doméstico atual. Tudo o que o casal faz durante este período de planejamento deveria ser com a finalidade de estabelecer garantias, para proteger os dois e seu casamento.

É importante que os membros de ambas as famílias compreendam que esse casamento irá criar uma nova família independente, resultando em determinadas mudanças fundamentais na maneira como os casais se relacionam com eles. Vamos examinar um casal cujos planos podem ocasionar grandes problemas para todos se não lidarem com eles corretamente.

Suponhamos que antes de se casar um jovem (vamos chamá-lo de João) possui um bom emprego e tem ajudado seus pais com suas contas e outras despesas. Não há nada de extraordinário nesse acordo, especialmente se ele está morando na casa deles. Se seus pais têm contado com sua ajuda financeira, seu futuro casamento poderá criar uma crise para eles. O que eles irão fazer? Como farão se seu filho não ajudá-los mais? Um dia não muito depois do casamento, João recebe um telefonema de sua mãe. "João", ela diz, "você tem sido tão bom, ajudando-nos quando precisamos. Nossa conta de luz está vencendo e temos pouco dinheiro. Você pode nos ajudar? Neste ponto, João tem três opções. Pode dizer não, pode dizer sim, ou pode dizer, "Deixe-me falar com a Sara" (sua esposa). "Precisamos ver se vai se encaixar em nosso orçamento."

Se João dá valor ao seu relacionamento com sua mãe, provavelmente não lhe dirá um insípido "não". Se valorizar a paz e harmonia em seu casamento não lhe dirá um imediato "sim". Se for esperto, discutirá sua solicitação com Sara antes de tomar uma decisão. Uma vez que João e Sara desenvolveram seu planejamento financeiro e estabeleceram o orçamento juntos, precisam decidir juntos quaisquer mudanças nesse planejamento. Sua prioridade número um é a solidez e estabilidade de sua própria casa. Se o orçamento lhes permitir ajudar na conta de luz de sua mãe e ambos concordarem com isso, tudo bem. Então, a ajuda está vindo dos dois, não apenas do "filhinho da mamãe". Caso contrário, eles precisam dizer de forma gentil, mas clara, "Sinto muito, mas não podemos ajudar desta vez".

Quando João e Sara se casaram, passaram a ser a prioridade número um do outro. Se tiverem estabelecido esta compreensão para eles mesmos e com seus pais, evitarão muita dor de cabeça e sentimentos feridos. Outro problema comum que os recém-casados às vezes enfrentam é quando seus pais ou outras pessoas da família simplesmente "aparecem" sem serem convidados e se sentem em casa, ou dão opiniões e conselhos não solicitados. Há momentos em que os casais simplesmente querem ficar juntos, e durante esse tempo nada aumenta mais o nível de tensão do que a chegada inesperada da família.

Vamos supor que a mãe e a irmã de João aparecem sem serem convidadas. A irmã vai imediatamente para a geladeira e se serve de algum alimento que sobrou. A mãe dele olha para o novo tapete no chão e diz, "Eu não gosto desse tapete. Acho que vocês deveriam comprar outro". Neste ponto, João está no meio de um dilema. Não deseja ferir sua mãe ou irmã, todavia, Sara permanece quieta em um lado da sala, irritada. A irmã de João invadiu sua casa inesperadamente e assaltou a geladeira. O que é ainda pior, a mãe de João acaba de criticar o tapete novo que a própria Sara escolheu, criticando o gosto dela. Uma explosão potencial está ganhando força.

A situação pode não explodir enquanto as duas estiverem lá, mas certamente ocorrerá depois que saírem. Se Sara reclamar, João pode ficar na defensiva e tornar tudo pior. Afinal, é a *sua* família que ela está criticando. A menos que João lide com o problema, o ressentimento de Sara pode crescer até a próxima vez que ela encontrar com a mãe e irmã dele, quando irá "repreendê-las". Isto é garantir o deterioramento do relacionamento de Sara com a família de João.

Neste tipo de desavença a pior coisa a se fazer é deixar o parceiro oposto confrontar a família. A coisa certa para *João* é chegar até sua mãe e irmã e dizer, "Eu não gosto quando vocês chegam aqui sem avisar. Mãe, seu comentário sobre o tapete foi desnecessário e feriu os sentimentos de Sara. Querida irmã, você não tem o direito de se servir de nossa comida quando vem aqui". Elas podem ficar zangadas e descontentes por um tempo, mas pelo menos João é *família* e ao confrontar o assunto com elas protegeu a si mesmo e Sara, tirando-a do foco da raiva e ressentimento delas.

Estes são somente dois exemplos de problemas comuns que envolvem um relacionamento de um casal com suas famílias, mas o princípio deveria estar claro.

A maior prioridade do marido é proteger sua esposa e a dela é seu marido. Juntos eles estão comprometidos mutuamente para proteger um ao outro, preservando seu casamento e cultivando seu companheirismo. Perder os vínculos que unem o marido e a esposa com suas famílias nem sempre é fácil, mas é necessário. Estabelecer os parâmetros antecipadamente para a perda desses vínculos tornará o processo mais fácil para todos e dará ao novo casamento um ou mais "trunfos" que são tão importantes para o sucesso.

PRINCÍPIOS

1. O relacionamento entre marido/esposa é o principal relacionamento humano.
2. O relacionamento marido/esposa é o principal relacionamento e a chave para todos os outros relacionamentos na vida.
3. Deixar a casa é um princípio fundamental do casamento.
4. O companheirismo é a base para todo casamento bem-sucedido.
5. O companheirismo no casamento é mais importante do que as circunstâncias de sangue ou nascimento.
6. Os pais que são saudáveis e possuem condições de se sustentar não deveriam se tornar fardos para seus filhos. Os filhos, por outro lado, têm a responsabilidade de propiciar o bem-estar dos pais que não podem mais cuidar de si mesmos.
7. No princípio de um casamento, o casal deveria estabelecer claros parâmetros sobre como suas famílias irão se relacionar umas com as outras.
8. A maior prioridade do marido é proteger sua esposa e a dela é seu marido. Juntos eles estão comprometidos mutuamente para proteger um ao outro, preservando seu casamento e cultivando seu companheirismo.

CAPÍTULO SETE

Viva a diferença!

Sejamos realistas, homens e mulheres são diferentes. Não há dúvida acerca disso. Apesar de as óbvias diferenças físicas terem sido observadas e apreciadas desde o princípio, somente por volta da última geração é que as diferenças psicológicas e emocionais entre homens e mulheres têm sido identificadas e confirmadas cientificamente.

O macho e a fêmea da espécie humana "funcionam" de forma diferente. Não pensam, falam ou agem da mesma forma em resposta ao mesmo estímulo. Homens e mulheres enviam, recebem e processam as informações de maneira distinta. Por visualizarem o mundo através de "filtros" mentais e emocionais diferentes, homens e mulheres podem olhar para a mesma coisa e ver aspectos completamente desiguais. Podem ser expostos à mesma informação e tirar conclusões totalmente heterogêneas. Podem examinar os mesmos dados e ainda ficarem em pólos opostos com relação a como os interpretam.

É desnecessário dizer que esta diferença fundamental na forma como homens e mulheres pensam e agem está situada no cerne do conflito, confusão e divergência que têm ocorrido ao longo de séculos. Os problemas de comunicação entre homens e mulheres são tão comuns que podem ser reconhecidos. Veja se isto lhe parece familiar: "Eu simplesmente não o (a) entendo. Sempre que tentamos conversar, é como se estivéssemos em sintonias diferentes." Você já ouviu alguém dizer, "Não é que está agindo como uma mulher?" Ou, "Ele está agindo exatamente como um homem!"

Como em qualquer outra situação, o conhecimento pode acabar com a confusão quando as relações entre homem/mulher são afetadas. A compreensão não apenas de que os homens e as mulheres são diferentes, mas também *como* são diferentes é vital para melhorar a comunicação do homem/mulher e os relacionamentos em todos os níveis. Este conhecimento é particularmente crucial para jovens casais que desejam garantir que seu casamento terá maiores chances de sucesso e felicidade.

No princípio, Deus criou o homem com um espírito e colocou esse espírito em duas "casas" de carne e sangue — homem e mulher. Esta "união" de "casas" do homem e da mulher é o *único* método ordenado por Deus para produção de *novas* "casas". O propósito básico das "casas" do homem e da mulher é produzir novas casas.

Um espírito não possui sexo. Seja homem ou mulher, todos os membros da raça humana possuem o mesmo espírito, a mesma essência. Homens e mulheres, todavia, têm diferenças biológicas e psicológicas de acordo com o plano de Deus. Ele fez a casa do homem diferente da casa da mulher porque eles têm diferentes funções.

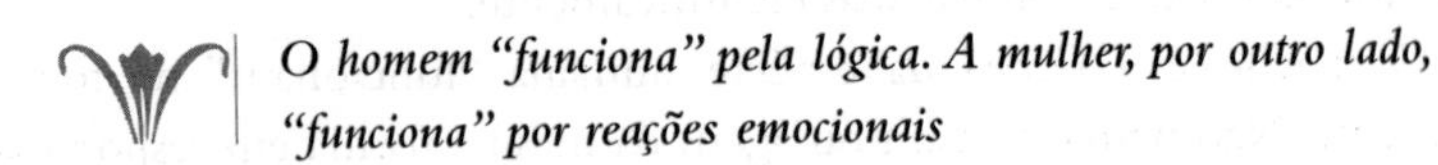
O homem "funciona" pela lógica. A mulher, por outro lado, "funciona" por reações emocionais

Os homens e as mulheres possuem diferentes proporções hormonais que fazem com que pensem e se comportem de maneira distinta. Por ter determinado que o homem seria o chefe da unidade familiar, Deus o dotou química e hormonalmente para o pensamento lógico. O homem "funciona" pela lógica. A mulher, por outro lado, "funciona" com a resposta emocional. O equilíbrio químico e hormonal de seu corpo faz com que ela opere a partir de um centro baseado nos sentimentos. Em virtude de ambos os sexos possuírem tanto hormônios masculinos como femininos, os homens "lógicos" têm um lado "emocional" e as mulheres "emocionais" têm um lado "lógico". Em geral, todavia, homens e mulheres veem o mundo de acordo com sua forma de funcionar — os homens a partir de um centro lógico e mulheres a partir de um centro emocional.

Quinze diferenças fundamentais entre homens e mulheres

Muitos homens e mulheres sofrem sem necessidade de confusão, divergências e sentimentos feridos simplesmente porque não compreendem as diferenças fundamentais entre eles. Vamos considerar quinze formas específicas em que homens e mulheres diferem, na medida em que todas têm um efeito profundo sobre como se relacionam um com o outro, particularmente no contexto do casamento. Estas quinze afirmações não pretendem englobar homens e mulheres indiscriminadamente em um grupo ou outro — sempre existem exceções a toda regra — mas elas são *geralmente* verdadeiras para a maioria dos homens e mulheres com respeito à sua constituição psicológica e emocional.

1. O homem é um ser que pensa de forma lógica e a mulher é um ser emocional.

Ser lógico significa pensar de maneira racional, organizada e metódica. Um ser que pensa de forma lógica possui uma mente analítica que funciona como um computador, processando e avaliando as informações em um padrão preciso e previsível. Se um mais um é igual a dois, então, dois divididos pela metade é igual a duas unidades; isto é lógica. Em geral, é desta forma que os homens pensam. Olham para os fatos e agem de acordo.

As mulheres são seres emocionais. Abordam os assuntos mais a partir de seus sentimentos do que a partir da razão. Isto não é uma coisa ruim. Ser emocionalmente centrada não é nem melhor nem pior do que ser lógico; é apenas diferente. Outra forma de dizer isso é que o homem lidera com sua mente e a mulher lidera com o coração.

Embora a lógica e a emoção possam parecer incompatíveis, analisando superficialmente, na realidade se complementam muito bem. Que tipo de mundo seria este se todo mundo fosse exclusivamente lógico? A vida seria bastante vazia, sem espírito, sem paixão, sem fogo e pouca ou nenhuma arte. Ao mesmo tempo, emoção sem lógica resultaria em uma vida sem ordem. Tanto a lógica quanto a emoção são necessárias, não apenas para satisfação, mas para sobrevivência. Isto revela a magnificência do plano de Deus.

Um homem lidera com sua mente e a mulher lidera com o coração

Eis um exemplo. João e Sara encontram-se na sala de estar e João observa que uma poltrona está bloqueando o acesso ao ar-condicionado. Ele diz, "Essa poltrona está no caminho. Precisamos mudá-la de lugar". Ele está pensando de forma lógica. Ao mesmo tempo. Sara está pensando em como a poltrona destaca o sofá e as cortinas e como um lindo vaso de flores iria ficar na ponta da mesa perto dela. Ela está pensando de forma emocional. Nenhum ponto de vista está certo ou errado, é melhor ou pior do que o outro. São simplesmente diferentes. Se João e Sara compreenderem que veem a mesma situação de maneiras diferentes, podem chegar a um denominador comum.

2. Para uma mulher, a linguagem falada é uma expressão do que ela está sentindo. Para um homem, a linguagem falada é uma expressão do que ele está pensando.

Uma mulher diz o que está no seu coração, ao passo que o homem o que está na sua mente. Esta é uma outra expressão da dicotomia emoção/lógica entre as formas de mulheres e homens pensarem. As mulheres são seres emocionais e suas palavras faladas precisam ser compreendidas a partir desta constituição de referência. Os homens são lógicos e suas palavras geralmente não expressam adequadamente seus verdadeiros sentimentos. Os dois possuem pensamentos e sentimentos semelhantes, mas irão expressá-los de maneiras distintas. A menos que compreendam esta diferença, um casal unido pelo matrimônio irá ter problemas.

Uma mulher diz o que está no seu coração, ao passo que o homem o que está na sua mente

Suponhamos que João tenha prometido apanhar Sara às cinco horas, logo depois do trabalho. João está atrasado e quanto mais atrasado ele está, mais furiosa Sara fica. Está andando de um lado para o outro, suando, irritada e ensaiando na sua mente o discurso que fará quando encontrar com João.

João finalmente chega às seis horas. Dando a Sara um encabulado sorriso amarelo, ele diz, "Oi, sinto muito, estou atrasado." João está falando mesmo sério; ele *sente* muito por estar atrasado. Está dizendo a Sara o que está pensando. Ele pode ter dificuldade em mostrar o quanto está arrependido, mas pelo menos refletiu o bastante para se desculpar. Ignorando as palavras de João, Sara desliza para o banco do passageiro, bate a porta com força e senta bem perto dela, o mais longe possível de João. Não diz nada enquanto João dirige.

Depois de bastante tempo de completo silêncio, João, pergunta, "Qual é o problema?" Em sua opinião o assunto em questão está terminado. Ele chegou atrasado, desculpou-se, fim de história. Todo mundo tem o direito de se atrasar de vez em quando. Este é o seu pensamento lógico em ação.

"Não tem nenhum problema." Sara responde rispidamente.

Após mais um bom tempo de silêncio, João tenta novamente. "Por que não vamos jantar fora? Vou levá-la a um lugar realmente lindo."

"Não. Não quero sair."

João para em uma floricultura e faz outra tentativa. "Eu só quero entrar aqui e comprar algumas flores."

"Para quem? Se você realmente me amasse teria chegado às cinco horas como prometeu."

Durante tudo isso, João deveria ouvir e entender mais como Sara estava se sentindo do que o que estava dizendo. Às vezes, quando uma pessoa tenta dizer como ele ou ela se sente, as palavras não saem direito. O João lógico precisa compreender a Sara emocional. Ao mesmo tempo, Sara precisa perceber que João já lhe disse o que tinha em mente. Os dois têm a responsabilidade de compreender o que existe além das palavras e cooperar um com o outro.

3. A linguagem que é ouvida por uma mulher é uma experiência emocional. A linguagem que é ouvida por um homem é a recepção da informação.

Quando uma mulher fala, embora possa estar expressando o que sente, um homem irá geralmente ouvir o que diz como uma informação, com frequência em um nível impessoal. Quando um homem fala, mesmo se ele estiver dizendo o que está na sua mente, uma mulher geralmente irá ouvir suas palavras em um nível muito mais pessoal e profundo. É fácil ver como o conflito poderia se desenvolver por causa disso. João sugere levar Sara para jantar fora, mas ela diz, "Não. Não quero sair." Ele ouve isto como uma informação: "Está bem, ela não quer sair." O problema é que Sara está dizendo o que sente não o que pensa. Ela está pensando, "Estou tão brava com você. Fez com que eu esperasse por uma hora e agora tem o descaramento de sugerir uma saída para jantar como se nada tivesse acontecido? Mais devagar, não é bem assim, não senhor".

Ouvir não é o mesmo que compreender. O que uma pessoa diz pode não ser o que a outra ouve

Por João receber a linguagem falada como informação, deixou de entender completamente o nível mais profundo no qual Sara se encontra emocionalmente. Ela, por outro lado, interpreta as palavras dele como superficiais, insensíveis e inadequadas. Ambos estão tentando sinceramente se comunicar, mas não estão conseguindo porque não compreendem seus respectivos contextos de referência.

Ouvir não é o mesmo que compreender. O que uma pessoa diz pode não ser o que a outra ouve. É por isso que a comunicação é uma arte. Os maridos precisam se lembrar de que cada palavra que dizem será recebida por suas esposas como uma experiência emocional. As mulheres precisam se lembrar de que cada palavra que dizem será recebida por seus maridos como uma informação. A fim de se compreenderem melhor, os maridos e as esposas deveriam pensar em termos de como o outro recebe e interpreta suas palavras e falar de acordo com isso.

4. As mulheres tendem a interpretar tudo de forma pessoal. Os homens tendem a interpretar tudo de forma impessoal.

Esta diferença está diretamente relacionada à maneira que homens e mulheres "funcionam". Os homens são seres lógicos e as mulheres são seres emocionais. Uma mulher interpreta todas as coisas a partir de uma perspectiva emocional, ao passo que um homem busca informações. João pode comentar com Sara, "Querida, não gosto de como seu cabelo está penteado hoje". Ele está fornecendo uma informação e ainda que inclua o qualificador "hoje", Sara não ouve isso. Tudo que ela ouve é "Não gosto da aparência do seu cabelo". O que João apresentou como informação, Sara interpretou de forma emocional e ficou zangada e ferida. Como resultado, pode correr para o cabeleireiro e fazer um novo corte, e tudo o que João está pensando é por que ela está fazendo tanto estardalhaço com a coisa toda. É porque ela levou para o lado pessoal.

Sara diz para João, "Essas calças não ficam bem em você. Não têm um bom caimento." A resposta de João pode ser, "Está bem, sem problemas. Vou trocá-las amanhã, quando mudar de roupas." Ele recebeu a crítica dela como informação, e armazenou-a em sua mente como um computador. Pode tomar providências em resposta ao seu comentário, mas não o leva para o lado pessoal. Em função de as mulheres tenderem a levar tudo para o lado pessoal, os homens precisam aprender a ter cuidado com o que dizem para elas e como o fazem. Uma mulher irá se lembrar de uma atitude irritante ou de um comentário casual por anos. Por outro lado, em virtude de os homens interpretarem as coisas de forma impessoal, as mulheres devem ter cuidado com a forma de interpretar as respostas dos homens ao que elas dizem. Só porque um homem não reage emocionalmente da mesma forma que uma mulher faria não significa que não tem sentimentos ou não se importa. Ele está buscando informações e tentando determinar uma forma apropriada de responder.

5. As mulheres estão interessadas nos detalhes — "aquilo que interessa". Os homens estão interessados no fundamental — no resumo ou síntese.

Sara pergunta a João, "Com foi seu dia?" E ele responde: "Ótimo." Este não é o tipo de resposta que Sara esperava. Ela queria ouvir os detalhes passo-a-passo, momento por momento do dia de João. Não está tentando bisbilhotar; essa é simplesmente sua forma de pensar. A resposta simples de João reflete a maneira como ele pensa: "Eu tive um bom dia, foi ótimo. Agora, vamos falar de alguma outra coisa." Ele está se concentrando no fundamental (ele teve um bom dia) não em todos os detalhes (eu fiz isto e aquilo, deste modo e assim).

Suponhamos que João convide um casal para jantar. Ele está se voltando para o princípio de que deseja ser hospitaleiro para seus amigos.

Tão logo conta para Sara, ela imediatamente considera todos os detalhes. O que vamos preparar para o jantar? Quais pratos deveriam usar? Como deveriam colocar a mesa? E esse tapete esfarrapado na sala de estar? As cortinas estão sujas, conseguiremos limpá-las? E essa mancha na parede?

Tudo que João está pensando é em receber seus amigos para uma noite divertida. Não está preocupado com as cortinas, a sujeira na parede, o tapete esfarrapado ou os pratos. Um princípio simples para ele pode ser um calvário de detalhes para Sara. Os líderes precisam pensar nos conceitos, não nos pequenos detalhes. Os gerentes e presidentes de empresas não têm tempo para se concentrar nos detalhes. Sua responsabilidade é considerar os princípios, a filosofia a partir da qual a empresa está caminhando e determinar metas. Um líder estabelece a visão e a direção, e seus subordinados trabalham nos detalhes para executar a visão. Segundo o plano de Deus para o lar, o marido determina a visão e a direção — os princípios. Esse é o seu dom e papel. A esposa é dotada do conhecimento sobre como fazer com que a visão se torne realidade — os detalhes. Juntos eles formam uma combinação poderosa.

6. Nas coisas materiais, as mulheres tendem a olhar apenas para as metas. Os homens querem conhecer os detalhes de como executá-las.

Sara sonha com todas as diferentes coisas que gostaria de ter para si mesma e para sua família: alguma joia nova, uma geladeira nova, um carro novo, uma casa nova. Embora João possa ter os mesmos sonhos e desejos, pode não expressá-los tão claramente porque, em sua forma de pensar lógica e analítica, ele se dedica aos aspectos práticos e desafiadores desses sonhos. Como iremos fazer isso? Onde é que vamos buscar o dinheiro? Será que nosso orçamento possibilita a compra de uma geladeira agora? Temos condições de comprar um carro novo?

É fácil ver como isto poderia criar conflito e divergência em um casamento. Sara fica aborrecida e zangada porque João parece não compartilhar de seu sonho com o mesmo nível de entusiasmo que ela. Em sua opinião, ele está hesitando como se realmente não se importasse em realizar ou não seus sonhos. Ao mesmo tempo, João está frustrado com Sara porque ela parece não compreender as realidades financeiras. "O que acontece com essa mulher? Ela pensa que dinheiro cresce em árvores?" Não é que João não compartilhe dos sonhos de Sara; está preocupado com os aspectos práticos de como esses sonhos podem se tornar realidade.

Nas coisas materiais, as mulheres enfocam o "quê" e os homens enfocam o "como"

Nas coisas materiais, as mulheres estão preocupadas com os objetivos e os homens preocupam-se em como chegar lá. Em outras palavras, nas coisas materiais, as mulheres enfocam o "quê" e os homens enfocam o "como".

7. Nas coisas espirituais ou intangíveis, os homens olham para as metas. As mulheres querem saber os detalhes de como executá-las.

No reino espiritual, os homens se concentram no objetivo enquanto as mulheres querem saber os detalhes. Novamente, esta diferença entre homens e mulheres é parte do plano de Deus. Espiritualmente, o marido deve ser o cabeça da casa, portanto, precisa saber a direção, as metas e os objetivos para o crescimento espiritual e o desenvolvimento da família. A esposa está interessada nos detalhes específicos sobre como eles irão atingir suas metas espirituais. Isto é exatamente o oposto do reino material. Neste caso, os homens enfocam o "quê" e as mulheres enfocam o "como".

João diz para Sara que seu objetivo como família é crescer junto ao Senhor. Essa é a visão, o princípio. Quando Sara pergunta "Como?" João propõe, "Vamos orar juntos e com nossos filhos todas as manhãs antes do trabalho e estudar a Bíblia por uma hora todas as noites." Esse é um bom plano e produz frutos contanto que eles o sigam. Se chegar um momento em que João não consegue mais dar prosseguimento, Sara ficará frustrada.

Nas coisas espirituais, os homens enfocam o "quê" e as mulheres enfocam o "como"

O fracasso dos homens em assumir e manter a liderança espiritual de suas casas e casamentos é um dos maiores problemas nas famílias hoje em dia. Inúmeras esposas têm sido forçadas a assumir a liderança espiritual de suas casas, porque seus maridos não o fazem ou não cumprem esse papel. Não deveria ser assim. As esposas podem ser de grande valor, ajudando a planejar os detalhes específicos para que as metas espirituais do casamento e da família sejam alcançadas, mas o marido deveria ser o visionário, aquele que determina a direção e define o ritmo.

8. A mente de um homem é como um arquivo. A mente de uma mulher é como um computador.

Mostre a um homem um problema ou uma tarefa que precisa ser feita e ele irá pegar a informação, armazená-la em sua mente, fechar a gaveta, e lidar com ela quando puder. Enquanto isso, ele continua com outras coisas. Uma mulher irá identificar um problema ou tarefa e, como um computador que está funcionando o tempo todo, não irá relaxar até que o problema seja resolvido ou a tarefa esteja concluída.

Sara chega até João e diz, "As paredes do banheiro precisam ser pintadas". João responde, "Está bem", e armazena a informação na mente. Não se esquece dela, mas está aguardando um momento melhor ou mais apropriado para executá-la. Na opinião de João, o assunto está pendente. Sara identificou a tarefa, passou-a para João e ele processou-a. *Irá* executá-la.

Dois dias se passaram. Sara diz, "As paredes do banheiro ainda não foram pintadas". Sua mente não descansará sobre esse assunto até que o trabalho seja feito. João, todavia, está um pouco aborrecido com a advertência. "Eu sei, não me esqueci disso. Vou providenciar, só me dê algum tempo." Uma esposa deveria ser sensível à forma de pensar de "armazenamento na mente" do marido e dar espaço para ele fazer as coisas que disse que iria fazer. Um marido, por outro lado, deveria ser sensível à maneira de a mente de sua esposa funcionar, e tentar responder da maneira mais conveniente possível. Isto envolve uma razoável disposição dos dois de fazer concessão.

9. A casa de uma mulher é uma extensão de sua personalidade. O trabalho de um homem é uma extensão de sua personalidade.

É fácil uma mulher ficar envolvida em sua casa e seu marido não compreender o motivo, e um homem se envolver com seu trabalho e sua esposa ficar simplesmente desorientada. Uma mulher pode trabalhar durante anos e nunca se tornar vinculada ao seu trabalho. É diferente para um homem. Seu trabalho torna-se parte dele, uma parte de sua própria identidade. A carreira de um homem é uma extensão de sua personalidade. Uma mulher pode se desligar de seu trabalho e ficar absorvida em sua casa. Um homem irá com frequência trazer seu trabalho para casa junto com ele, pelo menos em sua mente e atitude, se não fisicamente. O trabalho de João é para ele um símbolo de sua masculinidade, autoestima e capacidade de prover a subsistência de Sara e seus filhos. Sara deveria ser sensível a isto e cuidadosa em nunca depreciar ou repreender João severamente com respeito ao seu trabalho. Se ela criticar sua escolha de emprego ou carreira, estará criticando seu marido.

Da mesma forma, a casa de uma mulher é uma extensão de sua personalidade. Qualquer coisa que diga respeito à casa de uma mulher diz respeito a ela, porque sua casa representa quem ela é e como se vê. É por isso que uma mulher normalmente é muito sensível com relação à condição e aparência de sua casa. Com bastante frequência, os maridos não compreendem isto de forma adequada. Não são capazes de valorizar plenamente o quão importante os aspectos físicos da residência são para o sentimento de autoestima e amor-próprio de suas esposas. Quando uma mulher fala sobre sua casa, está falando de si mesma. Se Sara disser a João que eles precisam de cortinas novas na sala de estar, ele precisa ser sensível ao que ela está falando. As cortinas podem parecer boas para ele, mas Sara pode ver coisas que ele não percebe. Em atenção a Sara, João precisa aprender a ver sua casa através dos olhos dela e não apenas de sua própria maneira.

10. Os homens podem ser nômades. As mulheres precisam de segurança e raízes.

Uma mulher precisa ser constantemente reassegurada de que se encontra estabelecida e segura no relacionamento do casamento. Precisa ser continuamente assegurada de que é a pessoa mais importante na vida de seu marido. Ele precisa lhe dizer com frequência e regularmente que a ama. Não é suficiente que ele presuma que ela saiba disso; ela precisa ouvir. Não é que não acredite ou não confie em seu marido, simplesmente faz parte de sua constituição. Um homem não precisa do mesmo tipo de carícia emocional que a mulher.

A constante reafirmação traz segurança

Um homem é como um camelo no sentido de que pode tomar um "gole" e seguir por um longo tempo. Uma mulher é como a corça do Salmo 42:1 que "anseia por águas correntes". Ela precisa de um "gole" com mais frequência. Em função de sua natureza nômade, os homens geralmente acham mais fácil ficarem sozinhos do que as mulheres. Elas geralmente têm dificuldade em entender que há momentos em que seus maridos simplesmente querem ficar sozinhos por algum tempo. Se uma mulher estiver pelo menos um pouco insegura em seu relacionamento com seu marido, pode considerar isto como uma rejeição ou como um sinal de que ela não o satisfaz mais. É por isso que ele precisa ser sensível e cuidadoso em reafirmar seu amor por ela tanto em palavras quanto em ações. A constante reafirmação traz segurança.

A maioria dos homens consegue partir e se mudar continuamente, mas as mulheres precisam de raízes. Elas querem estar estabelecidas. É fácil para um sujeito simplesmente se levantar e mudar, mas não é tão fácil para uma mulher, porque ela é um ser emocional e torna-se mais apegada aos lugares e coisas do que um homem. Com isto em mente, um marido precisa estar ciente de que não pode simplesmente se levantar e mudar sem considerar as necessidades de segurança e "enraizamento" de sua esposa.

11. As mulheres tendem a se sentirem culpadas. Os homens tendem a se sentirem ressentidos.

Devido à sua base centrada na emoção, uma mulher está propensa a se culpar e assumir a responsabilidade por qualquer coisa que não esteja indo bem em um relacionamento, ainda que não seja realmente sua falha. Às vezes ela ainda ensaia repetidamente em sua cabeça uma lista de razões pelas quais é culpada. Muitas mulheres andam por aí sob uma nuvem de culpa que com bastante frequência elas mesmos colocaram lá e que é geralmente injustificada. Quando os problemas surgem em seus relacionamentos as mulheres tendem a conjeturar, "O que eu disse para deixá-lo zangado? O que eu poderia ter feito para evitar nossa briga?" Muitas vezes não é culpa dela de forma alguma, mas ela ainda tem dificuldade em aceitar isso.

O homem é diferente. Quando alguma coisa não vai bem no relacionamento ele irá ficar ressentido com a mulher antes de reconhecer sua própria responsabilidade. Muitos homens farão qualquer coisa para evitar carregar um sentimento de culpa pessoal. Eles antes iriam preferir atacar furiosamente do que aceitar a culpa. Estas duas reações são opostas e uma alimenta a outra. Um homem irá se recusar a aceitar sua culpa, enquanto uma mulher irá assumi-la ainda que não seja sua. Ela, então, se torna um objeto da raiva e ressentimento do homem e um alvo fácil de sua maldade à medida que ele atua contra a culpa que se recusa a carregar. Casais unidos pelo matrimônio precisam ficar atentos e ser muito cautelosos com essas tendências, porque podem destruir um relacionamento mais rapidamente do que qualquer outra coisa.

12. Os homens são estáveis e firmes. As mulheres estão sempre mudando.

Novamente, essa diferença entre homens e mulheres é por causa das proporções químicas e hormonais características de seus corpos e constituição de referência específica — lógico e emocional — a partir da forma que operam. Muitos homens diriam que poucas coisas os irritam mais do que uma mulher sempre mudando de ideia. As mulheres, por outro lado, argumentariam que os homens frequentemente parecem ser despreocupados — até mesmo frios ou insensíveis — não importa o que aconteça. Isto é fundamentalmente uma diferença de perspectiva.

Em geral, um homem pode tomar uma decisão e ater-se a ela, até mesmo ao ponto da obstinação. Uma mulher pode lhe dizer uma coisa e, em seguida, poucos minutos depois, dizer, "Mudei de ideia". Nenhuma das características é melhor ou pior do que a outra; elas simplesmente revelam as diferentes formas dos processos mentais de homens e mulheres operarem.

Vamos supor que João e Sara estejam se preparando para ir a um jantar. João escolhe seu terno cinza e o veste. Agora, ele aguarda enquanto Sara experimenta seu vestido azul, depois o vermelho, em seguida, o violeta... e finalmente se decide pelo azul, que experimentou primeiro. Como sua casa, as roupas de Sara representam uma declaração pessoal. Tudo tem de estar perfeito, ela tem de parecer simplesmente perfeita. Enquanto isso, João está se remexendo e pensando, *Escolha alguma coisa, e vamos!* Contanto que seu terno esteja limpo e a gravata reta, ele está bem.

Estabilidade e espontaneidade — ambos são importantes para um relacionamento saudável e satisfatório

Outra forma de observar essa diferença é dizer que os homens são mais estáveis ou impassíveis ao passo que as mulheres são mais espontâneas. Estabilidade e espontaneidade — ambos são importantes para um relacionamento saudável e satisfatório. A estabilidade fornece fundamentação enquanto a espontaneidade introduz uma dose saudável de ousadia.

13. As mulheres tendem a se envolver mais fácil e rapidamente do que os homens. Os homens tendem a ficar com "um pé atrás" e avaliar antes de se envolverem.

Por serem centradas na emoção, as mulheres têm mais capacidade para se envolver rapidamente em uma causa, movimento ou projeto. As mulheres tendem a ser conduzidas por seus corações. Elas veem uma necessidade e reconhecem uma causa digna ou nobre que toca seus corações e lá vão elas. Os homens são dirigidos pela lógica, por isso, conduzem com suas mentes e tendem a não se envolver e ficar à distância, observando e avaliando cuidadosamente antes de se comprometerem. Por causa de seu foco lógico os homens tendem a ser céticos e precisam analisar algo em todos os ângulos antes de participarem. Embora possa demorar para um homem ceder, uma vez tomada a decisão, ele fica tão empenhado quanto a mulher. Mulheres e homens podem viajar por caminhos diferentes, mas, no fim, eles chegam ao mesmo destino.

Razão e emoção se complementam

Aqui, de novo, a criatividade do plano de Deus é revelada. Razão e emoção se complementam. Juntas elas trazem perfeição para a fé e vida. A lógica sem paixão é árida, rígida e sem vida. A paixão sem lógica carece de ordem e estabilidade. Os casais que percebem e compreendem a conexão entre a lógica e emoção possuem uma maior probabilidade de construir um casamento estável caracterizado pela força, amor e um apaixonado interesse pela vida.

14. Homens precisam ser lembrados repetidamente. Mulheres nunca se esquecem de nada.

A mente de um homem é como um arquivo; qualquer coisa dita a ele é arquivada para posterior recuperação. Só porque ele não age imediatamente não significa que tenha se esquecido ou ignorado o que foi dito. Ele simplesmente armazenou. É por isso que com muita frequência parece que o homem precisa ser lembrado repetidamente. A mente de uma mulher é como um computador que nunca se esquece de nada, mas a mantém pronta para se recordar imediatamente quando exigido.

As mulheres nunca se esquecem de nada que dizem para um homem ou qualquer coisa que um homem diz a elas, e também se certificam de que ele não se esqueça.

Qualquer uma destas qualidades pode ser negativa ou positiva, dependendo da situação. Em função de tenderem a receber as coisas de forma impessoal, os homens têm mais capacidade de não tomar conhecimento ou se esquecerem de comentários depreciativos que lhe foram feitos ou que eles fizeram. Geralmente, os homens têm menos propensão a guardar rancor. Entretanto, pelo lado negativo, esse "esquecimento" pode fazer com que os homens se tornem terrivelmente insensíveis e indiferentes às necessidades de suas esposas e filhos.

Em virtude de receber tudo de maneira emocional e manter as palavras e sentimentos perto de seu coração, a mulher é naturalmente mais compreensiva e sensível às necessidades que vê ao seu redor. Pelo lado negativo, a tendência de uma mulher de se lembrar de tudo e levar tudo para o lado pessoal pode fazer com que ela permita que uma ferida, um insulto ou uma ofensa a envenene e se desenvolva por semanas, meses e até anos, criando um contínuo estresse, raiva e sofrimento.

Como maridos e esposas podem lidar com estas diferenças de forma eficaz nos seus relacionamentos? Os maridos devem ser cuidadosos com o que dizem e como o fazem, lembrando-se do sábio conselho do Livro de Provérbios: "A resposta calma desvia a fúria, mas a palavra ríspida desperta a ira" (Provérbios 15:1). As esposas deveriam contrabalançar suas lembranças com graça, de acordo com as palavras de Paulo: "[O amor] não se ira facilmente, não guarda rancor" (1 Coríntios 13:5).

15. Os homens tendem a se lembrar do fundamental das coisas em vez dos detalhes. As mulheres tendem a se lembrar dos detalhes e algumas vezes distorcem o fundamental.

É semelhante à antiga controvérsia "ele disse, ela disse". Os homens tendem a se lembrar das conversas ou eventos de forma geral, ao passo que as mulheres se lembram dos detalhes específicos com a precisão de um laser. As mulheres às vezes acusam os homens de se esquivarem do que disseram ou fizeram quando na realidade eles simplesmente não se recordam dos detalhes específicos da conversa. Os homens são claros para com o fundamental do que foi dito, mas os detalhes são menos importantes. As mulheres são atentas aos detalhes, mas algumas vezes não se lembram claramente do fundamental.

Ambas as tendências podem distorcer a verdade. Lembrar-se do essencial sem os detalhes é como tentar descrever um elefante visto de forma obscura em um nevoeiro: "Tudo que sei é que ele era grande." Fixar-se nos detalhes é como quatro pessoas com os olhos vendados em uma sala tentando descrever o mesmo elefante apenas pelo toque. Uma toca a pata, uma outra, o tronco, a terceira, o rabo e a quarta, uma orelha. Suas descrições serão bem diferentes umas das outras.

Essa diferença na maneira de homens e mulheres se recordarem é uma das principais causas básicas dos problemas de comunicação entre eles. Sara lembra João de uma conversa anterior e ele admite, "Certo, creio que eu disse alguma coisa assim".

"Não", Sara responde, "Isso foi *exatamente* o que você disse".

"Bem, não é o que eu quis dizer."

"Talvez não, mas é o que você disse".

João se lembra do fundamental da conversa e Sara se recorda dos detalhes específicos. Este tipo de confusão na comunicação é resumido muito bem na declaração: "Eu sei que você pensa que entende o que pensou que eu disse, mas não tenho certeza de que percebe que o que ouviu não é o que eu quis dizer."

Como sempre, paciência e compreensão contribuem muito para aliviar a tensão e o estresse criados pelas diferenças naturais que distinguem os homens e as mulheres e sua maneira de pensar.

~

Uma queixa comum quanto aos problemas no relacionamento homem/mulher é "Você simplesmente não me entende" ou, em outras palavras, "Você quer que eu seja igual a você". Isso absolutamente não é como as coisas são e não deveríamos desejar o contrário. Homens e mulheres são diferentes e agradecemos a Deus por isso.

Um marido não deveria esperar ou desejar que sua esposa começasse a pensar de forma lógica e analítica como ele. Da mesma forma, uma esposa não deveria esperar que seu marido enxergasse as coisas através de sua perspectiva emocional. Ambos deveriam aprender a valorizar e celebrar as diferenças vitais que Deus criou em cada sexo da criatura chamada *homem*.

Observe como essas diferenças se complementam. Um mundode lógica sem sentimentos seria povoado por computadores cruéis e insensatos. Deus não criou computadores. Ele criou o homem — homem e mulher — e os dotou com todas as diversas qualidades complementares que são necessárias para uma existência rica e plena.

Homens e mulheres não são iguais, mas há uma boa razão para isso. Vamos celebrar a diferença!

PRINCÍPIOS

1. O homem é um ser que pensa de forma lógica e a mulher é um ser emocional.
2. Para uma mulher, a linguagem falada é uma expressão do que ela está sentindo. Para um homem, a linguagem falada é uma expressão do que ele está pensando.
3. A linguagem que é ouvida por uma mulher é uma experiência emocional. A linguagem que é ouvida por um homem é a recepção da informação.
4. As mulheres tendem a interpretar tudo de forma pessoal. Os homens tendem a interpretar tudo de forma impessoal.
5. As mulheres estão interessadas nos detalhes — "aquilo que interessa". Os homens estão interessados no fundamental — no resumo ou síntese.
6. Nas coisas materiais, as mulheres tendem a olhar apenas para as metas. Os homens querem conhecer os detalhes de como executá-las.
7. Nas coisas espirituais ou intangíveis, os homens olham para as metas. As mulheres querem saber os detalhes de como executá-las.
8. A mente de um homem é como um arquivo. A mente de uma mulher é como um computador.
9. A casa de uma mulher é uma extensão de sua personalidade. O trabalho de um homem é uma extensão de sua personalidade.
10. Os homens podem ser nômades. As mulheres precisam de segurança e raízes.
11. As mulheres tendem a se sentirem culpadas. Os homens tendem a se sentirem ressentidos.
12. Os homens são estáveis e firmes. As mulheres estão sempre mudando.
13. As mulheres tendem a se envolver mais fácil e rapidamente do que os homens. Os homens tendem a ficar com "um pé atrás" e avaliar antes de se envolverem.
14. Homens precisam ser lembrados repetidamente. Mulheres nunca se esquecem de nada.
15. Os homens tendem a se lembrar do fundamental das coisas em vez dos detalhes. As mulheres tendem a se lembrar dos detalhes e algumas vezes distorcem o fundamental.

CAPÍTULO OITO

Amizade: o maior relacionamento de todos

O relacionamento entre marido/esposa é o mais antigo e o mais extraordinário dos relacionamentos humanos. Antecede e está à frente de qualquer outra relação, incluindo pais/filho, mãe/filha e irmã/irmão. Nenhum relacionamento deveria ser mais estreito, pessoal ou mais íntimo do que o que existe entre marido e esposa. Essa intimidade envolve não apenas amor, mas também conhecimento. Marido e esposa deveriam conhecer um ao outro melhor do que conhecem qualquer outra pessoa no mundo. Deveriam conhecer o que um e outro gosta e não gosta, suas peculiaridades, o que mais os incomoda, pontos fortes e fracos, boas e más qualidades, dons e talentos, preconceitos e fraquezas, virtudes e defeitos de caráter. Em suma, um marido e esposa deveriam conhecer tudo a respeito um do outro, até mesmo aqueles traços de caráter indesejáveis que escondem de todos.

O relacionamento não é garantia de conhecimento

Este tipo de conhecimento não é automático. Não ocorre simplesmente porque duas pessoas se casam. O relacionamento não é garantia de conhecimento. Um dos maiores problemas no casamento ou em qualquer outra relação humana envolve rótulos que utilizamos. Palavras "marido" e "esposa", "mãe" e "filha", "irmã" e "irmão", "pai" e "filho" descrevem diversos vínculos relacionais dentro da família. Além disso, implicam em um conhecimento ou intimidade que pode existir ou não.

Por exemplo, uma mãe e filha podem pressupor que realmente se conhecem simplesmente porque seus "rótulos" implicam em um relacionamento íntimo. Certamente uma mãe conhece sua filha e uma filha, sua mãe. Não é necessariamente assim. O mesmo pode ser dito de outros vínculos relacionais. Se eu o chamo de "meu irmão" ou "minha irmã" estou sugerindo que realmente o conheço. Presumo que porque somos parentes não há necessidade de passarmos um tempo juntos, nos conhecendo.

O casamento é uma jornada para a vida toda em direção à intimidade, mas também à amizade

Os rótulos que pressupõem conhecimento estreito e íntimo na realidade impedem a construção de um verdadeiro relacionamento. Um marido e uma esposa podem presumir que se conhecem simplesmente porque são casados. Como resultado, podem não fazer mais do que arranhar a superfície, sem descortinar o interior das personalidades de cada um para obter o verdadeiro conhecimento e construir um relacionamento profundo e íntimo.

O casamento é uma jornada para a vida toda em direção à intimidade, mas também à amizade. Um marido e uma esposa deveriam ser os melhores amigos um do outro. Não há relacionamento mais elevado. Afinal, quem nos conhece melhor do que nossos melhores amigos? A maioria de nós compartilha com seus amigos coisas ao nosso respeito que jamais contaríamos a nossas famílias. Os maridos e esposas não deveriam ter nenhum segredo entre eles. À medida que seu relacionamento se desenvolve, deveriam se tornar verdadeiros amigos, conhecendo tudo a respeito um do outro, sejam coisas boas ou más, e, apesar disso, continuarem a se amar e aceitar mesmo assim.

Não mais servos, mas amigos

A partir da perspectiva bíblica, o maior relacionamento de todos é o de "amigo". Nenhum testemunho mais importante poderia ser dado à vida de uma personalidade bíblica do que a pessoa poder dizer que era "amiga de Deus". Abraão se encaixa nessa descrição: "Cumpriu-se assim a Escritura que diz: "Abraão creu em Deus, e isso lhe foi creditado como justiça e ele foi chamado amigo de Deus" (Tiago 2:23). Moisés foi outro que conheceu a Deus como amigo: "O Senhor falava com Moisés face a face, como quem fala com seu amigo" (Êxodo 33:11). Davi, o segundo rei de Israel, ficou conhecido como um homem segundo o coração de Deus (vide 1 Samuel 13:14). Esta é uma outra forma de dizer que Davi era amigo de Deus.

Na Bíblia, o maior relacionamento de todos é o de "amigo"

Jesus deixou claro em Seus ensinamentos o elevado lugar da amizade. No capítulo 15 do Evangelho de João, após dizer àqueles que O seguiam que sua intimidade com Ele era como os ramos da videira, Jesus vinculou essa intimidade à amizade.

> *O meu mandamento é este: Amem-se uns aos outros como eu os amei. Ninguém tem maior amor do que aquele que dá a sua vida pelos seus amigos. Vocês serão meus amigos, se fizerem o que eu lhes ordeno. Já não os chamo servos, porque o servo não sabe o que o seu senhor faz. Em vez disso, eu os tenho chamado amigos, porque tudo o que ouvi de meu Pai eu lhes tornei conhecido* (João 15:12-15).

Nestes versículos Jesus declara que Seu relacionamento com aqueles que O seguem está entrando em uma nova dimensão. Uma mudança fundamental está ocorrendo na forma que eles irão agora se relacionar. Começando com a ordem de "Amar uns aos outros", Jesus então descreve esse amor, declarando que o maior amor de todos é aquele em que uma pessoa está disposta a "dar a vida pelos seus amigos". Jesus iria demonstrar esse tipo de amor logo no dia seguinte, quando foi para a cruz. É significante que Jesus disse "amigos" aqui e não "família". Existe uma qualidade na verdadeira amizade que transcende e até mesmo ultrapassa os laços das relações familiares. No Antigo Testamento, Davi, o futuro rei de Israel, e Jônatas, filho de Saul, o rei na ocasião, desfrutavam de uma amizade que era mais profunda do que a de família. Ainda que Saul procurasse tirar a vida de Davi, Jônatas o protegia, porque ele era "um só espírito com Davi, e o amava como a si mesmo" (1 Samuel 18:1, 4).

Jesus em seguida declara a natureza de um novo e profundo relacionamento "Vocês são Meus amigos se fizerem o que o que lhes ordeno". A obediência é a prova de amizade com Jesus; é também a prova de amor. Jesus não está em busca de uma obediência baseada na obrigação como um servo o faria, mas a obediência baseada no amor que tem origem no contexto da amizade. O primeiro tipo de obediência é imposto pelo exterior, ao passo que o segundo tipo é livremente escolhido pelo interior. Há muita diferença entre as duas.

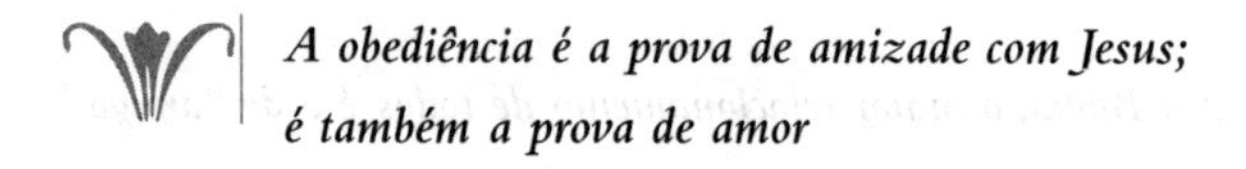

A obediência é a prova de amizade com Jesus; é também a prova de amor

No restante da passagem Jesus traça um claro e perspicaz contraste entre as formas antigas e novas através das quais Ele e aqueles que O seguem passarão a se relacionar. "Já não os chamo servos, porque o servo não sabe o que o seu senhor faz. Em vez disso, eu os tenho chamado amigos, porque tudo o que ouvi de meu Pai eu lhes tornei conhecido". Os servos não tinham liberdade de escolha. Não podiam exercitar sua própria vontade, mas eram obrigados a fazer a vontade de seu mestre. Raramente ou nunca tiveram o conhecimento dos aspectos íntimos e profundos de seu mestre ou de sua família. Embora pudessem viver, trabalhar, comer e dormir na casa do mestre, não sabiam nada de seu negócio. Era diferente com a família e amigos. Eles tinham o privilégio de andar em seu ciclo privado e compartilhar das dimensões mais pessoais de sua vida.

Jesus disse, "Já não os chamo servos... [em vez disso] eu os tenho chamado de amigos..." Ele estava dizendo àqueles que O seguiam, "Não desejo o tipo de relacionamento em que vocês estão comprometidos comigo por obrigação. Não há mais mentalidade de escravo. Vocês são meus amigos, e eu compartilho tudo com meus amigos — tudo que aprendi de meu Pai".

A que Jesus estava se referindo quando disse, "Tudo o que ouvi de meu Pai eu lhes tornei conhecido"? O que Jesus contou aos Seus discípulos — Seus amigos mais próximos — que Ele não revelou para mais ninguém? Ele abriu Seu coração e alma para eles. Não reteve nada. Jesus falava para as multidões em parábolas, porém mais tarde, quando estava a sós com Seus amigos, explicava tudo clara e detalhadamente para eles (vide Marcos 4:33-34). Ele viveu e trabalhou intimamente com eles por três anos, treinando e preparando-os para que continuassem quando não estive mais com eles.

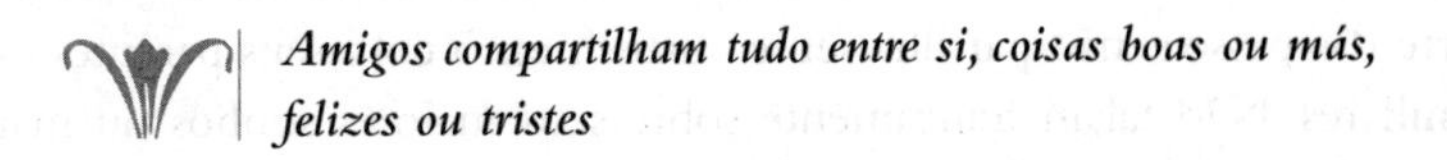

Amigos compartilham tudo entre si, coisas boas ou más, felizes ou tristes

Uma característica importante dos amigos é que eles compartilham tudo entre si, coisas boas ou más, felizes ou tristes. Essa qualidade é o que distingue os amigos de meros conhecidos e, com frequência, até mesmo dos membros da família. Desde seus primeiros dias juntos, Jesus partilhou com Seus amigos todas as coisas ruins e desagradáveis que iriam ocorrer, por causa de sua amizade. Ele lhes contou que iria ser traído, preso, espancado, açoitado e teria sua barba arrancada. Seria crucificado, morreria, seria enterrado e no terceiro dia iria ressuscitar dos mortos. Jesus informou a Seus discípulos que por causa de sua amizade com Ele, eles seriam odiados, desprezados, perseguidos e até mesmo mortos. Também lhes assegurou que estaria sempre junto com eles e que viveriam e andariam em Seu poder e autoridade. Jesus não escondeu nada deles. Não fez rodeios e não limitou Suas palavras. Este tipo de abertura e transparência é a marca de uma verdadeira amizade.

Amigos são abertos e honestos uns para com os outros

Jesus queria que Seus amigos soubessem de tudo antecipadamente, de forma que quando essas coisas ocorressem estariam preparados. "Eu lhes tenho dito tudo isso para que vocês não venham a tropeçar. Vocês serão expulsos das sinagogas; de fato, virá o tempo quando quem os matar pensará que está prestando culto a Deus. Farão essas coisas porque não conheceram nem o Pai, nem a mim. Estou lhes dizendo isto para que, quando chegar a hora, lembrem-se de que eu os avisei. Não lhes disse isso no princípio, porque eu estava com vocês" (João 16:1, 4). Ele não queria que fossem pegos de surpresa.

Isto ilustra uma importante verdade: amigos são abertos e honestos uns para com os outros. Em nenhum lugar este princípio é mais importante do que no relacionamento do casamento. Um dos maiores problemas em muitos casamentos é que marido e esposa têm dificuldade em se relacionar como amigos. São mais como "servos" do que amigos, mais como irmão e irmã do que marido e mulher. Abrir-se mutuamente é tão difícil quanto se abrir com a família ou eventuais conhecidos. A maior parte das pessoas não partilha seu *eu* mais íntimo com seus parentes ou familiares. Não falam francamente sobre seus maiores sonhos ou mais profundos medos, maiores virtudes ou piores defeitos. Irão, todavia, revelar estas coisas aos seus amigos. A amizade entre marido e esposa, com sua honestidade e transparência característica, é absolutamente essencial para um casamento bem-sucedido, feliz e próspero.

A maioria dos casais entra na vida de casado sem ter contado um ao outro tudo sobre si mesmos. De certa forma, isto é de se esperar. É impossível no princípio ser completamente aberto e franco porque algumas coisas serão reveladas à medida que o relacionamento se desenvolve ao longo do tempo. Contudo, um casal deveria saber o máximo possível um sobre o outro — as coisas boas e más — antes de se unirem no altar do casamento.

O período de namoro e noivado é muito valioso para essa finalidade. Muitas vezes, porém, o homem e a mulher irão concentrar toda sua atenção sempre no seu melhor comportamento um para com o outro, tomando cuidado para revelar apenas seu lado bom. Por medo de comprometer a relação logo no começo, serão cautelosos com os problemas e evitarão fazer qualquer menção a hábitos irritantes ou particularidades que podem ser observadas mutuamente. A menos que aprendam a ser honestos um para com o outro neste estágio de seu relacionamento, estão prestes a ter um desagradável despertar mais tarde, após terem se casado, quando estas coisas inevitavelmente vêm à luz.

Um casal deveria saber o máximo possível um sobre o outro — as coisas boas e más — antes de se unirem no altar do casamento

Por exemplo, se João possui um problema relativo ao seu temperamento, deveria ser honesto com Sara sobre isso e o quanto mais cedo melhor. "Eu realmente luto com meu temperamento. Eu me irrito facilmente.

O Senhor está trabalhando isso em mim, mas eu ainda tenho um longo caminho a percorrer. Eu só queria lhe contar isso de forma que sempre que me irritar você possa me perdoar e não levar para o lado pessoal." Dessa maneira, Sara não será pega de surpresa na primeira vez que João explodir. Sara pode lutar com sentimentos de ciúme ou tendência a ser hipercrítica a respeito das outras pessoas. Se for franca e honesta para com João sobre isto eles podem prevenir qualquer divergência antes que comece. Juntos, podem trabalhar seus problemas e ajudar um ao outro a crescer através deles. Obviamente, qualquer casal deve se sentir à vontade juntos se esse tipo de honestidade for desenvolvido. Criar essa atmosfera descontraída depende em grande parte de confiança e respeito mútuo. Da mesma forma que essas duas qualidades se originam no amor, também o alimentam e cultivam. Na Bíblia, amizade e amor estão estreitamente ligados: "O amigo ama em todos os momentos; é um irmão na adversidade (Provérbios 17:17). "Quem tem muitos amigos pode chegar à ruína, mas existe amigo mais apegado que um irmão" (Provérbios 18:24). "Sua boca é a própria doçura; ele é mui desejável. Esse é o meu amado, esse é o meu querido, ó mulheres de Jerusalém" (Cantares 5:16).

O casamento é a mais elevada de todas as relações humanas e a amizade é o mais alto nível desse relacionamento. Todo casal deveria ter como objetivo atingir esse nível e nunca descansar até tê-lo alcançado. Mesmo depois deveriam continuar esse desenvolvimento. A verdadeira amizade possui uma largura e uma profundidade que nenhuma porção de tempo ou crescimento jamais poderá esgotar.

O casamento é a mais elevada de todas as relações humanas e a amizade é o mais alto nível desse relacionamento

A amizade é o catalisador que basicamente irá fundir um marido e uma esposa em uma única pedra preciosa. O casamento é uma imagem terrena da relação no reino espiritual não apenas entre Deus o Pai, Deus o Filho — que é Jesus Cristo — e o Deus o Espírito Santo, mas também entre Deus e a raça humana que Ele criou. A amizade caracteriza a perfeita unidade e intimidade que existe entre o Pai, Filho e o Espírito Santo, e era também a natureza do relacionamento que Adão e Eva tinham com Deus e um com o outro no Jardim do Éden.

O desejo de Deus é restaurar o relacionamento de amizade entre Ele e a humanidade que o pecado destruiu. O mundo moderno precisa desesperadamente ver uma imagem clara e honesta de como é a amizade com Deus. Nenhum relacionamento terreno chega mais perto dessa imagem do que o casamento, e um casamento em que o marido e a esposa são verdadeiros amigos é o mais próximo de todos.

Apesar dos ataques e desafios da sociedade moderna, a instituição do casamento irá durar enquanto a vida humana permanecer na terra. Deus ordenou e estabeleceu o casamento e ele irá resistir até que Ele traga todas as coisas do reino físico ao seu fim. Não importa o quanto as atitudes sociais e morais possam mudar, o casamento continuará, bem fundamentado como sempre, a melhor ideia nas relações humanas que já apareceu, porque é uma ideia de Deus.

O casamento *ainda* é uma *grande* ideia!

PRINCÍPIOS

1. Um marido e uma esposa deveriam ser os melhores amigos um do outro. Não há relacionamento mais elevado.
2. A verdadeira amizade transcende e está acima dos laços das relações familiares.
3. Abertura e transparência são características da verdadeira amizade.
4. Amigos são abertos e honestos um para com o outro.
5. A amizade entre marido e esposa, com sua honestidade e transparência característica, é absolutamente essencial para um casamento bem-sucedido, feliz e próspero.
6. A amizade é o catalisador que basicamente irá fundir um marido e uma esposa em uma única pedra preciosa.

PARTE DOIS

Compreendendo o amor e os segredos do coração

CAPÍTULO UM

Esta coisa chamada amor

Um poeta escreveu, "Amar é viver e viver é amar". Isso pode ser verdade, mas o que significa? O poeta nunca definiu os seus termos. O que é essa coisa chamada "amor"?

Provavelmente nenhuma outra dimensão da experiência humana tem sido estudada, discutida, debatida, analisada e sonhada mais do que a natureza do verdadeiro amor. O amor está em todos os lugares — em nossas canções, livros, TVs e nas telas de cinema. Falar de amor está sempre na ponta da língua, nunca longe de nossas conversas ou pensamentos.

No entanto, apesar de tudo que pensamos ou falamos, discutimos ou debatemos, quantos de nós verdadeiramente compreende o amor? Sabemos realmente o que é o verdadeiro amor? Francois, Duc de La Rochefoucauld, um autor e moralista francês do século XVII, fez uma observação perspicaz quando escreveu, "O amor verdadeiro é como os fantasmas, sobre os quais todos falam, mas poucos viram".

Para onde podemos nos voltar para obter genuíno conhecimento a respeito do verdadeiro amor? O mundo oferece muitos diferentes conceitos de amor, mas são confiáveis? A cultura popular ocidental tende a comparar o amor com sentimentos ardentes, atração física e atividades sexuais. Esta visão do amor é martelada insistentemente em nossas cabeças todos os dias através dos livros e revistas que lemos, das canções que ouvimos, dos filmes e *shows* de TV aos quais assistimos. A epidemia de relacionamentos rompidos, casamentos fracassados e famílias divididas que tanto caracteriza nossa sociedade deveria nos dizer que algo está terrivelmente errado com a forma que olhamos para o amor.

A melhor maneira de aprender alguma coisa é consultando um especialista. Se desejamos aprimorar nosso jogo de golfe, procuramos um profissional de golfe, se queremos tocar piano, estudamos com um professor capacitado. Quem é o perito em amor? Ninguém entende melhor o amor do que Deus. Ele não apenas o *criou* e estabeleceu como um alicerce central da experiência humana, mas de acordo com a Bíblia, o próprio Deus *é* amor (vide 1 João 4:8, 16). O amor define a verdadeira natureza de Deus.

O amor define a verdadeira natureza de Deus

O que Deus diz a respeito do amor? Ao contrário da suposição do mundo em geral, o amor conforme é apresentado na Bíblia não é fundamentalmente uma emoção, mas uma atitude do coração. As emoções não estão sujeitas ao controle; não se pode dizer a uma pessoa como ela deve se sentir a respeito de uma determinada pessoa ou coisa. Contudo, em toda a Bíblia o Senhor *ordena* a Seu povo que ame. O amor bíblico é uma ordem. Considere estes exemplos:

> *Ame o Senhor, o seu Deus, de todo o seu coração, de toda a sua alma e de todas as suas forças* (Deuteronômio 6:5).
>
> *Não procurem vingança, nem guardem rancor contra alguém do seu povo, mas ame cada um o seu próximo como a si mesmo. Eu sou o Senhor* (Levítico 19:18).
>
> *Mas eu lhes digo: Amem os seus inimigos e orem por aqueles que os perseguem* (Mateus 5:44).
>
> *Um novo mandamento lhes dou: Amem-se uns aos outros. Como eu os amei, vocês devem amar-se uns aos outros* (João 13:34).
>
> *O meu mandamento é este: Amem-se uns aos outros como eu os amei* (João 15:12).
>
> *Não devam nada a ninguém, a não ser o amor de uns pelos outros, pois aquele que ama seu próximo tem cumprido a Lei* (Romanos 13:8).
>
> *Toda a Lei se resume num só mandamento: "Ame o seu próximo como a si mesmo* (Gálatas 5:14).
>
> *Respondeu Jesus: "Ame o Senhor, o seu Deus de todo o seu coração, de toda a sua alma e de todo o seu entendimento. Este é o primeiro*

e maior mandamento. E o segundo é semelhante a ele: Ame o seu próximo como a si mesmo. Destes dois mandamentos dependem toda a Lei e os Profetas" (Mateus 22:37-40).

Se recebemos a ordem de amar, como colocar isso em prática? O que significa amar a Deus? O que quer dizer amar o próximo? Estas são perguntas muito importantes que vão diretamente ao interior das relações significativas. Muitos relacionamentos fracassam hoje em dia por causa de uma compreensão e um conceito inadequado do amor.

O amor não é fundamentalmente uma emoção, mas uma atitude do coração

Parte do problema, pelo menos no mundo que fala a língua inglesa, são as limitações dessa língua. Em inglês (e também em português) existe apenas uma única palavra básica para amor, e, portanto, é utilizada para descrever sentimentos e atitudes em relação a uma grande variedade de assuntos. Costuma-se dizer, "Amo bolo de chocolate", ou "Amo meu cachorro", mas também é dito: "Amo meus filhos", e "Amo minha esposa", ou "Amo meu marido". As pessoas "amam" ir à praia ou ao parque ou qualquer outro lugar. Em todos estes casos é utilizada a mesma palavra "amor" para descrever sentimentos e atitudes que são imensamente diferentes em âmbito e grau. Felizmente, o "amor" pelo bolo de chocolate não tem o mesmo valor do que o amor pelos filhos ou cônjuge!

Muitas outras línguas não são tão limitadas como o inglês e o português em suas palavras para amor, particularmente a hebraica e grega, as línguas originais da Bíblia. Os gregos antigos utilizavam quatro palavras diferentes para amor — *phileo*, *storge*, *eros* e *ágape* — com cada palavra identificando um grau ou tipo distinto e particular de amor. Apenas duas destas palavras — *phileo* e *ágape* — são realmente encontradas no Novo Testamento, mas examinar todos os quatro tipos de "amor" irá nos ajudar a compreender melhor o que o verdadeiro amor *é*, bem como o que *não* é.

Phileo: o amor da amizade

Tomando o significado da raiz da palavra *philos* relacionada, que quer dizer "amigo", *phileo* é o termo mais geral em grego para amor. Refere-se ao amor que uma pessoa tem por um amigo ou conhecido. *Phileo* é o amor no nível da amizade casual, a afeição que temos por alguém com quem estamos familiarizados.

Devido à sua natureza geral e casual, *phileo* não é o tipo de amor que você precisa para se casar. O casamento exige um amor mais profundo, mais comprometido do que o *phileo* proporciona. Se um casal sente um pelo outro o mesmo que sente por seus amigos casuais, seu casamento está destinado a ter problemas.

Phileo é uma experiência comum para todos nós porque somos criaturas sociais por natureza. Somos instintivamente atraídos por outras pessoas que têm interesses similares aos nossos ou àquelas que possuem um espírito semelhante ao nosso. Uma verdadeira amizade é um tempero da vida. Um amigo é alguém com quem podemos compartilhar nossos pensamentos mais profundos e nosso *eu* mais íntimo, geralmente com mais frequência do que com os membros da família. Todos nós precisamos do sustento de relacionamentos significativos com alguns verdadeiros amigos. *Phileo* descreve esse tipo de relacionamento.

Uma verdadeira amizade é um tempero da vida

Por mais positivo e benéfico que esse amor de amizade seja para nossas vidas, no entanto, *phileo* não se qualifica como a forma de amor mais elevada e profunda. Na realidade, *phileo* muitas vezes desenvolve determinadas características que podem criar problemas no relacionamento se não tivermos cuidado. Uma delas é um sentimento de obrigação. Por ser baseado muitas vezes na atração mútua e afinidades, o *phileo* pode facilmente se tornar uma relação de "você coça minhas costas e eu coço as suas". Nós nos sentimos obrigados a reagir ao outro por causa do relacionamento.

Outra característica comum do *phileo* é que tende a se concentrar nas personalidades e atração física. Isto é natural e não há nada de errado, contanto que não o confundamos com o "verdadeiro amor". As características físicas e os traços de caráter mudam com o passar do tempo, de forma que somente eles não representam fatores confiáveis sobre os quais se pode estabelecer um relacionamento permanente, de longa duração.

Esta ênfase na atração física e personalidade habitualmente resulta em um relacionamento *phileo* que é baseado na compatibilidade mútua. Uma razão pela qual as amizades se desenvolvem é porque as pessoas envolvidas sentem compatibilidade entre elas em um grau ou outro. Isto é bom no caso de uma amizade casual, mas muitas pessoas consideram a "compatibilidade" como um critério para um potencial cônjuge. O principal problema com essa ideia é que duas pessoas em um relacionamento de longa duração que são "compatíveis" ou muito parecidas podem sentir que estão competindo entre si, o que pode levar à discórdia. Na minha experiência, os relacionamentos mais bem-sucedidos geralmente envolvem duas pessoas que são opostas ou pelo menos bem diferentes uma da outra. Devido às suas diferenças, elas se equilibram, complementando e contribuindo mutuamente. Com os relacionamentos, assim como com os imãs, é verdade que os opostos se atraem.

A partir desses critérios, o *phileo* tende a ser um amor "condicional": contanto que determinadas condições existam, o relacionamento existirá. Se essas condições mudarem, o relacionamento também mudará. As condições em um relacionamento criam expectativas e as expectativas inevitavelmente resultam em frustração.

É por isso que um relacionamento condicional é insuficiente para a construção de um compromisso duradouro como o casamento. Os cônjuges deveriam certamente ser os melhores amigos um do outro — deveriam ter um *phileo* caracterizado por uma afeição carinhosa — porém é necessário mais do que isso para sustentar seu relacionamento de longa duração.

Storge: o amor de família

Estreitamente relacionado com o *phileo,* porém mais sólido, *storge* é a palavra que os gregos usavam para se referir ao amor das relações familiares. *Storge* descreve a afeição terna dos pais para com seus filhos e desses filhos para com os pais. Também abrange os sentimentos afetuosos ou estreitos que normalmente existem entre os parentes e os membros de uma grande família: avós, primos, tias, tios e sobrinhos.

Storge é mais sólido do que o *phileo,* porque o *storge* tem a ver com a família e família implica em relacionamento. Aqui é precisamente onde mora o principal perigo deste tipo de amor. Por causa das relações familiares, *pressupomos* que amamos nossos pais e parentes e eles nos amam. Consideramos esse amor como fato consumado, líquido e certo, afinal, somos família, não? Embora a maior parte do tempo esse amor seja genuíno, é ainda uma suposição perigosa. O problema é que ser da família não assegura relacionamento. Ser parente de sangue não conduz automaticamente à amizade.

Considere seus próprios relacionamentos, tanto fora quanto dentro da família. Quem está mais próximo de você? Com quem você compartilha seus pensamentos e sentimentos mais íntimos e pessoais? Quem conhece — o seu *eu real* — melhor do que ninguém? É um membro da família ou um amigo? Se formos honestos, a maioria de nós irá admitir que temos mais intimidade com um amigo do que com membros de nossa própria família.

No que se refere aos pais e parentes, pressupomos haver relacionamento e amor, porque somos família. Se alguém lhe perguntasse, "Você ama seus pais?" Você provavelmente responderia automaticamente, "Claro que sim." Se a pessoa que perguntou então lhe dissesse, "Por quê?" Você poderia responder, "Bem ... porque são meus pais." Esse é o ponto-chave. Muito embora nosso amor por nossos pais ou parentes seja verdadeiro, há ainda um sentimento subentendido de que os amamos porque *devemos* fazê-lo. Sempre que surge um sentimento de desamor com relação a nossa família, um sentimento de culpa geralmente aparece junto com ele. Não *sentimos* amor, não obstante, achamos que *deveríamos.*

A partir desta perspectiva, então, *storge* é semelhante ao *phileo* no sentido de que pode facilmente promover um sentimento de obrigação. Amamos, não porque queremos, mas porque somos obrigados a fazê-lo. A obrigação produz pressão, a pressão produz estresse e o estresse prolongado põe em perigo qualquer relação. Se estamos envolvidos nesse relacionamento condicional sentimos culpa cada vez que fracassamos no cumprimento de nossa obrigação e sentimos raiva, amargura ou ressentimento quando o outro fracassa para conosco. Novamente, como ocorre com o *phileo*, voltamos às expectativas e condições.

O amor da família representado pelo *storge* não está limitado às relações de sangue. É bastante comum entre as pessoas da Igreja — aqueles que seguem e creem em Cristo como Senhor e Salvador — identificarem-se coletivamente como membros da "família" de Deus e um ao outro como irmãos e irmãs no Senhor. Esta visão é totalmente coerente com o ensino da Palavra de Deus. Em Gálatas 6:10 Paulo menciona a "família da fé". Hebreus 2:11 diz que todos os "que são santificados" por Jesus são Seus irmãos e membros de Sua família. Em 1 Pedro 4:17 Paulo refere-se aos crentes como da "casa de Deus".

Devido a este sentimento de família, as comunidades de crentes enfrentam as mesmas tentações das famílias de "sangue" — pressupõem relacionamento, permitindo que a familiaridade o considere um fato consumado e mútuo, desenvolvendo um sentimento de obrigação. Neste contexto, seria benéfico para os crentes se considerarem não apenas uma família, mas também amigos, abrindo, dessa forma, caminho para uma maior intimidade e relacionamentos mais profundos.

Apesar do risco de desenvolver uma visão motivada por um sentimento de obrigação, *storge* é, entretanto, uma dinâmica importante e benéfica na experiência humana, tanto para a família da fé quanto para a de "sangue".

O amor da família é fundamental para a paz e estabilidade de qualquer sociedade. A família é o alicerce básico da sociedade e se as famílias se desfizerem a sociedade em breve também o fará.

O amor da família é fundamental para a paz e estabilidade de qualquer sociedade

Eros: amor sexual

Referir-se a *eros* como "amor sexual" não é realmente muito preciso, porque rigorosamente falando, o sexo não tem nada a ver com o verdadeiro amor. O sexo pode ocorrer sem amor; acontece o tempo todo. O amor também pode existir sem sexo; os dois não dependem um do outro. Dentro dos limites sagrados e monogâmicos do casamento conforme estabelecido e ordenado pelo Criador, o sexo é uma *expressão* calorosa, íntima e linda do amor, mas por si só não é amor. Neste ponto é que a perspectiva do mundo se tornou totalmente distorcida.

Os gregos antigos encontravam prazer, de certa forma, e até adoravam a beleza do corpo e da sexualidade humana. *Eros* era sua palavra para atividade sexual em todas suas formas, que eram consideradas por eles como um tipo de amor. *Eros* era também o nome que os gregos davam para seu deus do amor. A adoração a *Eros* envolvia, entre outras coisas, prostituição, rituais e atos sexuais.

O "deus" *Eros* reina ainda hoje em praticamente todos os segmentos da sociedade. Milhões de pessoas adoram diariamente no altar de *Eros* e chamam isso de amor.

Dentro dos limites sagrados e monogâmicos do casamento conforme estabelecido e ordenado pelo Criador, o sexo é uma expressão calorosa, íntima e linda do amor, mas por si só não é amor

Em seu sentido mais pleno e literal, a palavra *eros* abrange desejo ardente, insaciável sem nenhum respeito pela santidade; êxtase sensual que deixa a sobriedade e a razão para trás. Uma outra palavra que descreve *eros* poderia ser *luxúria*. Totalmente egoísta em sua essência, *eros* busca satisfazer sua lascívia em detrimento do outro.

Ao contrário do verdadeiro amor, *eros* é totalmente sensual. Concentra-se no estímulo dos cinco sentidos — visão, olfato, audição, paladar e tato — e os apetites e desejos despertados por esses sentidos. Por ser físico por natureza, *eros* é controlado por reações e interações químicas do corpo. Como tal, é completamente dirigido pela carne; tudo o que a carne desejar, o *eros* busca satisfazer. O amor erótico é um amor emocional, alimentado pelos sentimentos e, consequentemente, tem os mesmos altos e baixos deles. O verdadeiro amor, todavia, é constante, não é motivado ou controlado pelas emoções.

Uma pessoa que é movida somente pelo *eros* vê seu companheiro como nada mais do que um objeto sexual, um alvo a ser conquistado.

É uma situação realmente triste que nossa sociedade moderna tantas vezes encoraje a visão de que os membros do sexo oposto são desafios a serem vencidos ou "resultados a serem atingidos", e, então, chama isso de "amor". Os relacionamentos construídos em torno do *eros* duram tanto quanto a atração física e o desejo que os atraiu.

Em seu egoísmo, o *eros* não tem consideração pelos sentimentos e desejos da outra pessoa, interessando-se apenas pela satisfação pessoal que pode obter do outro. O *eros* sabe pouco e não se importa com a dignidade ou o respeito humano. É o desejo incontrolável, a paixão desenfreada e desregrada no espírito da filosofia moderna que diz, "Se você se sente bem, faça".

Ágape: o amor divino

De muitas maneiras o *ágape*, o quarto e o mais elevado tipo de amor, está em uma categoria reservada só para ele. Por sua natureza única, este amor precisava de uma palavra sem igual para descrevê-lo. Nenhuma palavra comum para o amor como *phileo*, *storge* ou *eros* era suficiente para penetrar nas profundidades do significado representado neste mais alto grau de amor. Dessa forma, sob a inspiração do Espírito Santo, os escritores do Novo Testamento criaram a palavra *ágape* para atender a essa necessidade. Fora do Novo Testamento, *ágape* é encontrado apenas em um caso nos textos do grego antigo, em uma passagem que descreve o amor dos pais por seu único filho. Essencialmente, *ágape* é uma palavra exclusivamente bíblica para um conceito exclusivamente bíblico, que está em sintonia com sua natureza exclusivamente espiritual.

Ágape refere-se ao amor *divino*, o amor que Deus possui por Seu povo, assim como o amor que Seu povo Lhe retribui. É também o tipo de amor que o povo de Deus deve ter uns pelos outros. Ao contrário do *phileo* e *storge*, o *ágape* não transmite nenhuma obrigação, expectativa e não estabelece condições. O *ágape* é o amor incondicional. Ao contrário do *eros,* que é a síntese do egoísmo, o *ágape* atua em primeiro lugar e principalmente para o benefício e bem-estar do outro. Em vez de buscar seu próprio interesse, o *ágape* é um amor altruísta e sacrificial, que entrega a si mesmo em favor de outra pessoa.

Ao contrário do EROS, que é a síntese do egoísmo, o ágape atua em primeiro lugar e principalmente para o benefício e bem-estar do outro

O maior exemplo do *ágape* em ação foi quando Jesus Cristo, o filho de Deus isento de pecado, entregou Sua vida na cruz pelos pecadores (que incluem todos nós) para que pudessem se tornar filhos de Deus. Esta verdade é resumida em um dos mais conhecidos versículos da Bíblia: "Porque Deus tanto amou [*ágape*] o mundo que deu o seu Filho Unigênito para que todo o que nele crer não pereça, mas tenha a vida eterna" (João 3:16).

Somente Deus é a fonte do *ágape*. Sem Ele o *ágape* não pode ser conhecido. Ele o revelou através de Jesus Cristo, e o concedeu livremente a todos que se tornam Seus filhos pela fé — quem crê e confia em Jesus Cristo como Salvador e Senhor — eles, então, o transmitem aos outros. Deus ama todas as pessoas do mundo com amor *ágape*, mas apenas aqueles que são da comunidade da fé conhecem esse amor por meio de experiência pessoal. Para o mundo em geral, *ágape* é uma incógnita.

Uma das melhores ilustrações da relação *ágape* entre Deus e Seu povo é encontrada no Novo Testamento em 1 João:

> *Vejam como é grande o amor que o Pai nos concedeu: sermos chamados filhos de Deus, o que de fato somos! Por isso o mundo não nos conhece, porque não o conheceu.... Esta é a mensagem que vocês ouviram desde o princípio: que nos amemos uns aos outros... Sabemos que já passamos da morte para a vida porque amamos nossos irmãos. Quem não ama permanece na morte... Nisto conhecemos o que é o amor: Jesus Cristo deu a sua vida por nós, e devemos dar a nossa vida por nossos irmãos. Se alguém tiver recursos materiais e, vendo seu irmão em necessidade, não se compadecer dele, como pode permanecer nele o amor de Deus? Filhinhos, não amemos de palavra nem de boca, mas em ação e em verdade* (1 João 3:1, 11, 14, 16-18).
>
> *Amados, amemos uns aos outros, pois o amor procede de Deus. Aquele que ama é nascido de Deus e conhece a Deus. Quem não ama não conhece a Deus, porque Deus é amor. Foi assim que Deus manifestou o seu amor entre nós: enviou o seu Filho Unigênito ao mundo, para que pudéssemos viver por meio dele. Nisto consiste o amor: não em que*

nós tenhamos amado a Deus, mas em que ele nos amou e enviou seu Filho como propiciação pelos nossos pecados. Amados, visto que Deus assim nos amou, nós também devemos amar uns aos outros. Ninguém jamais viu a Deus; se amarmos uns aos outros, Deus permanece em nós, e o seu amor está aperfeiçoado em nós (1 João 4:7-12).

Estes versículos nos ajudam a compreender as diversas importantes verdades sobre o *ágape*. Em primeiro lugar, o *ágape* não é físico nem químico, nem uma emoção ou filosofia. O *ágape* é uma *Pessoa*. 1 João 4:8 diz, "Deus é amor". Quando conhecemos o *ágape*, conhecemos a Pessoa que o incorpora. Como Filho de Deus, que é amor, Jesus Cristo foi *ágape* em corpo humano.

Em segundo lugar, *ágape* é unidade. Todos aqueles que conhecem o *ágape* são um com Deus e entre si em coração e espírito. Literalmente falando, *ágape* significa que Deus se tornou um conosco. Em Cristo Ele assumiu nossa condição inferior, tornando-se como nós, de forma que pudéssemos nos tornar como Ele.

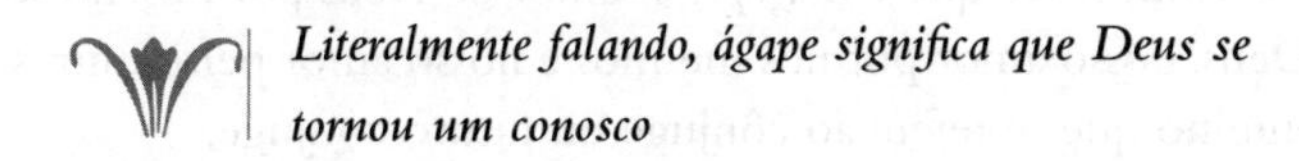
Literalmente falando, ágape significa que Deus se tornou um conosco

Terceiro, o *ágape* está interessado nos outros, não em si mesmo. Está constantemente prestando atenção no bem estar dos outros em primeiro lugar, buscando continuamente oportunidades para dar. O verdadeiro amor não é completo até dar de si mesmo. Quarto, o *ágape* tem iniciativa própria. Assume a responsabilidade. Não espera que outros ajam primeiro. Romanos 5:8 diz, "Mas Deus demonstra seu amor por nós: Cristo morreu em nosso favor quando ainda éramos pecadores". O *ágape* é proativo. Age, quer tenha alguém que lhe retribua ou não. Jesus disse, "Como vocês querem que os outros lhes façam, façam também vocês a eles" (Lucas 6:31). Isso é exatamente o que o *ágape* faz. O *ágape* toma a iniciativa.

Finalmente, o *ágape* é uma escolha. Não é baseado na emoção, mas em uma deliberada decisão. A Bíblia abertamente declara que Deus nos ama, mas nunca nos contou *por quê*. Ele nos ama. Não existe "por quê". Deus nos ama porque Ele é amor e é Sua natureza amar. Deus nos ama porque optou por fazê-lo. Seu amor é sem discriminação. O *ágape* não escolhe a *quem* amar, simplesmente resolve amar. Não importa quem é o objeto desse amor.

Por ser uma decisão — uma escolha deliberada — o *ágape* é constante. Ao contrário do "amor" baseado na emoção, o *ágape* nunca muda.

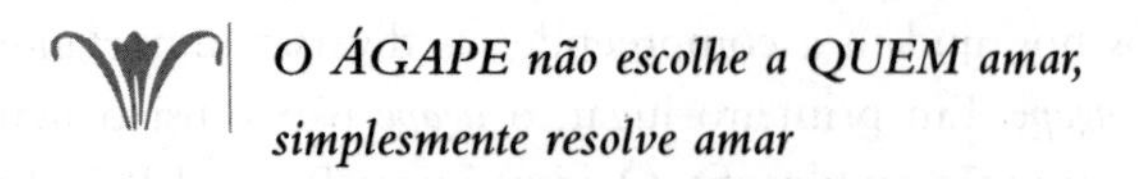

O ÁGAPE não escolhe a QUEM amar, simplesmente resolve amar

O *ágape* é o único "verdadeiro amor" no mundo, e o fundamento para tudo mais que nós às vezes chamamos de amor. Corretamente compreendidos e exercidos no ambiente apropriado, *phileo*, *storge* e o *eros* podem todos ser expressões legítimas e belas do *ágape*, mas nenhum deles por si só é uma base suficiente sobre a qual se constrói um relacionamento significativo e duradouro. Somente o *ágape* é suficiente para tanto.

Entender o *ágape* é a chave para compreender os segredos do coração humano. Para fazê-lo precisamos levar em consideração as diversas facetas desta joia resplandecente que é o *ágape*. O amor de Deus por nós, nosso amor por Deus, nosso amor por nós mesmos e nosso amor pelos outros, especialmente no que se refere ao cônjuge ou futuro cônjuge.

PRINCÍPIOS

1. *Phileo* é o amor no nível da amizade casual, a afeição que temos por alguém com quem estamos familiarizados.
2. *Storge* descreve a afeição terna dos pais para com seus filhos e desses filhos para com os pais.
3. *Eros* abrange desejo ardente, insaciável sem nenhum respeito pela santidade; êxtase sensual que deixa a sobriedade e a razão para trás.
4. *Ágape* refere-se ao amor *divino*, o amor que Deus possui por Seu povo, assim como o amor que Seu povo Lhe retribui.
5. O *ágape* é o amor incondicional.
6. O *ágape* é altruísta.
7. O *ágape* é uma *Pessoa.*
8. O *ágape* é unidade.
9. O *ágape* está interessado nos outros.
10. O *ágape* tem iniciativa própria.
11. O *ágape* assume a responsabilidade.
12. O *ágape* é proativo.
13. O *ágape* é uma escolha.
14. O *ágape* nunca muda.

CAPÍTULO DOIS

Deus o ama

Se esperamos obter alguma compreensão do verdadeiro amor, devemos começar pela fonte. O poeta que escreveu, "Amar é viver e viver é amar", não estava longe da verdade, porque a vida e o amor têm sua fonte na mesma Pessoa: Deus, o Criador. Ele é o único em quem "vivemos, nos movemos e existimos" (Atos 17:28). Conhecer o amor (*ágape*) é conhecer a Deus porque Deus *é* amor. "Amados, amemos uns aos outros, pois o amor procede de Deus. *Aquele que* ama é nascido de Deus e *conhece* a Deus. Quem não ama não conhece a Deus, porque Deus é amor" (1 João 4:7-8).

Uma das maiores verdades jamais revelada à humanidade é a de que Deus nos ama. O amor encontra-se no centro de todas as coisas que Deus faz e tem feito para a humanidade. O amor de Deus por nós é um dos temas centrais da Bíblia, permeando suas páginas do começo ao fim do Antigo e Novo Testamento. Nenhum outro texto sagrado no mundo contém tal mensagem. Em sua proclamação de que Deus ama todas as pessoas de forma deliberada, consciente e incondicional, a Bíblia é absolutamente única.

Aqui estão alguns exemplos:

> *Saibam, portanto, que o Senhor, o seu Deus, é Deus; ele é o Deus fiel, que mantém a aliança e a bondade por mil gerações daqueles que o amam e obedecem aos seus mandamentos* (Deuteronômio 7:9).
>
> *Eu a amei com amor eterno; com amor leal a atraí*" (Jeremias 31:3).

Porque Deus tanto amou o mundo que deu o seu Filho Unigênito para que todo o que nele crer não pereça, mas tenha a vida eterna (João 3:16).
Mas Deus demonstra seu amor por nós: Cristo morreu em nosso favor quando ainda éramos pecadores (Romanos 5:8).
Todavia, Deus, que é rico em misericórdia, pelo grande amor com que nos amou, deu-nos vida com Cristo, quando ainda estávamos mortos em transgressões - pela graça vocês são salvos (Efésios 2:4-5).
Vejam como é grande o amor que o Pai nos concedeu: sermos chamados filhos de Deus (1 João 3:1)
Nisto consiste o amor: não em que nós tenhamos amado a Deus, mas em que ele nos amou e enviou seu Filho como propiciação pelos nossos pecados (1 João 4:10).

Se a Bíblia revela claramente o amor de Deus por nós, uma coisa que ela *não* nos revela é *por que* Ele nos ama. Não existe nenhum "por quê". O amor com um "por que" é um amor com condições. O amor de Deus é incondicional; Ele nos ama porque Ele nos ama e porque Sua natureza é nos amar. Procurar saber o "porquê" do amor de Deus seria uma atividade inútil.

Em sua proclamação de que Deus ama todas as pessoas de forma deliberada, consciente e incondicional, a Bíblia é absolutamente única

No entanto, há muito que aprender das Escrituras a respeito do caráter e qualidade do amor de Deus. É aqui que qualquer honesta indagação sobre a natureza do verdadeiro amor pode começar. Até que compreendamos algo a respeito do amor de Deus não podemos verdadeiramente entender o amor em qualquer outra de suas dimensões, e como isso afeta as mais significantes relações de nossas vidas, quer sejam amigos ou família.

Nossa busca nos leva de volta à criação propriamente dita.

Criado e feito

Os três primeiros capítulos do Livro de Gênesis traçam o fundamento de tudo que vem depois no restante da Bíblia. Os capítulos 1 e 2 de

Gênesis revelam o plano original de Deus na criação; o capítulo 3 descreve como esse plano foi corrompido; e os capítulos restantes e os Livros da Bíblia mostram como Deus corrige as coisas mais uma vez. Simplificando, a Bíblia conta a história do paraíso estabelecido, paraíso perdido e paraíso restaurado.Tudo que acontece na Bíblia tem a finalidade de restituir a humanidade e tudo da criação ao seu estado e condição original, conforme descrito nos dois primeiros capítulos de Gênesis.

Um ponto-chave para a compreensão dos capítulos 1 e 2 de Gênesis é esclarecer a distinção entre duas palavras importantes: *criar* e *fazer*. Três versículos no capítulo 1 ilustram esta diferença:

> *No princípio Deus criou os céus e a terra* (Gênesis 1:1).
> *Então disse Deus: "Façamos o homem à nossa imagem, conforme a nossa semelhança. Domine ele sobre os peixes do mar, sobre as aves do céu, sobre os grandes animais de toda a terra e sobre todos os pequenos animais que se movem rente ao chão". Criou Deus o homem à sua imagem, à imagem de Deus o criou; homem e mulher os criou* (Gênesis 1:26-27).

Nos versículo 1 e 27, a palavra hebraica para "criado" é *bara,* enquanto no versículo 26 a palavra para "fazer" é *asah*. Do começo ao fim dos dois primeiros capítulos de Gênesis, *bara* aparece sete vezes, enquanto *asah* ocorre dez vezes. Embora as duas palavras pareçam ser utilizadas de forma alternada até certo ponto, há uma distinta diferença entre seus significados básicos. *Bara* quer dizer moldar alguma coisa do nada. Refere-se à criação no sentido absoluto, e é usada na Bíblia apenas quando vinculada a Deus, porque somente Ele pode criar algo do nada. Logo no começo, Deus estava só; não havia mais nada. Desse *nada* Deus criou os céus e a terra simplesmente desejando que fossem originados e trazendo-os à existência. É isso que *bara* significa.

Asah, por outro lado, significa moldar algo do material preexistente. Além da ocorrência no versículo 26, *asah* é utilizado referindo-se a Deus "fazendo" a extensão do firmamento (versículo 1:7), o sol e a lua (versículo 1:16), os animais selvagens (versículo 1:25), a terra e os céus (versículo 2:4) e a mulher, a "ajudadora" do homem (versículo 2:18).

Com estas duas palavras, *bara* e *asah,* podemos observar dois aspectos específicos da atividade inovadora de Deus: a criação de algumas coisas a partir do nada e a concepção de outras coisas a partir do que Ele já havia criado.

Seja qual for o caso, o princípio é o mesmo: Deus cria *falando.*

Por todo o capítulo 1 de Gênesis repete-se a frase, "*Disse* Deus...", sempre antecedendo a uma obra criativa específica. Deus é um Deus que *fala e continua falando,* Ele faz as coisas *falando.* As palavras são pensamentos revelados, pensamentos que foram expressos. Um pensamento, portanto, é uma palavra silenciosa.

As palavras de Deus expressam Seus pensamentos, Ele pensa antes de falar. Quando diz algo, Ele já pensou nisso primeiro. Antes de fazer qualquer coisa, Deus tem uma imagem em Sua mente de tudo que pretende fazer. No princípio, Deus criou todas as coisas manifestando Seus pensamentos acerca delas. Tudo que existe surgiu em primeiro lugar na mente de Deus.

No princípio, Deus criou todas as coisas manifestando Seus pensamentos acerca delas

O primeiro capítulo de Gênesis revela que sempre que Deus se preparava para "fazer" (*asah*) algo, Ele "falava" ao que já havia "criado" (*bara*), e isso ao qual ele falou gerava o que Ele desejava. Por exemplo, quando Deus quis vegetação para cobrir a terra, Ele falou à terra:

> *Então disse Deus: "Cubra-se a terra de vegetação: plantas que dêem sementes e árvores cujos frutos produzam sementes de acordo com as suas espécies". E assim foi. A terra fez brotar a vegetação: plantas que dão sementes de acordo com as suas espécies, e árvores cujos frutos produzem sementes de acordo com as suas espécies. E Deus viu que ficou bom* (Gênesis 1:11-12).

Quando o Senhor desejou estrelas no céu, falou aos céus: "Disse Deus: "Haja luminares no firmamento do céu para separar o dia da noite. Sirvam eles de sinais para marcar estações, dias e anos..." (Gênesis 1:14); quando desejou peixes no mar, falou às águas: "Disse também Deus: "Encham-se as águas de seres vivos ..." (Gênesis 1:20), e quando quis animais terrestres, Ele falou novamente à terra: "E disse Deus: "Produza a terra seres vivos de acordo com as suas espécies ..." (Gênesis 1:24).

Um dos princípios básicos da criação é que todas as coisas criadas são sustentadas por aquilo que as originou. As plantas e animais dependem da terra, porque provêm dela. Os peixes dependem da água para viver, porque de lá vieram.

No entanto, é uma história diferente com o aparecimento da raça humana. Conforme o capítulo de Gênesis deixa claro, a criação da humanidade é diferente do restante da criação pelo menos por três razões. Em primeiro lugar, tanto *bara* quanto *asah* são usados em diferentes lugares para descrever a criação do homem. Isto pode ser devido em parte ao uso das duas palavras de modo alternado, mas creio que há mais envolvido. Em um sentido muito real, o homem foi tanto criado quanto feito. Deus criou os seres espirituais (*bara*) que Ele chamou de "homem" e depois fez (*asah*) as "casas" físicas a partir do pó da terra — os corpos do homem e da mulher — para que habitassem neles.

Isto nos leva ao segundo ponto. Quando Deus se preparou para criar a humanidade Ele não falou da mesma forma que o fez para a terra, plantas e animais, céus e estrelas. Quando Deus estava preparado para criar o homem, falou para Si mesmo: "Então disse Deus: "Façamos o homem à nossa imagem, conforme a nossa semelhança... Criou Deus o homem à sua imagem, à imagem de Deus o criou; homem e mulher os criou..." (Gênesis 1:26-27). Por Deus ser Espírito, o que é proveniente dele também o é. Como seres humanos, somos seres espirituais, e isto é o que nos difere do restante da criação de Deus. Evidentemente, os anjos são seres espirituais também, mas não são como nós, o que nos leva ao terceiro ponto.

Como seres humanos, somos seres espirituais, e isto é o que nos difere do restante da criação de Deus

Deus nos criou à Sua imagem. Em nenhum lugar a Bíblia faz essa declaração a respeito dos anjos ou qualquer outra coisa criada. Os seres humanos são os únicos seres de toda a criação de Deus que são constituídos à Sua imagem e semelhança. Como seres espirituais criados à imagem de Deus, somos únicos. Deus nos criou para sermos iguais a Ele.

Criados para receber o amor de Deus

Uma pergunta natural a ser feita neste momento é, "Por que Deus criou o homem?" Se Ele é onisciente e autossuficiente, o que O motivou a criar os seres espirituais à Sua imagem e semelhança? A resposta, em uma palavra, é *amor.* Deixe-me explicar.

Deus se revela a nós de muitas maneiras, mas principalmente através de Sua Palavra, a Bíblia. Suas páginas descrevem numerosos atributos e qualidades de Deus. Ele é santo, íntegro e justo. É forte, poderoso e supremo. Deus é onipresente, onisciente e onipotente. É fiel. Deus é tudo isso e muito mais, autoindependente, autossuficiente, não necessita nada e de ninguém mais para torná-Lo completo. Em sua autossuficiência Deus é "um em tudo", que é uma outra forma de dizer que Ele é "sozinho". Isto não é o mesmo que dizer que Deus é solitário. Simplesmente significa que é único, não existe ninguém igual a Ele.

A Bíblia também nos diz que Deus é amor, e aqui está o problema, se é que podemos dizer isso. Deus é sozinho e Deus é amor, contudo o amor não existe e não pode ser completo por si só. Para ser completo e realizado, o amor deve ter um objeto. O amor por natureza deve se expressar e para tanto precisa haver alguém ou algo para que isso ocorra. Ao se expressar o amor precisa se dar. Portanto, o amor necessita de um receptor.

No princípio Deus era um em tudo — sozinho. Era amor e, como amor, precisava se dar, contudo, não havia ninguém para tanto. A Bíblia revela Deus como uma trindade — um Deus que, contudo, se manifesta em três pessoas distintas. Pai, Filho e Espírito Santo. Dentro dessa trindade, o amor perfeito celestial existe e se expressa continuamente. Não obstante, o eterno amor de Deus sempre precisa se dar. Por estar sozinho e não haver ninguém mais, Deus tinha de prover para Si mesmo alguém para receber Seu amor.

Deus é amor, o amor precisa dar e para tanto necessita de um receptor. Para que o ato de dar seja completo, o receptor deve ser exatamente igual ao doador. Deus não poderia dar, desta forma, às plantas ou animais, porque eles não eram como Ele. Nada mais era como Deus; Ele estava sozinho. Uma vez que estava sozinho, mas precisava de alguém como Ele para dar Seu amor, teve de dar origem a alguém a partir Dele.

Deus, que é Espírito, mas que é também amor e tem de dar, precisa de um receptor que seja como Ele. Então, Ele fala para Si mesmo a fim de trazer esse receptor à vida: "Então disse Deus: "Façamos o homem à nossa imagem, conforme a nossa semelhança... Criou Deus o homem à sua imagem, à imagem de Deus o criou; homem e mulher os criou" (Gênesis 1:26-27).

Ser criado à imagem de Deus significa, entre outras coisas, que cada um de nós é um ser espiritual exatamente como o Próprio Deus é Espírito. Em nosso espírito somos sem gênero, porque os espíritos não têm gênero. Deus nos criou como seres espirituais iguais a Ele a fim de que pudéssemos receber seu amor. Então, Ele moldou nossos corpos físicos com distinção de gêneros — homem e mulher — de forma que pudéssemos governar a terra e todas as suas criaturas. Como espírito fomos criados com o propósito de receber o amor de Deus. Como homem e mulher fomos criados para exercer domínio juntos sobre a ordem criada, como corregentes com Deus.

Como espírito fomos criados com o propósito de receber o amor de Deus. Como homem e mulher fomos criados para exercer domínio juntos sobre a ordem criada, como corregentes com Deus

Deus nos ama porque Ele é amor e deve manifestar-Se. Deus nos ama porque nos criou exatamente para esse propósito. Deus nos ama porque não existe ninguém mais — nem anjos nem qualquer outra criatura — que seja igual a Ele e, portanto, capaz de receber Seu amor. O receptor deve ser igual ao doador. Somente nós fomos criados à imagem e semelhança de Deus. Somente nós somos iguais a Deus — o doador — e somente nós somos estamos capacitados a receber o Seu grande amor.

Deus não tem ninguém mais para amar além de nós. É por isso que a Bíblia nunca nos diz por que Deus nos ama. Não existe por quê. Deus nos ama porque nos criou para esse propósito. Não há nada que possamos fazer para que Deus nos ame nem há necessidade de fazer isso; Ele já nos ama inteiramente. Na sua carta aos fiéis de Roma no Novo Testamento, Paulo escreveu, "Mas Deus demonstra seu amor por nós: Cristo morreu em nosso favor quando ainda éramos pecadores" (Romanos 5:8). Se Deus nos amou esse tanto mesmo em nossos pecados, como poderíamos fazer algo para que Ele viesse a nos amar mais? Deus nos tem claramente em Sua mira e nos tornou alvos de Suas flechas de amor.

Deus nos amou porque nos criou para esse propósito

Como "antenas parabólicas" espirituais, fomos projetados e programados para receber o amor de Deus. É por isso que Ele nos criou. Deus é muito zeloso para com aqueles que ama e fará qualquer coisa que seja necessária para preservar esse relacionamento. Romanos 5:8 é a prova disso. Quando o pecado interrompeu nossa "recepção" e conexão, Deus enviou Seu Filho para reparar e restaurá-la.

Deus precisava de uma semente

Deus criou o homem para receber Seu amor. O amor é expresso através do ato de dar. Motivado pelo Seu amor, Deus deu ao homem — dos dois sexos: masculino e feminino — um dom. O domínio sobre a terra. Seu plano era que tudo na terra estivesse sujeito ao governo do homem. A terra deveria ser de domínio do homem, seu "reino" sob a soberania total de Deus.

As coisas não funcionaram dessa forma. Seduzidos por satã, o anjo caído, tentador e adversário tanto de Deus quanto do homem, Adão e Eva negociaram seu "direito inato" de domínio sobre a terra pelos prazeres passageiros e ilusórios do "fruto proibido" do autogoverno. Através de sua aceitação do fruto, seu lugar por direito foi usurpado por satã que ganhou acesso ilegal ao trono de domínio da terra.

Este evento não pegou Deus de surpresa. Ele sabia que isso iria acontecer. Imediatamente colocou em ação o plano que tinha preparado mesmo antes dos tempos começarem, um plano de enviar Seu Filho à terra como um ser humano a fim de restituir à raça dos homens seu lugar de domínio por direito, assim como trazê-los de volta à comunhão de Seu amor. Por que o Filho de Deus tinha de se tornar homem a fim de realizar isto? Por que Deus simplesmente não interveio diretamente e corrigiu as coisas imediatamente? A resposta a estas questões nos remete diretamente à questão do domínio.

Por Deus ter dado à humanidade o domínio sobre a terra, Ele não o usurpará arbitrariamente como satã o fez. Os dons de Deus são irrevogáveis. Deus está comprometido com Sua Palavra; o que Ele diz,

Ele faz. A Palavra de Deus permanece para sempre, independentemente das ações do homem. A Bíblia afirma isto repetidamente.

> *Pois os dons e o chamado de Deus são irrevogáveis* (Romanos 11:29).

O que Deus dá, nunca revoga.

> *Mas os planos do Senhor permanecem para sempre, os propósitos do seu coração, por todas as gerações* (Salmo 33:11).

Quando Deus tem um plano, esse plano é para sempre. Nunca irá mudar Seu plano original, que é para a humanidade dominar a terra.

> *A relva murcha, e as flores caem, mas a palavra de nosso Deus permanece para sempre* (Isaías 40:8).

Quando Deus fala, é isso que acontece.

> *Assim também ocorre com a palavra que sai da minha boca: ela não voltará para mim vazia, mas fará o que desejo e atingirá o propósito para o qual a enviei* (Isaías 55:11).

Toda palavra que Deus profere será cumprida.

Ao dar ao homem o domínio sobre a terra, Deus essencialmente abriu mão de Seu direito de interferir nos assuntos deste planeta. Isto de forma nenhuma diminui Sua soberania como Criador ou Seu lugar como Senhor do universo. Simplesmente significa que Ele optou por se limitar a agir na terra apenas após obter o acesso "legal" para fazê-lo. A obtenção deste acesso requer a participação voluntária dos seres humanos. Deus honra Sua Palavra. Para ganhar de volta Seu amor perdido — a humanidade — e livrar-nos do pecado, Deus precisou de uma semente humana.

Deus optou por se limitar a agir na terra apenas após obter o acesso "legal" para fazê-lo

É por isso que Deus chamou Abraão e prometeu abençoá-lo com um filho, muito embora ele e sua esposa Sara, não tivessem tido filhos e não se encontrassem mais no período de fertilidade. Deus precisava de seres humanos através dos quais pudesse livremente trabalhar para trazer Sua semente ao mundo no tempo apropriado.

A criança do milagre nascida de Abraão e Sara, seu filho da promessa, era Isaque, que teve filhos gêmeos, Jacó e Esaú. Jacó teve doze filhos, cujas famílias vieram a ser as doze tribos de Israel. Judá, um dos filhos de Jacó, foi um antepassado do Rei Davi. Maria e José, os pais de Jesus na terra, eram ambos descendentes de Davi. Esta linha de descendência de Abraão a Maria propiciou a Deus a linhagem que precisava para que a entrada do Filho de Deus no mundo fosse legítima.

Uma das grandes verdades da Bíblia é que sempre que Deus se prepara para fazer qualquer coisa na terra, invariavelmente trabalha através de uma pessoa ou um grupo de pessoas a quem Ele chamou e que voluntariamente lhe respondeu. O fator humano é fundamental para a atividade de Deus na terra. Quando Deus se preparou para libertar os israelitas do Egito, chamou Moisés. Quando se preparou para livrar Seu povo dos midianitas, chamou Gideão. Quando quis alertar Seu povo desobediente sobre Seu julgamento e chamá-los de volta para Ele, chamou Elias, Isaías, Jeremias, Amós e os outros profetas. Quando Deus estava pronto para enviar Seu Filho ao mundo, escolheu Maria, uma humilde camponesa, para ser sua mãe. Quando Jesus Cristo se preparou para enviar Sua mensagem de salvação por todo o mundo, chamou e ungiu homens e mulheres — Sua Igreja — e os comissionou para a missão.

Isto ilustra um incrível princípio sob o qual Deus opera: sem Deus nós *não podemos fazer nada* e sem nós Deus *não fará nada*. Para tudo que Deus deseja fazer na terra, entra em parceria com aqueles a quem já deu seu domínio.

Nenhum amor maior

Quão grande é o amor de Deus por nós? É grande o bastante para que, enquanto ainda éramos pecadores, enquanto ainda nos encontrávamos em um estado de rebelião contra Deus, enviasse Seu Filho, Jesus Cristo, que não tinha pecados, para morrer por nossos pecados de forma que pudéssemos ser trazidos de volta para um relacionamento de amor com Ele. Por causa de Seu grande amor por nós, Deus fez por nós o que nunca faríamos por nós mesmos. Estava disposto a pagar qualquer preço — e o fez — para ganhar de volta Seu amor perdido.

Considere estas palavras da carta de Paulo no Novo Testamento aos fiéis em Éfeso: "Vocês estavam mortos em suas transgressões e pecados... Todavia, Deus, que é rico em misericórdia, pelo grande amor com que nos amou, deu-nos vida com Cristo, quando ainda estávamos mortos em transgressões - pela graça vocês são salvos" (Efésios 2:1, 4-5).

Como Cristo realizou isto? A única maneira era que Ele, que era filho de Deus, se tornasse filho do homem, tomando a forma humana. Ele se tornou igual a nós para que nós pudéssemos nos tornar como Ele. Este é o modo como o escritor do Livro de Hebreus do Novo Testamento descreveu o que Jesus fez:

> *Vemos, todavia, aquele que por um pouco foi feito menor do que os anjos, Jesus, coroado de honra e de glória por ter sofrido a morte, para que, pela graça de Deus, em favor de todos, experimentasse a morte... Portanto, visto que os filhos são pessoas de carne e sangue, ele também participou dessa condição humana, para que, por sua morte, derrotasse aquele que tem o poder da morte, isto é, o Diabo, e libertasse aqueles que durante toda a vida estiveram escravizados pelo medo da morte. Pois é claro que não é a anjos que ele ajuda, mas aos descendentes de Abraão. Por essa razão era necessário que ele se tornasse semelhante a seus irmãos em todos os aspectos, para se tornar sumo sacerdote misericordioso e fiel com relação a Deus, e fazer propiciação pelos pecados do povo* (Hebreus 2:9, 14-17).

Não há maior demonstração de amor do que essa. De fato, o próprio Jesus disse, "Ninguém tem maior amor do que aquele que dá a sua vida pelos seus amigos" (João 15:13). Deus enviou Seu Filho para nos salvar porque nos ama. Jesus voluntariamente morreu por nós, porque nos ama. O amor de Deus é um amor eterno; nunca irá terminar ou desaparecer. Na verdade, não pode, porque o amor é a genuína natureza do próprio Deus.

Deus é amor e o amor tem de dar, de forma que nos criou para receber Seu amor. Para que esse amor seja completo, o receptor deve ter um doador. Fomos criados à imagem e semelhança de Deus. Como Ele é Espírito, somos também espírito. Como Deus é amor, somos igualmente amor. Fomos feitos para receber o amor de Deus, mas também para amá-Lo em contrapartida e amar os outros do mesmo modo.

PRINCÍPIOS

1. Deus cria *falando.*
2. Quando Deus estava preparado para criar o homem, falou para Si mesmo.
3. Deus criou a humanidade à Sua imagem.
4. Deus é amor.
5. Para ser completo, o amor deve dar; portanto, o amor precisa de um receptor.
6. Para o amor ser realizado, o receptor deve ser igual ao doador.
7. Deus criou o homem para receber Seu amor.
8. Ao dar ao homem o domínio sobre a terra, Deus essencialmente abriu mão de Seu direito de interferir nos assuntos deste planeta.
9. Para ganhar de volta Seu amor perdido — a humanidade — e livrar-nos do pecado, Deus precisou de uma semente humana.
10. Sem Deus nós *não podemos fazer nada* e sem nós Deus *não fará nada.*

CAPÍTULO TRÊS

Amando a Deus

Deus é amor, e o amor precisa dar, então, Deus criou o homem — um ser espiritual igual a Ele, de forma que pudesse ter alguém para amar e receber amor. Peço que entenda que estou me referindo ao homem de forma geral, "homem" como o nome dado à espécie humana. "Homem" nesse sentido não é nem homem nem mulher, mas espírito, porque Deus é Espírito.

A primeira coisa que Deus deu a este homem espiritual que Ele criou foi o domínio sobre a terra, um reino físico. Os seres espirituais não podem perceber ou valorizar as realidades físicas, porque o que é concernente ao espírito e ao físico encontra-se em dois planos completamente diferentes. Deste modo, Deus tomou o pó da terra — parte desse reino físico — e criou um corpo físico como uma "casa" para o homem espiritual morar. Ele dotou esse corpo com coração, pulmões, sistema nervoso e os cinco sentidos da visão, olfato, paladar, tato e audição, de forma que Seu homem espiritual pudesse ter acesso legal e plenamente desfrutar do mundo físico sobre o qual deveria exercer domínio.

Conforme aconteceu, o primeiro corpo que Deus criou para o homem era do gênero masculino. Quando Adão, o "homem" do sexo masculino demonstrou estar tão sozinho em seu reino quanto Deus tinha estado antes da criação, Deus tomou uma parte do corpo de Adão e formou um corpo do sexo feminino, que também abrigava um "homem" espiritual. Homem e mulher, então, desfrutavam de mútua perfeição, assim como de uma comunhão ininterrupta com Deus. Em seus espíritos, Adão e Eva não precisavam de ninguém mais exceto Deus para realização completa. Em sua masculinidade e feminilidade, todavia, eles precisavam um do outro para se completar. É o mesmo com cada um de nós.

O propósito fundamental de Deus ao nos criar era nos amar; o domínio sobre a terra foi um presente Dele para nós. Ele nos criou para nos amar, e para provar Seu amor nos deu o domínio. Então, qual é o propósito do homem na terra? Está aqui simplesmente para exercer domínio sobre a ordem criada? Adão e Eva governavam o ambiente físico — mas também desfrutavam da comunhão contínua com Deus.

Somos receptores do amor de Deus porque é como Ele nos criou. Também nos criou com a capacidade de dar amor em troca. Seja o que for que vier de Deus é igual a Deus. Nosso propósito na terra não é fundamentalmente dominar, mas receber o amor de Deus e amá-Lo em contrapartida.

O *Westminster Shorter Catechism*, um compêndio das verdades fundamentais da fé cristã, diz que a principal finalidade do homem é "glorificar a Deus e desfrutar Dele para sempre". Essa é uma descrição linda e apropriada do amor recebido e correspondido entre Deus e o homem.

Nosso propósito na terra não é fundamentalmente dominar, mas receber o amor de Deus e amá-Lo em contrapartida

Nosso primeiro e principal propósito é amar a Deus. Às vezes ficamos tão envolvidos tomando conta da terra que nos esquecemos do que Deus disse, "Sua primeira lealdade para comigo é Me amar e adorar". Jesus deixou isto claro quando Lhe perguntaram qual mandamento era o mais importante:

> *Um deles, perito na lei, o pôs à prova com esta pergunta: "Mestre, qual é o maior mandamento da Lei?" Respondeu Jesus: "'Ame o Senhor, o seu Deus de todo o seu coração, de toda a sua alma e de todo o seu entendimento'. Este é o primeiro e maior mandamento. E o segundo é semelhante a ele: 'Ame o seu próximo como a si mesmo'. Destes dois mandamentos dependem toda a Lei e os Profetas'"* (Mateus 22:35-40).

Nossa primeira prioridade como seres humanos — nossa "principal finalidade" — é amar a Deus com tudo que temos. Somente então podemos verdadeiramente cumprir o segundo mandamento de amar nossos próximos como nós mesmos. O sucesso e a verdadeira felicidade em todos nossos relacionamentos dependem de quão bem amamos a Deus. Deus nos ama e devemos corresponder ao Seu amor. Como fazemos isso? O que significa amar a Deus?

A vontade e o desejo de Deus — Seu prazer — é que nós O amemos. Não podemos agradar a Deus se não O amarmos. Não podemos amá-Lo se não O conhecermos e não podemos conhecê-Lo se não tivermos fé Nele. "Sem fé é impossível agradar a Deus, pois quem dele se aproxima precisa crer que ele existe e que recompensa aqueles que o buscam" (Hebreus 11:6).

O pré-requisito, então, para amar a Deus é conhecê-Lo pela fé. Sem conhecer a Deus, é impossível amá-Lo. Conhecemos a Deus através de Seu Filho, Jesus Cristo, cuja morte na cruz pagou o preço por nosso pecado e abriu o caminho para que fôssemos restituídos ao relacionamento correto com nosso Pai celestial. Como Paulo escreveu no Livro de Romanos, "Pois todos pecaram e estão destituídos da glória de Deus, sendo justificados gratuitamente por sua graça, por meio da redenção que há em Cristo Jesus" (Romanos 3:23-24).

O pecado rompeu nosso relacionamento com Deus, mas Jesus o restabeleceu com Seu sangue. Quando, em fé, nos desviarmos do pecado e confiarmos em Jesus Cristo como nosso Salvador e Senhor pessoal, "Ele é fiel e justo para perdoar os nossos pecados e nos purificar de toda injustiça" (1 João 1:9). Também nos enche com o Espírito Santo, que nos capacita a andar em comunhão contínua com nosso Pai. É então e somente então que somos verdadeiramente capazes de amar a Deus.

Adoração

Como crentes, existem muitas maneiras através das quais podemos praticar e demonstrar nosso amor a Deus. Uma das mais importantes é através da adoração. Neste ponto é importante compreender que muito do que com frequência chamamos de adoração é realmente outra coisa.

A verdadeira adoração ocorre em um plano espiritual e não no plano físico. Muito da assim chamada adoração ocorre no nível físico: cantar, orar, levar mãos, dançar, falar em línguas, etc. Embora estas atividades envolvam o corpo e a mente, não necessária ou automaticamente envolvem o espírito. Podemos fazer todas essas coisas com grande fervor e energia, e, todavia, nunca entrar em verdadeira adoração.

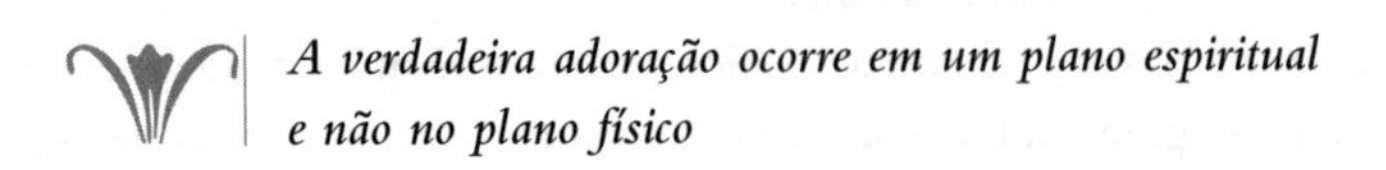

A verdadeira adoração ocorre em um plano espiritual e não no plano físico

O que a maioria dos crentes chama de adoração é, na realidade, louvor. Reconhecer Deus e Sua grandeza, bondade, agradecer-Lhe por Seus milagres e bênçãos, e celebrar Sua presença e poder. Louvar a Deus significa levantar as mãos para Ele, falar bem Dele, ter a maior estima por Ele, atribuir-Lhe glória, majestade e honra. Todas estas coisas são boas e apropriadas — mas não representam a verdadeira adoração. O louvor prepara o caminho para a adoração, mas até aí é o máximo que muitos crentes conseguem chegar.

A genuína adoração encontra-se além do louvor. Vai além das canções, orações e todas as atividades físicas que temos a tendência a considerar como adoração. O louvor é mais para nosso benefício do que para o de Deus. Prepara nosso espírito para adoração, ajudando-nos a sujeitar nossos corpos de modo que a verdadeira adoração possa ocorrer. Em certo sentido, o louvor nos auxilia a sair de nossos corpos, das restrições de nossa carne, de forma que nosso espírito possa adorar em completa liberdade. Pela mesma razão pode também nos distrair se não tomarmos cuidado.

A verdadeira adoração sempre ocorre de espírito para Espírito — nosso espírito se misturando com o Espírito de Deus. Ocorre com mais frequência sem palavras. A adoração é quando nos perdemos em Deus. Se ficarmos muito envolvidos no louvor e desempenhando outras atividades que façam com que nos concentremos na carne — no físico — não seremos capazes de entrar totalmente em adoração. O momento deve chegar quando deixamos o plano físico para trás e comungamos com Deus em um nível puramente espiritual. O louvor é o "propulsor do foguete" para que saiamos da plataforma de lançamento, mas somente nosso espírito pode entrar "em órbita".

A palavra *adoração* significa ter relações, curvar-se, beijar. Resumindo, adoração significa *intimidade*. É por isso que a adoração se distingue do louvor. Não existe intimidade a longa distância. Podemos louvar a Deus à distância, mas não podemos adorá-Lo à distância. O louvor é físico, a adoração é espiritual. A adoração é uma troca de *seres interiores*.

Podemos louvar a Deus à distância, mas não podemos adorá-Lo à distância

Deus é amor e Ele nos criou para receber Seu amor. Porque viemos de um Deus amoroso que é também um doador, temos a capacidade não apenas de receber amor, mas também de corresponder a esse amor. A adoração ocorre quando Deus dá Seu amor e nós O recebemos e o devolvemos para Ele. Nossos espíritos interagem com o Espírito de Deus e o amor é trocado. Deus ama e dá; nós recebemos e respondemos, dando de volta a Deus o amor que Ele já derramou sobre nós.

Permanecendo em Cristo

Um intercâmbio íntimo de amor como esse mencionado exige que permaneçamos perto de Deus. A intimidade é impossível à distância. Parte do amar a Deus, então, é manter nossa "conexão" com Ele. Ele é a fonte de tudo que temos e somos e jamais esperamos ser. As respostas para todas as coisas encontram-se no interior de Deus. As respostas aos nossos problemas estão depositadas em Deus. Nele reside paz para nossa confusão. Deus tem a chave para cada mistério e para tudo o que é desconhecido. O próprio conhecimento, vida e sabedoria são Nele encontrados.

Isto é o que Jesus estava tentando explicar quando comparou a relação entre àqueles que O seguiam e os ramos da videira.

> *Eu sou a videira verdadeira, e meu Pai é o agricultor... Permaneçam em mim, e eu permanecerei em vocês. Nenhum ramo pode dar fruto por si mesmo, se não permanecer na videira. Vocês também não podem dar fruto, se não permanecerem em mim. "Eu sou a videira; vocês são os ramos. Se alguém permanecer em mim e eu nele, esse dará muito*

fruto; pois sem mim vocês não podem fazer coisa alguma. Se alguém não permanecer em mim, será como o ramo que é jogado fora e seca. Tais ramos são apanhados, lançados ao fogo e queimados. Se vocês permanecerem em mim, e as minhas palavras permanecerem em vocês, pedirão o que quiserem, e lhes será concedido... Como o Pai me amou, assim eu os amei; permaneçam no meu amor. Se vocês obedecerem aos meus mandamentos, permanecerão no meu amor, assim como tenho obedecido aos mandamentos de meu Pai e em seu amor permaneço (João 15:1, 4-7, 9-10).

Os ramos da videira não têm vida por si mesmos; sua vida está na videira. Qualquer ramo que é separado da videira irá morrer, porque não pode se sustentar sozinho. Embora os ramos possam produzir as folhas e o fruto, eles só podem fazê-lo se permanecerem ligados à videira. A vida que está na videira flui através dos ramos e faz com que produzam frutos. Nenhum ramo pode produzir fruto por si só.

Da mesma forma, Jesus disse que não podemos fazer nada sem Ele. Somos os ramos, mas Ele é a videira, nossa fonte de vida e fruto. Tudo que precisamos, tudo que podemos ter ou ser está Nele. Para sermos frutíferos e cumprirmos nosso objetivo como pessoas temos de permanecer em conexão vital e constante com Jesus, nossa videira.

Jesus ordena àqueles que O seguem, "Permaneçam em mim, e eu permanecerei em vocês" (João 15:4), e, então, dá seguimento a Sua ordem com uma promessa: "Se vocês obedecerem aos meus mandamentos, permanecerão no meu amor" (João 15:10). Permanecer em Cristo, então, é essencial para o intercâmbio de amor entre o Senhor e nós. A razão é simples: devemos permanecer em uma posição — perto Dele — de forma que possamos receber plenamente o Seu amor.

Para sermos frutíferos e cumprirmos nosso objetivo como pessoas temos de permanecer em conexão vital e constante com Jesus, nossa videira

Todo amor tem sua fonte em Deus. Nossa capacidade de amar qualquer pessoa — Deus, nós mesmos e os outros — depende do amor de Deus. Podemos amar somente porque Deus nos amou primeiro. João explicou dessa forma em sua primeira carta no Novo Testamento:

> *Amados, amemos uns aos outros, pois o amor procede de Deus. Aquele que ama é nascido de Deus e conhece a Deus. Quem não ama não conhece a Deus, porque Deus é amor. Foi assim que Deus manifestou o seu amor entre nós: enviou o seu Filho Unigênito ao mundo, para que pudéssemos viver por meio dele. Nisto consiste o amor: não em que nós tenhamos amado a Deus, mas em que ele nos amou e enviou seu Filho como propiciação pelos nossos pecados* (1 João 4:7-10).

A chave para amar é "não em que nós tenhamos amado a Deus, mas em que Ele nos amou e enviou seu Filho". Como amamos a Deus? Amamos a Deus permanecendo em um lugar — perto Dele — de forma que possamos receber Seu amor. Seu amor recebido em nossos corações nos capacita a corresponder a Ele com amor. Como permanecemos perto de Deus? Através da adoração, oração, dedicando um tempo lendo, meditando e estudando Sua Palavra, a Bíblia, andando no Espírito de Deus e mantendo comunhão regular com outros crentes. Qualquer pessoa que amamos desejamos passar bastante tempo com ela. Amamos a Deus passando tempo com Ele, e ficando perto Dele de forma que possa nos amar e ensinar Seus caminhos a fim de que possamos nos tornar igual a Ele.

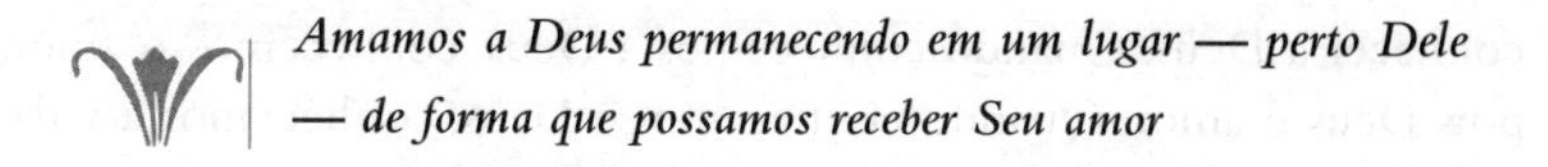
Amamos a Deus permanecendo em um lugar — perto Dele — de forma que possamos receber Seu amor

Intimidade com Deus

Um dos princípios da vida é que nos tornamos parecidos com as pessoas com as quais passamos mais tempo. A única forma de realmente chegar a conhecer alguém é estar bastante tempo com essa pessoa. Uma das maneiras de amar a Deus é conhecendo-O. Uma outra palavra para conhecer a Deus é *intimidade.* De fato, na Bíblia, os conceitos de conhecimento e intimidade estão estreitamente relacionados. No Antigo Testamento, a palavra hebraica *yada* é utilizada para se referir tanto a "conhecer" a Deus quanto a ter relações sexuais. Por exemplo, Moisés "conheceu" a Deus "face a face" (vide Deuteronômio 34:10) e "Adão conheceu a Eva, sua mulher" (Gênesis 4:1 - Versão King James). Ambos os casos implicam em proximidade e familiaridade íntima.

Uma das maneiras de amar a Deus é conhecendo-O

Provérbios 1:7 diz, "O temor do Senhor é o princípio do conhecimento, mas os insensatos desprezam a sabedoria e a disciplina". Conhecer a Deus é o ponto de partida para todo o verdadeiro conhecimento. É a diferença entre o sucesso e o fracasso, no amor assim como na vida. O oposto do conhecimento é a ignorância. Ela sufoca a criatividade e o potencial e mantém suas vítimas na escravidão intelectual e espiritual. O conhecimento, por outro lado, liberta. Jesus disse, "Se vocês permanecerem firmes na minha palavra, verdadeiramente serão meus discípulos. E conhecerão a verdade, e a verdade os libertará" (João 8:31-32).

Não é simplesmente a verdade que nos liberta, mas o *conhecimento* da verdade. Isso é o que faz a diferença. A verdade que não compreendemos não tem nenhuma utilidade para nós. Jesus disse que conheceríamos a verdade retendo Seus ensinamentos. Tudo que Jesus ensinou e fez — o exemplo inteiro de Sua vida — era com o propósito de revelar Seu Pai. O objetivo dos ensinamentos de Jesus era para que viéssemos a conhecer a Deus. Quando conhecemos a Deus, conhecemos o amor, pois Deus é amor. Quando conhecemos a Deus, conhecemos a vida, pois Deus é vida.

Se esperamos mesmo começar a compreender a Deus e entender como amá-Lo, devemos conhecê-Lo. É possível que venhamos a compreender a Deus? Por um lado, não; não há condições de que nós, com nossas mentes finitas, possamos compreender ou perceber um Deus infinito jamais. Por outro lado, contudo, Deus deseja que não sejamos ignorantes em relação a Ele. Deseja que venhamos a conhecê-Lo e que nos relacionemos com Ele intimamente. É por isso que Ele tem feito tudo que é necessário para Se revelar a nós através de Sua Palavra, Seu Filho e Espírito.

Quando conhecemos a Deus, conhecemos o amor, pois Deus é amor. Quando conhecemos a Deus, conhecemos a vida, pois Deus é vida

Muitos crentes têm a noção equivocada de que é impossível compreender a Deus, pois supõem que Ele deve permanecer um mistério eternamente. Simplesmente não é assim. A Bíblia é um registro fiel da autorrevelação contínua e progressiva de Deus para a humanidade. O Salmo 98:2 diz, "O Senhor anunciou a sua vitória e revelou a sua justiça às nações". Um versículo que alguns crentes usam para apoiar sua alegação de que Deus é um mistério que é impossível se conhecer é 1 Coríntios 2:9: "Todavia, como está escrito: "Olho nenhum viu, ouvido nenhum ouviu, mente nenhuma imaginou o que Deus preparou para aqueles que o amam," mas eles com muita frequência não tomam conhecimento do versículo seguinte: "Mas Deus o revelou a nós por meio do Espírito" (1 Coríntios 2:10).

No entanto, é possível conhecer a Deus e Ele quer que venhamos a conhecê-Lo. Ele tem Se revelado de muitas maneiras, de forma que *possamos* conhecê-Lo. Um modo de amar a Deus é dedicar um tempo e fazer um esforço para conhecê-Lo — dar um jeito de ter vínculos íntimos com Ele. Deus permanece aguardando que nós respondamos ao Seu convite: "Aproximem-se de Deus, e ele se aproximará de vocês!" (Tiago 4:8).

Conhecendo os caminhos de Deus

Deus deseja que O conheçamos e O amemos. Isto envolve mais do que simplesmente conhecer uma grande quantidade de fatos a respeito de Deus; é mais do que meramente conhecer o mais importante. Conhecer significa compreender a natureza e as características de uma coisa ou pessoa. Se você for um bom mecânico de automóvel, sabe mais de carros do que apenas seus aspectos físicos. Você entende os princípios sob os quais eles operam. Conhece o motor por dentro e por fora, conhece o sistema de transmissão, exaustão e elétrico. Sempre que algo não está funcionando de forma apropriada, você consegue localizar e consertar, porque conhece a natureza e as peças dos automóveis. Você pode verdadeiramente dizer que *conhece* carros.

Conhecer uma pessoa significa compreender sua natureza e personalidade. Significa conhecer os seus pontos fortes, fracos, crenças, paixões, do que gosta ou não; significa conhecer aquilo que "mexe" com ela. Esse tipo de "conhecimento" vai além da superfície — além de ações ou palavras triviais — de modo a tocar o âmago interior do ser da outra pessoa. O conhecimento íntimo do outro envolve um encontro não só de mentes, mas também de corações. Significa conhecer não apenas os *atos* da pessoa, mas também seus *caminhos.*

Amar a Deus significa aprender a conhecer Seus caminhos. Isto é bem diferente de simplesmente conhecer Suas obras e feitos. No Salmo 95:10 o Senhor diz, "Durante quarenta anos fiquei irado contra aquela geração e disse: 'Eles são um povo de coração ingrato; não reconheceram os meus caminhos'". Ele está falando das pessoas de Israel, Seu povo escolhido, que, contudo, não conheceu Seus caminhos. Estas pessoas testemunharam as pragas de Deus contra o Egito que vieram a libertá-las da escravidão. Viram Deus dividir as águas do Mar Vermelho e livrá-las do exército do faraó. Foram acompanhadas por uma coluna de nuvem de dia e uma coluna de fogo, de noite. Ele providenciou água da rocha para elas beberem. Desfrutaram de Sua maravilhosa provisão do maná para se alimentarem todos os dias durante quarenta anos no deserto. Durante todo esse tempo, suas roupas nem sandálias nunca se gastaram. Os israelitas viram todas as poderosas obras de Deus. Conheciam Seus feitos, mas nunca chegaram a conhecer Seus caminhos.

O conhecimento íntimo do outro envolve um encontro não só de mentes, mas também de corações

Moisés, por outro lado, desfrutou de um relacionamento diferente, mais íntimo com Deus. Davi faz alusão a isto no Salmo 103:7 quando escreve do Senhor, "Ele manifestou os seus caminhos a Moisés, os seus feitos aos israelitas". Dois relacionamentos estão subentendidos aqui. Moisés estava em contato com o coração e a mente de Deus, mas o povo estava familiarizado apenas com seus feitos. É por isso que o povo nunca realmente tomou conhecimento da presença de Deus.

O mesmo problema existe atualmente. Há muitos crentes que testemunham os milagres e as bênçãos de Deus e podem contar como Deus proveu uma necessidade específica, e ainda assim não conhecem Seus caminhos. Podem apreciar as coisas e o poder de Deus, mas nunca conheceram Sua presença. Nunca voltaram seus corações para o coração e a mente de Deus.

Conhecer os caminhos de Deus traz um outro elemento à ilustração do Deus amoroso que é provavelmente o mais importante de todos: obediência. Jesus disse, *"Se vocês me amam, obedecerão aos meus mandamentos... Quem tem os meus mandamentos e lhes obedece, esse é o que me ama. Aquele que me ama será amado por meu Pai, e eu também o amarei e me revelarei a ele... Respondeu Jesus: "Se alguém me ama, obedecerá à minha palavra. Meu Pai o amará, nós viremos a ele e faremos morada nele"* (João 14:15, 21, 23).

A obediência a Deus é a maior demonstração — a maior *prova* — de nosso amor por Ele. Amamos a Deus obedecendo-O. Sem a obediência, qualquer declaração de amor e devoção que façamos é vazia, sem significado e hipócrita. Isaías 29:13 revela claramente a atitude de Deus para com isto: "O Senhor diz: 'Esse povo se aproxima de mim com a boca e me honra com os lábios, mas o seu coração está longe de mim. A adoração que me prestam é feita só de regras ensinadas por homens.'"

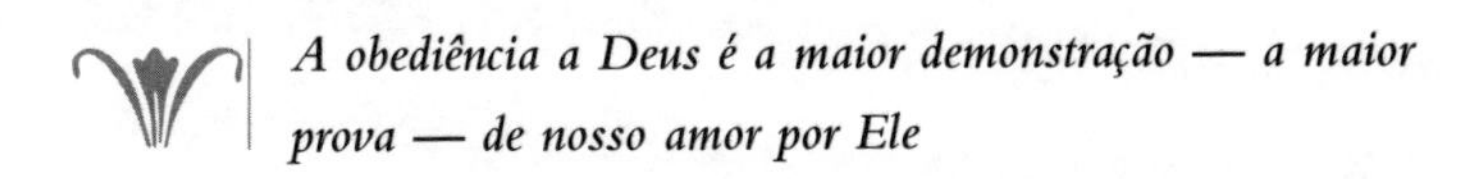
A obediência a Deus é a maior demonstração — a maior prova — de nosso amor por Ele

Qual é o seu desejo? Você está simplesmente atrás de uma bênção ou deseja conhecer a Deus? Está contente simplesmente por receber Dele ou anseia ter um relacionamento íntimo com Ele? Está satisfeito por estar familiarizado com Deus ou deseja ser Seu amigo?

O amor deve se dar a fim de se realizar, portanto, o amor precisa de um receptor. Para o amor ser completo, o receptor deve devolvê-lo ao doador. É esse o relacionamento que Deus planejou para cada um de nós e para o qual convida todos nós. Fomos criados para receber o amor de Deus e devolvê-lo para Ele. Seu desejo é que entremos em um relacionamento de amor íntimo e profundo com Ele que vai além das aparências externas e que liguemos nosso coração ao Seu coração e nosso espírito ao seu Espírito. Deus nos convida a amá-Lo com todo nosso coração, alma e mente. Este é o tipo de amor que irá nos capacitar a cumprir nosso principal propósito: "Glorificar a Deus e desfrutar de Sua presença para sempre".

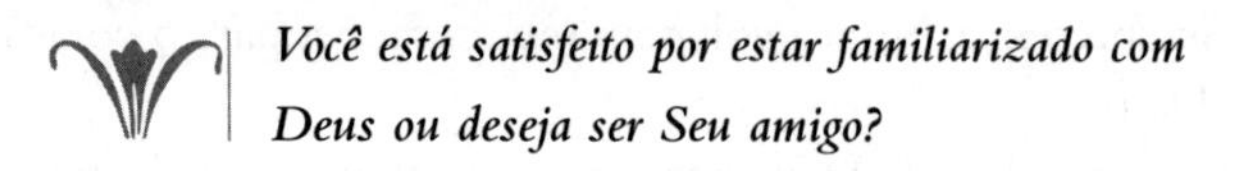

Você está satisfeito por estar familiarizado com Deus ou deseja ser Seu amigo?

PRINCÍPIOS

1. Nosso primeiro e principal propósito é amar a Deus.
2. O primeiro pré-requisito para amar a Deus é conhecê-Lo pela fé.
3. A verdadeira adoração sempre ocorre de espírito para Espírito — nosso espírito se misturando com o Espírito de Deus.
4. A adoração é uma troca de *seres interiores*.
5. Parte do amar a Deus é manter nossa "conexão" com Ele.
6. Permanecer em Cristo é essencial para a troca de amor entre Deus e nós.
7. Conhecer a Deus é o ponto de partida para todo o verdadeiro conhecimento.
8. Um modo de amar a Deus é dedicar um tempo e fazer um esforço para conhecê-Lo — dar um jeito de ter vínculos íntimos com Ele.
9. Amar a Deus significa aprender a conhecer Seus caminhos.
10. O desejo de Deus para nós é que entremos em um relacionamento de amor íntimo e profundo com Ele que vai além das aparências externas e que liguemos nosso coração ao Seu coração e nosso espírito ao seu Espírito.
11. Amamos a Deus obedecendo-O.

CAPÍTULO QUATRO

Amando a si mesmo

O amor situa-se no centro do plano de Deus para todos os relacionamentos humanos, quer sejam naturais ou espirituais. Jesus nos disse que os dois maiores mandamentos são, primeiro, "Ame o Senhor, o seu Deus de todo o seu coração, de toda a sua alma e de todo o seu entendimento" (Mateus 22:37), e, segundo, "Ame o seu próximo como a si mesmo'" (Mateus 22:39). Ambos encontram-se inseparavelmente ligados. Deus nos criou não somente para receber Seu amor, mas também para devolver esse amor a Ele, assim como para estendê-lo aos outros. Ao romper nossa relação com Deus, o pecado interrompeu a "conexão" essencial à nossa capacidade de dar e receber amor. Sem o vital relacionamento de amor com Deus é impossível para nós conseguirmos amar tanto nosso próximo quanto a nós mesmos como deveríamos. Quando estamos seguros do amor de Deus por nós, todavia, podemos devolver esse amor a Ele, e esse livre intercâmbio de amor nos possibilita amar a nós mesmos e, por sua vez, amar os outros.

A autodepreciação é provavelmente o maior problema característico da sociedade humana, independentemente da cultura. Décadas de pesquisa, estudo e experiência nos campos da psicologia e comportamento revelaram que a autodepreciação situa-se no âmago da grande maioria dos problemas mentais, emocionais e psicológicos. Muitas pessoas têm problemas para conviver com outras, porque têm dificuldade de viver consigo mesmas. Acreditam que é difícil tanto dar quanto receber amor dos outros porque não amam a si mesmas.

Infelizmente, o problema da autodepreciação não está limitado à cultura secular ou ao mundo dos doentes mentais ou emocionalmente instáveis. A mesma praga aflige muitos que seguem a Cristo também. Muitos de nós que somos crentes temos um complexo de inferioridade que constantemente nos coloca para baixo; dizemos coisas negativas sobre nós mesmos e negamos nossos dons, talentos e capacidades. Este sentimento de inferioridade é o resultado de séculos de ensinamentos na Igreja que dizem que está errado amarmos a nós mesmos. Tais ensinamentos comparam autodepreciação com humildade, quando, na verdade, não são a mesma coisa. A autodepreciação diz. "Eu não sou nada. Sou desprezível, inútil, não tenho nenhum valor para dar a ninguém." A humildade, por outro lado, é simplesmente crer e aceitar o que Deus diz a nosso respeito, e Deus diz que somos qualquer coisa menos inúteis.

Quando Jesus falou, "Ame seu próximo como a si mesmo," quis dizer que devemos amar nosso próximo tanto quanto ou no mesmo grau que amamos a nós mesmos. Em outras palavras, podemos amar nosso próximo somente na mesma proporção que amamos a nós mesmos. As pessoas que não se amam não podem verdadeiramente amar mais ninguém.

A humildade é simplesmente crer e aceitar o que Deus diz a nosso respeito, e Deus diz que somos qualquer coisa menos inúteis

Peço que compreendam que não estou me referindo a um amor próprio narcisista ou egotista que anda por aí com um ar cheio de si, enquanto olha de cima para baixo com o nariz empinado para todos. Por "amar a nós mesmos" quero dizer ter uma autoimagem positiva e um sentimento de autoestima saudável, baseado em uma compreensão apropriada de nosso lugar no amor de Deus e no relacionamento com Ele e com os outros.

Por que deveríamos amar a nós mesmos? Que motivo temos para isso? A resposta encontra-se no coração e propósito de Deus. Ele nos criou à Sua imagem e semelhança, a maior obra e coroação da glória de todo Seu trabalho criativo, e disse que ficou "bom". O pecado arruinou e distorceu essa nossa imagem. Entretanto, ainda éramos tão importantes para Deus e de tamanho valor para Ele que enviou Seu Filho para pagar por nossos pecados na cruz de forma que pudéssemos ser restituídos a Ele. Através de Cristo, Deus nos recriou à Sua imagem — Ele nos refez, como se estivesse dizendo — novamente, ficou "bom". Deveríamos amar a nós mesmos, não de forma presunçosa, mas simplesmente por aceitarmos para nós mesmos o valor que o próprio Deus nos dá.

Somos aceitos por Deus

Um dos primeiros passos no desenvolvimento de um amor próprio saudável é perceber e acreditar que somos completa e absolutamente aceitos por Deus. Paulo colocou isso desta maneira na sua carta no Novo Testamento aos fiéis de Éfeso:

> *Porque Deus nos escolheu nele antes da criação do mundo, para sermos santos e irrepreensíveis em sua presença. Em amor nos predestinou para sermos adotados como filhos, por meio de Jesus Cristo, conforme o bom propósito da sua vontade, para o louvor da sua gloriosa graça, a qual nos deu gratuitamente no Amado. Nele temos a redenção por meio de seu sangue, o perdão dos pecados, de acordo com as riquezas da graça de Deus, a qual ele derramou sobre nós com toda a sabedoria e entendimento* (Efésios 1:4-8).

O versículo 6 da Versão King James diz, "Para o louvor da glória de sua graça, que *Ele nos fez aceitos* no Seu amado" (ênfases acrescentadas). Paulo está falando aqui de uma realidade *atual,* não de uma experiência passada. No passado éramos inaceitáveis. Por causa de nosso pecado, Deus não podia nos aceitar. Éramos proscritos, separados Dele sem esperança de podermos voltar para Ele por nossa própria conta. Então, Jesus veio à terra e morreu na cruz, levando com Ele todas as coisas que nos tornavam inaceitáveis. Ele as carregou em Seu próprio corpo, suportou a mácula de nossos pecados, foi obediente a ponto de morrer, e, no terceiro dia, ressurgiu da morte. Com Seu sangue Ele nos lavou, limpou nosso pecado, tornando-nos puros e santos novamente. Então, nos trouxe diante de Seu Pai, e Ele disse, "Aceitos!"

Se Deus nos aceitou, deveríamos ser capazes de nos aceitar. Deus não está preocupado com aparências externas; essas não Lhe importam.

Independentemente dos defeitos ou falhas que podemos ver ou imaginar em nós mesmos, Deus olha para nós e diz, "Eu amo vocês. Estão aceitos. Vocês são bonitos para Mim".

Deus nos aceita mesmo com todas as nossas imperfeições. Por que, então, temos estes problemas relativos à autoaceitação? Uma razão é a maneira de percebemos o valor, tanto para nós mesmos quanto para os outros. Muitos de nós podemos andar por aí dizendo, "Eu tenho valor. Deus me tornou valioso," contudo, bem no interior ainda nos sentirmos inúteis. Olhamos para nossa educação (ou a falta dela), nossa aparência física, nossas habilidades de trabalho (ou a falta delas), nossas capacidades, dons e talentos (ou a falta deles) e concluímos que não valemos grande coisa.

Iremos sempre acabar com uma falsa imagem de nós mesmos quando avaliamos nosso valor de acordo com os critérios que Deus ignora. Nossa autoestima não tem nada a ver com os padrões tangíveis e físicos que geralmente usamos para julgar nosso valor. Deus não olha para essas coisas.

O verdadeiro valor de algo é aquele que é colocado nele por outra pessoa. Por exemplo, o ouro é simplesmente um metal amarelo brilhante, um produto da terra e sem valor por si próprio, se não fosse o valor que os seres humanos dão a ele. Muitas pessoas lutaram, mataram e morreram por causa do valor que dão ao ouro. Da mesma maneira, precisamos olhar não para nossos próprios padrões para medir nosso valor, mas para o valor que nos é dado por outra pessoa — Deus, nosso Criador.

Iremos sempre acabar com uma falsa imagem de nós mesmos quando avaliamos nosso valor de acordo com os critérios que Deus ignora

Quanto é que valemos para Deus? Olhando para trás em Efésios 1:4-8 vemos que Deus "... nos escolheu ...antes ...criação...para sermos santos e irrepreensíveis em sua presença" (versículo 4). "Ele nos predestinou para sermos adotados como filhos, por meio de Jesus Cristo, conforme o bom propósito da sua vontade" (versículo 5). "Ele nos deu 'gratuitamente' Sua graça — Seu favor imerecido — sobre nós (versículo 6). Ele nos considerou valiosos o bastante para enviar Seu precioso Filho, que derramou seu sangue, através do qual recebemos a "redenção" e "o perdão dos pecados" (versículo 7). Ele fez tudo isto deliberadamente, por Sua própria "sabedoria e entendimento" (versículo 8) simplesmente porque desejou fazê-lo.

Somos valiosos para Deus, de fato, inestimáveis. Devemos tomar cuidado para nunca confundir nossa autoestima, que é dada por Deus, com nossa aparência, bens ou comportamento, ou com o comportamento ou atitudes que os outros têm para conosco.

Se cometemos um erro estúpido, deveríamos dizer, "Cometi um erro," não, "Eu *sou* um erro". Sempre que fracassarmos em alguma coisa, deveríamos reconhecer, "Fracassei", mas nunca dizer, "Eu *sou* um fracasso". Sempre deveríamos manter nosso comportamento ou desempenho separado de nosso sentimento de autoestima. Não importa o que aconteça nem o quanto venhamos a errar, ainda somos valiosos e aceitos por Deus. Ele já declarou isso e Sua Palavra nunca muda.

Somos novas criaturas em Cristo

O passado está no passado. Quem ou o que costumávamos ser não tem mais importância. O que importa é quem e o que somos agora e quem e o que podemos nos tornar no futuro. Em sua segunda carta aos fiéis de Corinto, Paulo descreve quem somos como filhos de Deus e revela a forma como Deus nos vê: "Portanto, se alguém está em Cristo, é nova criação. As coisas antigas já passaram; eis que surgiram coisas novas!" (2 Coríntios 5:17)

Em Cristo, tudo é novo. Todas as coisas antigas já passaram. Isso significa que podemos nos esquecer de tudo que é negativo, as coisas sarcásticas que destroem a esperança que as pessoas tenham dito sobre nós no passado. Já passaram! Agora podemos ter controle sobre as coisas novas. Podemos nos vestir, andar, falar e responder à vida de forma diferente, baseados na nova criatura que somos em Cristo. Não temos mais de viver como mendigos miseráveis, fracos e rolando na lama da depressão e circunstâncias negativas, curvados pelo desânimo e desespero.

A imagem que fazemos de nós mesmos — nosso autoconceito — irá sempre determinar como respondemos à vida. Não deveríamos ter de olhar para os outros para que nos digam quem somos. Deus já nos disse e já nos mostrou em Sua Palavra. Somos novas criaturas, amados, aceitos e preciosos sob Seu modo de ver.

A imagem que fazemos de nós mesmos — nosso autoconceito — irá sempre determinar como respondemos à vida

Se tiver dificuldade em se ver dessa forma, tente fazer uma lista de tudo que pode encontrar na Bíblia que fale como Deus se sente a seu respeito. Coloque-a no espelho ou em algum outro lugar onde irá olhar para ela regularmente como um lembrete para pensar e agir como filho amado de Deus, o Rei e Senhor do universo. Sua lista poderia conter algo como isto:

Sou lavado, perdoado, são e curado. Estou purificado e ligado à glória. Sou um hóspede na terra. Não sou mais do que um peregrino na terra, a caminho da perfeição e não preciso que ninguém me diga quem sou, porque já sei quem sou. Sou o filho do Rei, um filho de Deus, nascido de novo através de Jesus Cristo, comprado com o preço de Seu sangue. Sou nova criatura, totalmente nova, totalmente amada e aceita como filho de meu Pai, precioso em Seu modo de me ver.

As pessoas mais bem-sucedidas tanto em dar quanto receber amor não são aquelas que andam por aí se degradando e falando mal de si mesmas o tempo todo, mas as que se amam plenamente e estão totalmente cientes de que são amadas por Deus. Por estarem em paz com elas mesmas, estão livres para dar amor e permitir que os outros as amem.

As pessoas que estão cheias de autodepreciação têm problemas para receber amor. Tendem a pensar, *"Eu não mereço amor, como alguém poderia vir a me amar"?* Esta autoimagem negativa e mentalidade tacanha fazem com que rejeitem expressões de amor dos outros, pensando serem falsas ou impróprias. Ao mesmo tempo, não conseguem dar amor efetivamente porque sua própria "conta bancária" está sem fundos. Contém "depósitos" insuficientes de amor para retiradas a fim de dá-lo aos outros.

Sempre que basearmos nossa autoimagem sobre como *nos sentimos* teremos problemas, porque nossos sentimentos mudam. Se nós nos sentimos bem, nossa autoimagem será boa. Quando começamos a nos sentir mal, todavia, nossa autoimagem vai abaixo. Precisamos ancorá-la em algo que não mude. Onde podemos encontrar isso?

Quando nos tornamos crentes, nos convertemos em novas criaturas em Cristo, recriadas à Sua imagem. A imagem de Cristo em nós nunca mudará. Ainda que nossa aparência externa mude ao longo do tempo, a imagem de Cristo em nós irá permanecer a mesma. Não importa quão bem ou mal possamos nos sentir, Cristo nos ama, aceita e encontra maravilhas em nós. Sua opinião sobre nós é a única opinião que importa. Deveríamos basear nossa autoimagem no que Ele acha de nós, não no que os outros pensam ou até no que nós pensamos sobre nós mesmos.

É hora de nós, como crentes, pararmos de andar por aí com uma opinião de segunda classe sobre nós mesmos. Devemos parar de nos desculpar por sermos filhos de Deus. Não agrada a Deus que andemos a vida toda abaixo de nosso privilégio. Somos novas criaturas em Cristo, e logo que começarmos a agir e viver dessa forma diante do mundo, mais e mais pessoas virão a Cristo à medida que nos veem em vitória, alegria e paz com os outros e conosco.

É hora de nós, como crentes, pararmos de andar por aí com uma opinião de segunda classe sobre nós mesmos

Evidências específicas da autorrejeição

Outro termo para autodepreciação é autorrejeição. As pessoas que odeiam a si mesmas não conseguem se aceitar como são. A autorrejeição se apresenta de muitas formas diferentes. Quero relacionar doze dos sintomas mais comuns da autorrejeição, juntamente com os versículos bíblicos que são úteis para combater esses sintomas. Precisamos sempre comparar nossas atitudes e crenças com o padrão da Palavra de Deus e ajustá-las adequadamente.

1. Atenção exagerada às roupas. As pessoas que demonstram demasiada preocupação com o vestuário ou a moda podem estar tentando compensar um defeito observado ou indesejável, mas uma característica física imutável. Não há nada de errado em se vestir bem, mas nunca devemos permitir que nossas roupas definam quem somos. Jesus disse,

"Portanto, não se preocupem, dizendo: 'Que vamos comer?' ou 'Que vamos beber?' ou 'Que vamos vestir?' Pois os pagãos é que correm atrás dessas coisas; mas o Pai celestial sabe que vocês precisam delas. Busquem, pois, em primeiro lugar o Reino de Deus e a sua justiça, e todas essas coisas lhes serão acrescentadas" (Mateus 6:31-33).

2. Incapacidade de confiar em Deus. As pessoas que se deixam envolver pela autorrejeição frequentemente têm dificuldade para confiar em Deus. Se estão se sentindo insatisfeitas com a maneira que Deus as fez, como poderão confiar Nele em todas as áreas de suas vidas? Nosso adversário, satã, ao fazer com que nos sintamos descontentes ou desconfiados de Deus, procura roubar nossa alegria e esperança. Ao falar sobre isto Jesus disse, "O ladrão vem apenas para roubar, matar e destruir; eu vim para que tenham vida, e a tenham plenamente" (João 10:10). Não tenham medo, podemos confiar no Senhor — totalmente.

3. Timidez excessiva. A timidez decorre do medo do que os outros vão pensar. As pessoas que são excessivamente tímidas sentem que não têm nada valioso para dar, nenhuma contribuição útil a fazer. Como não querem ser feridas, fecham-se em seu pequeno mundo. Ser tímido é diferente de ser quieto; algumas pessoas simplesmente são quietas por natureza. A timidez, todavia, baseia-se no medo. Isto é o que o Senhor diz: "Por isso não tema, pois estou com você; não tenha medo, pois sou o seu Deus. Eu o fortalecerei e o ajudarei; eu o segurarei com a minha mão direita vitoriosa" (Isaías 41:10).

4. Dificuldade de amar os outros. Isto, evidentemente, decorre da incapacidade de a pessoa de amar a si mesma, o que, com frequência, é devido à falta de confiança no amor de Deus. Não há nenhum motivo para não ter certeza do amor de Deus; Ele declara na Sua Palavra: "Eu a amei com amor eterno; com amor leal a atraí" (Jeremias 31:3).

5. Autocrítica. Isto envolve se queixar de aspectos imutáveis de uma pessoa, como capacidades, parentesco, herança social ou características físicas indesejáveis. Isaías 45:9 contém uma advertência contra esse tipo de atitude: "Ai daquele que contende com seu Criador, daquele que não passa de um caco entre os cacos no chão. Acaso o barro pode dizer ao oleiro: 'O que você está fazendo?' Será que a obra que você faz pode dizer: 'Você não tem mãos'?" Não se queixe do que não pode ser mudado. Deus o fez e o ama exatamente como você é, e pode usá-lo para fazer coisas que ninguém mais pode fazer. Deixe que Ele o torne a pessoa que somente você pode ser.

6. Comparação invejosa como os outros. Isto está relacionado à autocrítica, no sentido de que envolve o desejo da pessoa de ser diferente em áreas que não podem ser mudadas. A diferença, no entanto, está no ponto de desejar não apenas mudar, mas ter características específicas observadas nas outras pessoas. Não deveríamos desejar ser igual aos outros, mas nos tornarmos iguais a Cristo. Conforme Paulo escreveu aos fiéis em Roma, "Não se amoldem ao padrão deste mundo, mas transformem-se pela renovação da sua mente" (Romanos 12:2).

7. Amargura flutuante. Algumas pessoas nunca têm nada de positivo para falar. Não importa quão otimista uma conversa possa começar, quase que imediatamente começam a fofocar, reclamar ou expressar raiva e amargura de qualquer outra natureza. As pessoas que andam por aí com amargura em seus corações sofrem de baixa autoestima. Em sua carta aos crentes em Éfeso, Paulo tinha isto a dizer sobre nossa comunicação: "Nenhuma palavra torpe saia da boca de vocês, mas apenas a que for útil para edificar os outros, conforme a necessidade, para que conceda graça aos que a ouvem" (Efésios 4:29).

8. Perfeccionismo. Não há nada de errado em desejar fazer um bom trabalho ou melhorar continuamente. Ambas são atitudes saudáveis. O problema vem quando o tempo gasto ultrapassa o valor da realização. Um perfeccionista não consegue dizer a diferença. Com frequência, o perfeccionismo é um esforço para compensar uma baixa autoestima. Os perfeccionistas tendem a ser muito legalistas, intolerantes quanto ao menor desvio da "norma". Se esse é o problema, ouçam! Novamente ao escrever para os romanos, Paulo disse, "Porque por meio de Cristo Jesus a lei do Espírito de vida me libertou da lei do pecado e da morte" (Romanos 8:2).

9. Uma atitude de superioridade. As pessoas que sofrem de autorrejeição frequentemente usam de supercompensação, tendendo a assumir uma postura de superioridade para com os outros. Vangloriar-se de suas realizações, usar um vocabulário pomposo e recusar-se a se associar a determinadas categorias de pessoas são sinais de orgulho e um sentimento interior de inferioridade e insegurança. O conselho da Palavra de Deus é, "Nada façam por ambição egoísta ou por vaidade, mas humildemente considerem os outros superiores a si mesmos" (Filipenses 2:3).

10. Tentativas ineficazes de esconder defeitos imutáveis. Ações ou declarações desajeitadas que as pessoas usam para encobrir defeitos imutáveis podem indicar autorrejeição. Se temos um defeito que não pode ser mudado e Deus ainda não o mudou através da oração, podemos reivindicar Sua promessa em 2 Coríntios 12:9, "Minha graça é suficiente para você, pois o meu poder se aperfeiçoa na fraqueza".

11. Extravagância. Pessoas que estão sempre tentando exagerar, usando artigos caros na esperança de obter admiração dos outros podem estar tentando encobrir sua autorrejeição e sentimento de inadequação. A vida é muito mais do que uma preocupação com as coisas. Jesus falou, "Então lhes disse: Cuidado! Fiquem de sobreaviso contra todo tipo de ganância; a vida de um homem não consiste na quantidade dos seus bens" (Lucas 12:15).

12. Prioridades erradas. Negligenciar responsabilidades dadas por Deus a fim de passar muito tempo buscando aquilo que trará elogios dos outros pode ser um sinal de autorrejeição. Qualquer pessoa terá dificuldades se vier a concentrar em assuntos secundários e dedicar pouco tempo aos principais assuntos da vida. Seria sensato acatar a advertência de Jesus: "Pois, que adianta ao homem ganhar o mundo inteiro e perder a sua alma?" (Marcos 8:36)

Não precisamos da aprovação do homem — somente da aprovação de Deus

É um desejo de aprovação buscar amigos e parentes com respeito à autorrejeição. Todo mundo necessita se sentir aprovado e aceito. Aqueles que não conseguem aprovar a si mesmos buscam a aprovação dos outros. O perigo real aqui é que a aprovação que o mundo dá é vazia e insatisfatória. Somente a aprovação que vem do Senhor alimenta e satisfaz. É da aprovação de Deus que precisamos, não a do homem.

Em 2 Coríntios 10:17-18, Paulo escreve, "Contudo, 'quem se gloriar, glorie-se no Senhor', pois não é aprovado quem a si mesmo se recomenda, mas aquele a quem o Senhor recomenda". Todos aqueles que são crentes, Deus já aprovou, não precisamos da aprovação de mais ninguém. Deus já nos recomendou. Recomendar significa tê-lo em alta consideração. Deus tem Seu povo em alta consideração, ainda que os outros possam falar mal dele. Logo depois da salvação em si, a verdade de que somos aprovados por Deus é provavelmente a maior revelação da Bíblia. Essencialmente, buscar aprovação do mundo é uma busca inútil, especialmente para os crentes. A Palavra de Deus realmente promete que o oposto irá ocorrer. Todos que assumem o nome de Jesus e buscam viver em obediência a Ele com certeza experimentarão a perseguição do mundo que é hostil ao Seu nome. Conforme Paulo escreveu a Timóteo, seu jovem discípulo no ministério, "De fato, todos os que desejam viver piedosamente em Cristo Jesus serão perseguidos" (2 Timóteo 3:12).

Em última análise, a aprovação do mundo não significa nada. A maneira de obter a verdadeira alegria e felicidade suprema e divina é através da obediência e identificação com Jesus Cristo. O próprio Jesus deixou isto claro quando disse: *Bem-aventurados os perseguidos por causa da justiça, pois deles é o Reino dos céus. Bem-aventurados serão vocês quando, por minha causa, os insultarem, os perseguirem e levantarem todo tipo de calúnia contra vocês. Alegrem-se e regozijem-se, porque grande é a sua recompensa nos céus, pois da mesma forma perseguiram os profetas que viveram antes de vocês* (Mateus 5:10-12).

Há muitas pessoas que passam suas vidas buscando a aprovação dos outros. Um grande número de crentes estão envolvidos na busca de "admiradores", muito preocupados com o que os outros pensam deles. Não devemos nos preocupar com a aprovação ou não dos outros, mas nos lembrar de que a aprovação de Deus é o que conta. Aqueles a quem Deus aprova estão verdadeiramente aprovados. Jesus advertiu, "Não tenham medo dos que matam o corpo, mas não podem matar a alma. Antes, tenham medo daquele que pode destruir tanto a alma como o corpo no inferno" (Mateus 10:28).

Não devemos nos preocupar com a aprovação ou não dos outros, mas nos lembrar de que a aprovação de Deus é o que conta

Aqueles que buscam constantemente aprovação acabam sendo facilmente envolvidos pela "mentalidade do grupo", cuja palavra preferida é "vamos". "Vamos fazer isto", e "Vamos fazer aquilo". Qualquer um que se encontra no "vamos" não tem mais identidade pessoal. Aqueles que com frequência buscam a aprovação das pessoas não pensam mais por conta própria. Não controlam mais a partir de seu interior, mas são controlados e manipulados pelo exterior, pelas mesmas pessoas a quem estão tentando tanto agradar. Seu desejo de serem amados faz com que entreguem sua vontade e domínio próprio aos outros. Provérbios 25:28 diz, "Como a cidade com seus muros derrubados, assim é quem não sabe dominar-se".

A inútil busca da aprovação do mundo é como a história de dois gatos, um grande e outro pequeno. Um gato grande viu um gato pequeno perseguindo seu próprio rabo e perguntou-lhe: "Por que você está perseguindo tanto seu rabo?" O gatinho respondeu, "Eu aprendi que a melhor coisa para um gato é a felicidade, e a felicidade para mim é o meu rabo; por isso estou perseguindo-o. Quando eu pegá-lo, serei feliz".

O gato mais velho disse ao gatinho, "Meu filho, eu também tenho prestado atenção aos problemas do universo. Também julguei que a felicidade era o meu rabo, mas percebi que sempre que o persigo, ele continua a fugir de mim, e quando passo a cuidar da minha vida sem persegui-lo, parece que ele me persegue".

Meu ponto é este: as pessoas mais amadas são aquelas que não andam por aí tentando ser amadas, mas que simplesmente relaxam e se concentram em ser elas mesmas. Se temos a aprovação de Deus, temos toda a aprovação de que necessitamos. Cheios de Seu amor, temos a capacidade de amá-Lo e amar a nós mesmos também, e assim, ganhar a aprovação das outras pessoas não tem mais tanta importância.

O amor de Deus nos liberta da necessidade de buscar aprovação. Saber que somos amados por Deus, aceitos por Deus, aprovados por Deus e que somos novas criaturas em Cristo nos capacita a rejeitar a autorrejeição e acolher um saudável amor próprio. Estar seguro do amor de Deus por nós, nosso amor por Ele e nosso amor por nós mesmos nos prepara para cumprir o segundo maior mandamento: amar ao próximo como a nós mesmos.

PRINCÍPIOS

1. Deveríamos amar a nós mesmos, não de forma presunçosa, mas simplesmente por aceitarmos para nós mesmos o valor que o próprio Deus nos dá.
2. Somos completa e absolutamente aceitos por Deus.
3. Somos novas criaturas em Cristo, amados, aceitos e preciosos no Seu modo de ver.
4. Quando nos tornamos crentes, nos convertemos em novas criaturas em Cristo, recriadas à Sua imagem. A imagem de Cristo em nós nunca mudará.
5. Todos aqueles que são crentes, Deus já aprovou, não precisamos da aprovação de mais ninguém.
6. Se temos a aprovação de Deus, temos toda a aprovação de que necessitamos.

CAPÍTULO CINCO

Amando seu parceiro

Nos relacionamentos, como em qualquer outra coisa, o conhecimento é a chave para o sucesso. A ignorância é perigosa. Quer estejamos falando sobre casamento ou compromissos menos formais e íntimos, a falta de conhecimento é a causa fundamental e mais frequente do fracasso nos relacionamentos.

O conflito e a tensão surgem nos relacionamentos com frequência porque homens e mulheres simplesmente não compreendem um ao outro. Falham ao não admitir o fato de que homens e mulheres não apenas pensam e agem de forma diferente uns dos outros, mas também percebem o seu ambiente de formas distintas. Grande parte desta divergência é devido à suposição equivocada de que porque os homens e mulheres são iguais em humanidade e personalidade, têm as mesmas necessidades também.

Como seres espirituais criados à imagem de Deus, homens e mulheres são de fato iguais. Mas apesar de serem iguais, também são diferentes; são iguais na autoridade e domínio sobre o reino da terra, mas como seres humanos com corpos masculinos e femininos, todavia, suas necessidades são claramente diferentes. Essa diversidade de necessidades surge de suas diferenças de concepção e função como homens e mulheres.

A falta de conhecimento é a causa fundamental e mais frequente do fracasso nos relacionamentos

A função determina a concepção e a concepção determina a necessidade. A função de um automóvel é fornecer transporte motorizado. Para realizar essa função, a maioria dos carros incorpora um motor de combustão interna como parte de sua concepção. Esse motor, também pela sua concepção, requer gasolina para seu funcionamento. A concepção determina a necessidade. Um automóvel projetado com uma combustão interna *necessita* de gasolina para funcionar. Querosene não funciona nem diesel. Somente a gasolina permitirá que o carro cumpra o seu propósito.

É o mesmo com homens e mulheres: a função determina a concepção e a concepção determina a necessidade. Homens e mulheres possuem necessidades diferentes porque são concebidos de maneira diferente para desempenharem funções diferentes. O sucesso em todos os relacionamentos depende da compreensão e valorização dessas diferenças.

Jesus disse que devemos amar a Deus com todo nosso coração, alma e mente e, depois, amar ao próximo como a nós mesmos. Quando falo de "próximo" neste capítulo, quero dizer um "parceiro" do sexo oposto em um relacionamento, seja um cônjuge, noivo, amigo ou conhecido casual. "Amar seu parceiro" refere-se, evidentemente, ao amor *ágape*, o amor divino e mais elevado, que abrange o *phileo*, *storge* e dentro do apropriado contexto do casamento, o *eros*.

Amar seu parceiro, seja ele quem for e sem importar o tipo de relacionamento, exige que compreendamos as funções específicas do homem e da mulher, conforme concebidas por Deus assim como as necessidades distintas que surgem a partir dessas funções.

Do espírito para a carne

No princípio, Deus criou um ser espiritual à Sua própria imagem e semelhança, um ser que Ele deu origem a partir de Si mesmo, e o chamou de "homem". Então, Deus abrigou o homem espiritual em um corpo físico feito do pó da terra. Conforme aconteceu, esse primeiro corpo humano era do gênero masculino. Um pouco mais tarde, Deus tomou uma parte — uma "pitada" — desse corpo masculino e formou a partir dele um corpo feminino que também abrigava um "homem" espiritual. Isto é exatamente o que as Escrituras nos dizem: "Quando Deus criou o homem, à semelhança de Deus o fez; homem e mulher os criou. Quando foram criados, ele os abençoou e os chamou Homem" (Gênesis 5:1-2).

Deus criou o "homem", mas Ele o fez "masculino" e "feminino". A pergunta natural é "Por quê?" Como vemos no capítulo dois, no princípio Deus estava totalmente sozinho — completo e suficiente dentro de Si mesmo. Ele estava sozinho mas não solitário. Ao mesmo tempo, Deus era amor, e o amor deve ter um objeto para estar completo. O amor tem uma compulsão para dar; consequentemente, Deus precisava de alguém para fazê-lo. Dessa forma, como a expressão natural de Seu amor, Ele criou o homem para receber Seu amor.

Para que o amor fosse completo, o receptor deveria ser igual ao doador. É por isso que Deus falou com Ele mesmo quando criou o homem; o receptor de Seu amor precisava ser exatamente igual a Ele. Com a criação do homem como um ser espiritual à imagem do próprio Deus, o ciclo parecia completo, Deus era o Doador, o homem o receptor, Deus era Quem amava, o homem era o amado; Deus era o Iniciador, o homem foi o recebedor.

Porque o propósito de Deus era que o homem espiritual exercesse domínio sobre o reino físico, e porque os seres espirituais não podem perceber ou valorizar as realidades físicas, Deus teve de vestir Seu homem espiritual com um corpo físico. "Então o Senhor Deus formou o homem do pó da terra e soprou em suas narinas o fôlego de vida, e o homem se tornou um ser vivente" (Gênesis 2:7).

Agora o homem estava adaptado a um corpo físico — um corpo *masculino,* um corpo *humano,* formado a partir do húmus, o pó da terra — e criou-se um dilema. O homem era um receptor e um recebedor do amor de Deus, mas porque saiu de Deus e era igual a Deus, esse "homem" masculino era também um doador e alguém que amava assim como Deus. Todavia, ele não tinha ninguém igual a si mesmo para dar ou para receber seu amor. Para que pudesse ser completo e realizado, precisava de um objeto para seu amor.

Gostaria de ser claro a respeito desta distinção: o "Homem" como um ser espiritual era completo e realizado no receber e corresponder ao amor de Deus; mas o homem como ser masculino físico estava incompleto sem outro ser físico igual a ele mesmo para receber e corresponder ao seu amor. Todas as outras criaturas que Deus havia concebido não eram adequadas como objetos para a necessidade do homem masculino de dar e receber amor porque não eram iguais a ele.

Deus reconheceu a necessidade e sabia o que fazer:

> *Então o Senhor Deus declarou: "Não é bom que o homem esteja só; farei para ele alguém que o auxilie e lhe corresponda"... Então o Senhor Deus fez o homem cair em profundo sono e, enquanto este dormia, tirou-lhe uma das costelas fechando o lugar com carne. Com a costela que havia tirado do homem, o Senhor Deus fez uma mulher e a levou até ele. Disse então o homem: "Esta, sim, é osso dos meus ossos e carne da minha carne! Ela será chamada mulher, porque do homem foi tirada"* (Gênesis 2:18, 21-23).

Uma "ajudadora idônea adequada para ele" seria aquela que fosse capaz de receber o amor do homem e lhe corresponder. Portanto, essa ajudadora seria uma receptora e recebedora do homem no plano físico da mesma forma que o "homem" espiritual era um receptor e recebedor de Deus no plano espiritual.

Deus colocou o homem para dormir e tomou um "pedaço" do seu lado — a palavra hebraica traduzida por "costela" pode também significar "lado" — e fez uma mulher. Ela era, nas palavras do homem, "osso dos meus ossos e carne da minha carne", feita do mesmo material que o próprio homem. Ele a chamou de "mulher", o "homem" com um "útero". Exatamente como o "homem" espiritual saiu de Deus, assim a mulher saiu do homem. Exatamente como o "homem" espiritual foi criado para receber e corresponder ao amor de Deus, da mesma forma a mulher foi feita para receber e corresponder ao amor do homem.

Há outra diferença importante aqui: tanto o homem quanto a mulher representam o "homem" no sentido espiritual. Ambos se relacionam diretamente com Deus como seres espirituais que têm sua fonte e fim Nele, de Quem recebem amor e a Quem respondem em amor. Os dois, portanto, são doadores e pessoas que amam assim como Deus o é. No sentido físico, no entanto, o homem é projetado para ser um doador e um amante da mulher e a mulher é projetada para ser uma receptora e responder ao homem; o homem dá, a mulher recebe; o homem ama, a mulher lhe corresponde.

Dando e recebendo

Este é o princípio fundamental da criação em que Deus e o homem, homem e mulher, estão envolvidos. Deus dá ao homem, o homem dá à mulher, o homem recebe de Deus, e a mulher recebe do homem. Muitos relacionamentos fracassam porque os homens não percebem que devem ser doadores em vez de recebedores, deixando as mulheres apreensivas. Em outros casos, as mulheres não percebem que devem ser recebedoras em vez de doadoras e os homens ficam apreensivos. Em qualquer relacionamento, quando um homem falha em dar à sua mulher, ele se comporta mal. Da mesma forma, quando uma mulher não pode receber do homem ou é forçada a dar, ela se comporta mal.

O homem dá, a mulher recebe; o homem ama, a mulher lhe corresponde

A grande maioria dos problemas nas relações seria resolvida se cada homem e mulher pudesse apenas aprender e aplicar esta simples verdade: os homens são concebidos para dar e as mulheres são concebidas para receber. Isto é evidente até mesmo nas diferenças físicas entre homem e mulher. Os órgãos sexuais do homem são projetados para dar; os da mulher, para receber. Essa é uma razão pela qual as relações homossexuais e lésbicas são imorais e inapropriadas. Infringem o plano de Deus para a raça humana e Seu princípio da criação para os relacionamentos humanos. É impossível ter uma relação apropriada e verdadeiramente satisfatória entre dois doadores e dois recebedores.

A grande maioria dos problemas nas relações seria resolvida se cada homem e mulher pudesse apenas aprender e aplicar essa simples verdade: os homens são concebidos para dar e as mulheres são concebidas para receber

Quando Deus fez a mulher a partir daquele "pedaço" do lado do homem, Ele a fez igual ao homem em quase todos os aspectos, exceto pelo fato de ter alterado os cromossomas dela, tornando-a uma recebedora que seria fisicamente compatível com o homem. Sua capacidade de conceber e gerar filhos veio à existência. A capacidade do homem de fornecer a semente já existia; ele simplesmente precisava de uma recebedora. Assim como Deus criou o homem (raça humana) para recebê-Lo no nível espiritual, criou a mulher para receber do homem no nível físico.

Quero deixar claro que esse dar e receber entre o homem e a mulher é muito mais amplo do que apenas a área sexual. De acordo com os princípios que Deus estabeleceu no início, a expressão sexual fora do contexto do casamento é pecaminosa, imoral e imprópria. Os homens são doadores por natureza e as mulheres são recebedoras por natureza e isto é verdadeiro em cada área da vida e relacionamentos.

Deus não é apenas um Doador, como Criador, Ele é também um Iniciador. Tudo que existe veio à vida porque Deus iniciou. Em Sua soberana vontade optou por trazer à existência toda a criação. No nível espiritual, o homem (raça humana) é também um iniciador, porque veio de Deus. É esta qualidade que está por trás de homens e mulheres nas artes, ciências e todos os outros campos de atividade.

No nível físico, o homem como um doador é também um iniciador. Como uma recebedora, uma mulher é projetada para responder à iniciativa do homem. Então, não me interpretem mal, as mulheres são inteligentes. Deus lhes deu tanta inteligência quanto ao homem (frequentemente mais!), mas Ele também as projetou como mulheres para responderem à própria e adequada iniciação e liderança dos homens. Muitos homens ficam frustrados quando têm a impressão de que as mulheres em suas vidas não conseguem se decidir. Amigos, tenho notícias para vocês. Como homens, *nós* somos os iniciadores. As mulheres podem estar simplesmente esperando que tomemos *nossa* decisão.

Aqui estão alguns princípios importantes para serem lembrados no que diz respeito ao dar e receber entre homens e mulheres.

1. Quando o homem *exige,* a mulher *reage;* ela não *responde.*
2. Quando o homem *dá,* a mulher *corresponde.*
3. Quando o homem *se compromete,* a mulher *se submete.* Não há nada mais precioso para uma mulher do que um homem comprometido. Não há nada mais desanimador para uma mulher do que um homem não comprometido. Aqui está um segredo, amigos: se você deseja ter uma mulher submetida, seja um homem comprometido. É simples.

4. Quando o homem *abusa,* a mulher se *recusa.* Sempre que um homem abusar de uma mulher, ela se recusará a lhe corresponder.
5. Quando o homem *compartilha,* a mulher *cuida.* Se você encontrar um homem que está disposto a compartilhar sua vida com a mulher, encontrará uma mulher disposta a cuidar desse homem.
6. Quando o homem *lidera,* a mulher *segue.* Quando um homem cumpre a responsabilidade de liderança dada por Deus, uma mulher corresponde, seguindo sua liderança. Liderança não significa ser dominador, mandão, sempre dizendo aos outros o que devem fazer. Liderar significa ir à frente, não colocar os outros na frente. Bons líderes comandam pelo exemplo, não por decreto. Jesus liderou pelo exemplo, e da mesma forma o fez Moisés, Pedro, Paulo e todos os outros grandes líderes na Bíblia fizeram. Liderar pelo exemplo quer dizer fazer as coisas que desejamos que os outros façam.

O princípio das necessidades

Deus criou tudo para funcionar através de princípios predeterminados. Os princípios são regras, leis e padrões fundamentais estabelecidos pelo Criador para governar e orientar as funções de Suas criações. Todos os seres humanos foram criados para viver por princípios; sem eles, a vida seria nada mais do que uma experiência instável e imprevisível.

Uma outra palavra para princípios é necessidades. Necessidades são princípios que são criados pelo fabricante como um componente predeterminado para o funcionamento apropriado de um produto. Em outras palavras, uma necessidade é uma exigência necessária para uma função eficiente. Todo fabricante projeta seu produto para funcionar de uma determinada forma, e os requisitos, ou necessidades, para o funcionamento apropriado desse produto são predeterminados no estágio do planejamento. Todo produto vem com necessidades inerentes. Um produto não determina suas próprias necessidades e nem o usuário o faz; essas necessidades já estão incorporadas.

Por projeto, um motor de combustão interna vem com uma necessidade inerente de gasolina e óleo lubrificante. Caso contrário, não funciona.

Da mesma forma, todo homem e mulher, todo macho e fêmea na terra vieram com necessidades predeterminadas incorporadas — necessidades indispensáveis para o funcionamento apropriado, uma vida satisfatória, e, às vezes, até mesmo de sobrevivência.

Geralmente, os problemas no relacionamento provêm principalmente do fato de que homens e mulheres não compreendem suas mútuas necessidades. Sempre que um produto ou um relacionamento falha, é um problema de princípio: uma necessidade ou outra não está sendo satisfeita. Ignore a necessidade e consequentemente o produto irá falhar ou o relacionamento irá acabar. Cuide da necessidade e você cuidará do problema. É realmente simples assim.

Geralmente, os problemas no relacionamento provêm principalmente do fato de que homens e mulheres não compreendem suas mútuas necessidades

É importante, então, compreender como as necessidades funcionam na vida das pessoas.

Em primeiro lugar, as necessidades controlam e motivam o comportamento. Tudo que uma pessoa faz é uma tentativa de satisfazer suas necessidades — tudo. As necessidades determinam o comportamento. As pessoas irão até mesmo estabelecer suas vidas a fim de ter suas necessidades atendidas. Por exemplo, por que tantas mulheres permanecem em relacionamentos abusivos? A resposta é complicada, mas, geralmente, pelo menos em parte, é porque esse relacionamento, apesar do abuso, está satisfazendo uma necessidade de sua vida. As ações das pessoas são motivadas por suas necessidades.

Em segundo lugar, as necessidades determinam a satisfação. Estamos satisfeitos como pessoas somente quando nossas necessidades são atendidas. Até que nossas necessidades sejam atendidas, nada mais na vida é realmente importante. Nossa total atenção, tudo que fazemos, será voltado para a satisfação dessas necessidades. É por isso que é de vital importância no relacionamento entre homens e mulheres a compreensão das necessidades de cada um. A vida de qualquer relacionamento é a satisfação das necessidades da outra pessoa. Na realidade, essa é a única maneira de definir amor. Amar é se comprometer a satisfazer as necessidades da outra pessoa.

Em terceiro lugar, necessidades não atendidas representam a fonte de frustração e falta de realização. Frustração em um relacionamento é um indicador de necessidades não satisfeitas. Uma pessoa frustrada é uma pessoa insatisfeita.

A chave para a vida é a satisfação das necessidades. É simples assim. Quando as necessidades são satisfeitas, a criação funciona. Necessidades satisfeitas geram pessoas satisfeitas e pessoas satisfeitas estão livres para buscar e exercer seu pleno potencial como seres humanos. O principal objetivo, então, em qualquer relacionamento deveria ser a satisfação das necessidades. Não deveríamos nos concentrar tanto em atender nossas próprias necessidades, mas aquelas da outra pessoa no relacionamento. Um bom teste para a saúde de um relacionamento é perguntar a nós mesmos periodicamente a quem pertencem as necessidades que estamos satisfazendo, são as nossas ou as da outra pessoa? Se estivermos nos voltando para nossas próprias necessidades, o relacionamento está com problemas. Em relacionamentos saudáveis e bem-sucedidos, ambas as partes colocam suas prioridades na satisfação das necessidades da outra pessoa.

A chave para a vida é a satisfação das necessidades

Outra importante dinâmica dos relacionamentos saudáveis é que quando nos concentramos em satisfazer as necessidades da outra pessoa, nossas necessidades serão geralmente atendidas também. É a lei da reciprocidade. Uma pessoa cujas necessidades têm sido satisfeitas fica livre para se concentrar em atender as necessidades da outra.

As cinco necessidades do homem e da mulher

Há cinco necessidades básicas dos homens e mulheres que enfatizam as diferenças entre os dois gêneros. Nossa capacidade de amar nosso parceiro depende em grande parte da compreensão destas necessidades e do reconhecimento das diferenças.

A primeira necessidade básica do homem é a satisfação sexual. Os homens são movidos por esta necessidade. Este instinto dado por Deus é tão visível no homem porque ele é o progenitor da família humana; ele carrega a semente. É por isso que o homem está sempre pronto para o sexo. Seu instinto sexual não é cíclico. Evidentemente, a expressão sexual de homens ou mulheres é pecaminosa e imprópria fora do contexto do casamento. O que um homem maduro não casado deveria fazer com relação ao seu instinto sexual? O mesmo Deus que criou esse instinto também provê, para aqueles que buscam, a graça e a capacidade de controlar esse instinto até que possam satisfazê-lo de forma apropriada no casamento.

A necessidade número um de uma mulher é a afeição. Ao contrário de um homem, uma mulher não *necessita* de sexo. Ela pode certamente desfrutar do sexo se for com seu marido e acompanhado de muito afeto. Uma mulher não funciona de forma adequada sem afeição. O homem no relacionamento precisa fazer o necessário para que as necessidades de afeto de sua mulher sejam satisfeitas. Afeição significa que ele expressa física e verbalmente seu amor, seu cuidado e seu apoio a ela tanto em atividades físicas quanto não físicas: abraços, beijos, flores, cartões, presentes, ampliando as cortesias comuns, mostrando pequenos atos diários de consideração, e assim por diante.

A segunda necessidade mais básica de um homem é companheirismo no lazer. A maioria das mulheres não reconhece a importância desta necessidade na vida de um homem. Descubra o que ele gosta de fazer e junte-se a ele. Mesmo se você não gostar, pelo menos dedique suficiente interesse para fazer com que ele ensine e explique a você. Se ele gosta de esportes, assista aos jogos com ele. Se ele gosta de correr, corra com ele. Se ele gostar de ouvir ou tocar música, mostre interesse nisso. Lembre-se de que a chave é atender às necessidades dele, não as suas.

A segunda maior necessidade de uma mulher é comunicação e conversa. Ela deseja — precisa — que o homem na vida dela *fale* com ela. Muitos homens têm um problema com isto. Alguns têm a noção equivocada de que um *verdadeiro* homem é do tipo silencioso. Um homem silencioso significa inanição emocional para uma mulher. Ela se desenvolve na conversa. Geralmente, o resultado final ou a conclusão de uma conversa não é tão importante para ela quanto o *processo* dela em si. Então, homem, fale com ela. Ouça sua mulher. Dedique um tempo para compartilhar com ela, não apenas superficialmente, mas no âmbito dos sentimentos. O tempo investido lhe renderá abundantes dividendos em um relacionamento sólido e saudável.

A terceira necessidade básica de um homem em um relacionamento é uma mulher atraente. Isto é porque os homens são estimulados visualmente, essa é a maneira de ficarem ligados. Ser "atraente" vai muito além das opiniões subjetivas básicas de beleza. Uma mulher atraente é aquela que cuida de si mesma e procura se vestir, apresentar seu cabelo e se manter de tal forma que agrade o homem de sua vida, para aperfeiçoar aqueles aspectos que o atraíram inicialmente.

A terceira necessidade básica de uma mulher é honestidade e abertura. Essas duas palavras deixam muitos homens nervosos, porque não gostam de falar abertamente. Ser aberto e honesto significa estar disposto a compartilhar francamente o máximo que é apropriado para o nível do relacionamento. Maridos e esposas, por exemplo, deveriam normalmente compartilhar em um nível mais íntimo e mais profundo do que um homem e uma mulher que estão simplesmente namorando. Pessoal, aqui está a dica. Quanto mais aberto e honesto você for com ela, mais ela confiará em você e será atraída por você, porque interpreta abertura como amor.

As duas últimas necessidades do homem e da mulher aplicam-se mais àqueles casais unidos pelo matrimônio com famílias estabelecidas do que aos não casados, embora os princípios sejam pertinentes para todos os casos. Os casais não casados precisam adaptar estes princípios para que se encaixem em suas situações específicas.

A quarta necessidade básica de um homem é o apoio doméstico. Um homem precisa de um porto, um refúgio seguro onde possa vir no final do dia e encontrar paz e serenidade. Resumindo, ele precisa de um ambiente doméstico que lhe dê apoio. Os homens são estimulados por Deus a serem provedores da casa. Lembre-se de que os homens são os doadores. Quando um homem sai e luta com a vida o dia inteiro para sustentar sua família, a última coisa que precisa é chegar em casa e lutar com a família. Com mais e mais mulheres trabalhando agora, esta questão de apoio doméstico é ainda mais importante — tanto para o homem quanto para a mulher. Há problemas suficientes na rotina diária sem a perturbação em casa para aumentar a confusão. Tanto o marido quanto a esposa precisam ser sensíveis à questão do apoio doméstico.

A quarta necessidade básica da mulher é o sustento financeiro. Isto pode não ser uma questão importante para a mulher que trabalha fora de casa, mas é crucial para uma esposa que optou por ficar em casa, particularmente se ela está cuidando dos filhos. Estas necessidades estão interligadas. Se o marido necessita do apoio interno de uma casa confortável, a esposa precisa de dinheiro para ajudar a torná-la dessa forma. Ela precisa sentir segurança de que as necessidades financeiras de sua família estão sendo cuidadas.

Finalmente, um homem necessita de admiração e respeito. O problema é que muitos homens, em função do modo como agem e da maneira que tratam as mulheres de suas vidas, não merecem admiração e respeito. Todavia, isso não muda o fato de que eles necessitam disso. Os homens são estimulados pela necessidade de saber que suas mulheres os admiram e respeitam. Eles também têm a responsabilidade de se comportar de forma digna de admiração e respeito.

Uma mulher necessita de comprometimento com a família. Em outras palavras, uma esposa precisa saber que seu marido está comprometido com sua casa e casamento, que ele a coloca à frente de qualquer outra mulher e coloca seus filhos à frente de quaisquer outras crianças. Ela precisa saber que ele estará em casa à noite e dará a primeira prioridade à sua família quando tomar decisões sobre compromissos de seu tempo.

Não importa quem sejamos, homem, mulher, casados ou solteiros, a maior coisa que podemos fazer para amar nosso parceiro em qualquer relacionamento é procurar compreender suas exclusivas necessidades e, então, comprometer-nos em satisfazê-las. Existem demasiados relacionamentos egoístas e egocêntricos no mundo nos quais as pessoas estão interessadas apenas no que podem obter deles, não no que podem dar.

Lembre-se que o amor *ágape* — o verdadeiro amor — dá por natureza. Quando nos comprometemos em satisfazer as necessidades de uma outra pessoa estamos expressando amor da forma mais verdadeira e pura, um amor que dá sem exigência ou expectativa de retorno, um amor que reflete o verdadeiro coração de Deus de Quem você veio e que é em Si mesmo amor.

PRINCÍPIOS

1. Exatamente como o "homem" espiritual saiu de Deus, assim a mulher saiu do homem. Exatamente como o "homem" espiritual foi criado para receber e corresponder ao amor de Deus, da mesma forma a mulher foi feita para receber e corresponder ao amor do homem.
2. Deus dá ao homem, o homem dá à mulher, o homem recebe de Deus, e a mulher recebe do homem.
3. Assim como Deus criou o homem (raça humana) para recebê-Lo no nível espiritual, Ele criou a mulher para receber do homem no nível físico.
4. Os homens são doadores por natureza e as mulheres são recebedoras por natureza e isto é verdadeiro em cada área da vida e relacionamentos.
5. Sempre que um produto ou um relacionamento falha, é um problema de princípio: uma necessidade ou outra não está sendo satisfeita.
6. Amar é se comprometer a satisfazer as necessidades da outra pessoa.
7. A primeira necessidade básica do homem é a satisfação sexual; a da mulher é afeição.
8. A segunda necessidade mais básica de um homem é companheirismo no lazer; a da mulher é comunicação e conversa.
9. A terceira necessidade básica de um homem em um relacionamento é uma mulher atraente; a da mulher é honestidade e abertura.
10. A quarta necessidade básica de um homem é apoio doméstico, a da mulher, sustento financeiro.
11. A quinta necessidade básica de um homem é admiração e respeito; a da mulher, comprometimento com a família.

~ PARTE TRÊS ~

Compreendendo o amor para uma vida inteira

CAPÍTULO UM

Casamento: um relacionamento sem papéis

O casamento é uma aventura. Creio que a maioria dos recém-casados iria concordar que o processo de se casar é inicialmente empolgante, intimidador e pelo menos um pouco assustador. Afinal, deixar a confortável familiaridade do lar da infância e a família para começar um novo lar e família com o homem ou mulher dos sonhos é emocionalmente parecido com levantar a âncora em um país e sair velejando através de todo o oceano para começar de novo em outro. Casar tem certo espírito de pioneirismo — o sabor do desconhecido. Tudo é novo e diferente, até certo ponto cru no início — com uma vaga sugestão de perigo. Naqueles impetuosos dias de namoro e noivado, casamento e lua-de-mel, o próprio ar em si parecia carregado de magia e surpresa. Cheios de vida e vigor, os recém-casados se sentem prontos para ganhar o mundo. Nenhuma porta está fechada para eles. Nenhuma meta é muito alta, nenhum sonho é demasiadamente grandioso. Nada está além de seu alcance. Finalmente, no entanto, a realidade se instala. O reluzente brilho da lua-de-mel desbota um pouco e a atitude de "podemos conquistar o mundo" dá lugar a atividades mais pé-no-chão. Um dia o casal desperta para o conhecimento de uma nova verdade. Ao olhar um para o outro eles percebem, "Então, estamos casados. *E agora?"* Agora que trocaram votos em um compromisso para a vida toda, como podem fazer isso funcionar? Como seguem daqui para frente em direção ao futuro, enquanto constroem um casamento bem-sucedido ao longo do caminho? O que precisam fazer para realizar seu sonho de um relacionamento para a vida toda, caracterizado por amor, alegria, amizade e produtividade? Como podem construir uma vida próspera e feliz juntos?

Estas não são perguntas inúteis. O sucesso em um casamento não é automático. Do mesmo modo, ser casado não garante companheirismo ou comunicação. De fato, ser casado, na realidade, expõe o quanto um marido e uma mulher *não sabem* a respeito um do outro. Durante o namoro e noivado é fácil e costumeiro para o homem e a mulher tentarem impressionar um ao outro, mostrando seu melhor lado — sempre aparentando, vestindo e agindo de modo correto. É depois do casamento que suas qualidades menos atraentes e agradáveis aparecem por si só. Quando isso ocorre, pode ser bastante chocante. Cada um começa a ver no outro coisas que jamais imaginou existir.

Um dos primeiros desafios que os recém-casados enfrentam é alcançar mútuo entendimento com relação às expectativas e papéis no casamento. O fracasso em fazê-lo é uma das principais causas dos problemas conjugais. Maridos e esposas precisam concluir juntos os mecanismos de tomada de decisões na família e expressar claramente as expectativas de cada um. Como as decisões serão tomadas e quem irá fazê-lo? Qual é o "papel" do marido? Qual é o "papel" da esposa? Muitos casais entram no casamento com algumas ideias preconcebidas acerca dos papéis. Por exemplo, o marido esvazia o lixo enquanto a esposa cuida dos pratos. O marido trata do quintal e da parte de fora da casa ao passo que a esposa lava roupa, cozinha e limpa. O marido trabalha para sustentar sua família enquanto a mulher cuida da casa e dos filhos.

Maridos e esposas precisam concluir juntos os mecanismos de tomada de decisões na família e expressar claramente as expectativas de cada um

As ideias preconcebidas dos papéis conjugais nem sempre estão corretas. Por quê? Uma razão é que elas com frequência estão baseadas em ideias ou costumes culturais obsoletos. Outra razão é que muitas vezes elas não dão lugar às habilidades, dons e talentos que não estão necessariamente relacionados ao sexo. Um casamento bem-sucedido depende em parte de uma compreensão apropriada dos papéis. Parte desta compreensão envolve conhecer as fontes comuns de percepção de papéis e ser capaz de avaliar a validade dessas percepções.

Fontes comuns de percepções de papéis no casamento

Percepções de papéis conjugais, pelo menos na cultura ocidental, geralmente surgem de quatro fontes comuns: tradição, pais, sociedade e Igreja. Cada uma destas fontes exerce uma influência poderosa sobre a maneira como maridos e esposas veem a si mesmos e um ao outro.

Tradição. Muitas de nossas concepções mais comuns sobre os papéis conjugais nos foram passadas através da tradição. Assumimos papéis específicos porque "é assim que se costumava fazer". Os maridos trabalham no escritório ou fábrica por representarem o "ganha-pão" da família; as esposas trabalham em casa, cozinhando, limpando e tomando conta dos filhos. Os maridos controlam tudo e todos em casa, incluindo suas esposas; estas se submetem passivamente a seus maridos. Eles tomam praticamente todas as decisões que afetam a família; as esposas acompanham essas decisões.

Tradição não é necessariamente uma coisa ruim. Às vezes a tradição é importante para manter estabilidade e ordem. Ao mesmo tempo, todavia, precisamos reconhecer que somente porque alguma coisa é tradicional não significa que é certa. As tradições podem estar fundamentadas no erro com a mesma facilidade que podem estar fundamentadas na verdade. Mesmo se estiveram corretas por um tempo, elas costumam durar mais do que as circunstâncias que originalmente as criaram. Os casais devem ter muito cuidado ao definir os papéis baseados apenas na tradição.

As tradições costumam durar mais do que as circunstâncias que originalmente as criaram

Pais. Talvez as percepções de papel mais influentes sejam aquelas que o casal aprende de seus pais. Os pais são, de fato, os principais canais através dos quais os conceitos tradicionais de papéis são passados à próxima geração. A maioria das pessoas assume as identidades do papel e os métodos relacionados que lhes serviram de modelo em casa enquanto cresciam. Quer esses modelos tenham sido positivos ou negativos, e apesar de seu desejo ou intenção de fazer o contrário, a maioria dos filhos cresce sendo igual aos seus pais. Uma área em que isto é particularmente verdadeiro é na educação e disciplina dos filhos. Diferentes filosofias e métodos dos pais representam um ponto comum de conflito e divergência de jovens recém-casados.

Assim como a tradição, os modelos dos pais de papéis conjugais deveriam ser cuidadosamente avaliados, porque podem estar errados. Só porque a mamãe e o papai efetuaram as coisas de uma determinada forma durante 40 ou 50 anos não significa que as fizeram da maneira certa.

Sociedade. A cultura popular é outra fonte importante para definição dos papéis conjugais. Esta é diferente da tradição porque no ponto em que a tradição permanece imutável durante gerações, a evolução social está constantemente criando novos costumes e tendências. A sociedade moderna comunica seu sistema de crenças e valores principalmente por intermédio das escolas, indústria de entretenimento (particularmente a televisão, filmes e música popular) e por meio da mídia. Através de grande parte do mundo ocidental estas forças formadoras de cultura são dominadas por uma filosofia que é profundamente racionalista e humanista em sua visão de mundo, sem dar lugar nem para um Ser Supremo nem para uma verdadeira dimensão espiritual da vida.

A difusão desta influência torna fácil para qualquer um, até mesmo os crentes prudentes, adotar e assimilar subconscientemente estes valores. Quando os cristãos trazem atitudes e valores do mundo para seu relacionamento, os resultados serão sempre problemas. É importante que mantenham seu foco na Palavra de Deus — a Bíblia — como seu padrão e fonte de conhecimento.

Quando os cristãos trazem atitudes e valores do mundo para seu relacionamento, os resultados serão sempre problemas

Igreja. Tradicionalmente a Igreja tem sido uma das principais formadoras de percepções de papéis conjugais na cultura ocidental. Embora esta seja uma função apropriada para a Igreja na sociedade, é um fato lamentável que muitos dos ensinamentos "tradicionais" da

Igreja com respeito aos papéis conjugais e relacionamentos homem/mulher têm sido negativos em geral, particularmente no que diz respeito à mulher.

Por exemplo, a Igreja em geral tem ensinado durante muitos anos que a mulher é um "vaso frágil", o "sexo frágil", uma criatura fraca que deve ser tratada com muito cuidado e que não deve realizar nenhuma tarefa "pesada", tanto física quanto mental. A pesquisa moderna da medicina e biologia tem demonstrado de forma conclusiva que isto simplesmente não é verdade. Tanto física quanto mentalmente as mulheres são iguais aos homens, embora de diferentes maneiras.

Outro ensinamento errôneo é que as mulheres têm pouco ou nada a oferecer espiritualmente para a vida de uma igreja de maneira geral. São úteis nos papéis relativos aos serviços — na cozinha, berçário, coral — mas não no *verdadeiro* ministério como profecia ou impor as mãos sobre os enfermos.

A Igreja também tem ensinado as mulheres a se "submeterem" aos seus maridos não importa como são tratadas. Isto é considerado como mostrar o "respeito" apropriado por seus maridos. As esposas que se atrevem a responder a um tratamento cruel são consideradas como pessoas marginalizadas na Igreja. Grande parte do ensinamento tradicional sobre submissão é baseada em uma grave má interpretação das Escrituras, que tem conduzido a resultados devastadores nas vidas e relacionamentos de inúmeras mulheres.

Grande parte do ensinamento tradicional sobre submissão é baseado em uma grave má interpretação das Escrituras, que tem conduzido a resultados devastadores nas vidas e relacionamentos de inúmeras mulheres

Relacionamentos com amor

Se as fontes tradicionais para as percepções de papéis conjugais nem sempre são as certas ou pertinentes, o que deve ser feito? Onde um casal unido pelo matrimônio pode buscar um padrão confiável? Existe um "manual de instruções" para um casamento bem-sucedido? Existe sim. O melhor lugar para buscar informações técnicas sobre qualquer produto é junto ao fabricante. Não é diferente com o casamento. Deus criou e estabeleceu o casamento como o primeiro e principal dos relacionamentos e das instituições humanas. Como "fabricante" do casamento, Deus o compreende melhor do que qualquer um. Só faz sentido, portanto, consultar Seu "manual técnico", a Bíblia, para obter informações sobre como fazê-lo funcionar.

Surpreendentemente, grande parte dos papéis conjugais "tradicionais" não está especificamente descrito nas Escrituras. Não existem listas com itens relacionados, nenhuma equação nem fórmulas. O que a Bíblia realmente fornece são *princípios*. Talvez a descrição mais significativa de como os maridos e esposas se relacionam uns com os outros é encontrada nas palavras de Paulo, o primeiro estudioso cristão judeu do primeiro século, líder da Igreja e missionário:

> *Mulheres, sujeite-se cada uma a seu marido, como ao Senhor, pois o marido é o cabeça da mulher, como também Cristo é o cabeça da igreja, que é o seu corpo, do qual ele é o Salvador. Assim como a igreja está sujeita a Cristo, também as mulheres estejam em tudo sujeitas a seus maridos. Maridos, ame cada um a sua mulher, assim como Cristo amou a igreja e entregou-se por ela para santificá-la, tendo-a purificado pelo lavar da água mediante a palavra, Da mesma forma, os maridos devem amar cada um a sua mulher como a seu próprio corpo. Quem ama sua mulher, ama a si mesmo. Além do mais, ninguém jamais odiou o seu próprio corpo antes o alimenta e dele cuida, como também Cristo faz com a igreja, pois somos membros do seu corpo. "Por essa razão, o homem deixará pai e mãe e se unirá à sua mulher, e os dois se tornarão uma só carne." Este é um mistério profundo; refiro-me, porém, a Cristo e à igreja. Portanto, cada um de vocês também ame a sua mulher como a si mesmo, e a mulher trate o marido com todo o respeito* (Efésios 5:22-33).

Estes versículos não mencionam nada a respeito de "papéis" fixos, específicos do marido e da mulher, mas identificam determinados princípios que deveriam orientar seu relacionamento: submissão, amor e respeito. É interessante observar que embora Paulo afirme quatro vezes que os maridos deveriam amar suas esposas, ele nunca menciona que as esposas deveriam amar seus maridos; seu amor está implícito na sua submissão e respeito por eles.

Claramente, a ênfase de Paulo aqui é sobre a atitude e o comportamento dos maridos: devem amar suas esposas "como Cristo amou a igreja e entregou-se por ela". Este enfoque sobre o marido é importante pelo menos por duas razões. Primeira, pelo plano de Deus o marido é o "cabeça de mulher" e o líder espiritual da casa. Sua atitude e comportamento irão estabelecer o tom espiritual da casa e afetar profundamente o bem-estar espiritual e geral de sua esposa.

A segunda razão é menos evidente para nossa compreensão social dos dias contemporâneos. Durante o primeiro século, quando Paulo escreveu estas palavras, as mulheres tanto na sociedade judaica quanto romana eram consideradas como cidadãs de segunda classe e tinham poucos direitos próprios. As esposas eram vistas como um pouco mais do que a propriedade de seus maridos. A convocação de Paulo para os maridos *amarem* suas esposas, especialmente da forma sacrificial que Cristo amou Sua Igreja, era um conceito radicalmente novo, até mesmo revolucionário em suas implicações.

O amor entre marido e esposa não era novo por si mesmo — a literatura antiga de cada cultura está cheia de canções de amor — mas a ênfase de Paulo era. Ele estava se referindo a um amor em que um marido deveria servir sua esposa como Cristo serviu a Igreja e deveria dar sua vida por sua esposa como Cristo fez pela Igreja. O amor sacrificial é por si só uma forma de submissão. Paulo estava falando sobre um amor que iria elevar uma mulher a *igualdade de status* de uma pessoa aos olhos do marido.

O amor sacrificial é por si só uma forma de submissão

O mais próximo que esta passagem chega da definição dos papéis conjugais é dizer que o "papel" de um marido é amar sua esposa de uma forma sacrificial, altruísta, e o "papel" da esposa é se "submeter" a seu marido "como ao Senhor" e "respeitá-lo". Estes "papéis" são recíprocos. Qualquer marido que é verdadeiramente fiel em fazer *sua* parte tornará fácil para sua esposa fazer a parte *dela*. Do mesmo modo, qualquer esposa que tem um marido que a ama desta maneira não terá nenhum problema para respeitá-lo ou se submeter à sua liderança.

No nível mais básico, então, um marido e esposa deveriam se relacionar um com o outro através de submissão e amor mútuos em vez de através de um conjunto de papéis predefinidos, não importa qual seja sua fonte.

Relacionamento sem papéis

Essencialmente, o casamento é um relacionamento *sem papéis*. Se o casamento é verdadeiramente fundamentado em um amor sacrificial, não pode ser de outra maneira. Este é um amor incondicional — amor sem motivo. O verdadeiro amor não tem nenhum motivo; simplesmente existe. O amor incondicional ama independentemente do comportamento ou da "simpatia" das pessoas amadas, e se elas correspondem ou não a esse amor. O Novo Testamento identifica este tipo de amor com a palavra grega *ágape*. É o tipo de amor que Deus mostra à raça humana pecadora, o tipo de amor que Jesus Cristo demonstrou quando voluntariamente morreu na cruz por essa raça pecadora. Como Paulo escreveu em sua carta aos fiéis em Roma, "De fato, no devido tempo, quando ainda éramos fracos, Cristo morreu pelos ímpios. Dificilmente haverá alguém que morra por um justo, embora pelo homem bom talvez alguém tenha coragem de morrer. Mas Deus demonstra seu amor por nós: Cristo morreu em nosso favor quando ainda éramos pecadores" (Romanos 5:6-8).

O amor sacrificial é um amor incondicional — amor sem motivo

Deus não precisa de um motivo para nos amar; Ele nos ama porque o amor é Sua natureza. Seu amor por nós não depende de "mudarmos de vida", "de nos corrigirmos" ou de amá-Lo também ou não. O *ágape* não faz exigências, não tem expectativas nem garantias, exceto sua garantia em si mesmo. O Senhor garante que nos amará independentemente de correspondermos ou não ao Seu amor.

O amor de Cristo é um amor *sem papéis* baseado nas respostas em vez de nas expectativas. Sua morte na cruz foi Seu amor *respondendo* à necessidade da humanidade por perdão. Jesus não colocou expectativas em nós como uma precondição para Seu sacrifício. Deu Sua vida livremente sem nenhuma garantia de que qualquer um de nós O amaria em contrapartida. A única expectativa que Jesus tinha era Sua própria alegria e exaltação diante de Seu Pai: "Tendo os olhos fitos em Jesus, autor e consumador da nossa fé. Ele, pela alegria que lhe fora proposta, suportou a cruz, desprezando a vergonha, e assentou-se à direita do trono de Deus" (Hebreus 12:2).

Trata-se de um convite aberto, incondicional: "Porque Deus tanto amou o mundo que deu o seu Filho Unigênito para que todo o que nele crer não pereça, mas tenha a vida eterna" (João 3:16); "*Contudo, aos que o receberam*, aos que creram em seu nome, deu-lhes o direito de se tornarem filhos de Deus" (João 1:12). Estas palavras pressupõem que Jesus não tinha nenhuma garantia. Seu amor O levou à cruz, e Ele ainda teria morrido mesmo se ninguém O tivesse recebido ou crido Nele. O *ágape* não tem nenhum motivo.

O amor que procura um motivo é um amor com condições incluídas. Condições dão origem a expectativas. Por expectativas quero dizer aquelas atividades, funções ou tarefas costumeiras que os maridos e esposas automaticamente esperam que cada um cumpra, porque é seu "papel", como lavar os pratos, preparar as refeições, limpar a casa, cortar a grama, fazer a cama, dar banho nos filhos e assim por diante. Expectativas levam inevitavelmente à decepção. A decepção leva a discussões, que prejudicam o relacionamento, o que por fim coloca em perigo o companheirismo.

O que tudo isto tem a ver com um relacionamento *sem papéis* no casamento? O amor conjugal deveria ser como o amor que Jesus tem por Sua Igreja: incondicional, sacrificial e sem expectativas ou garantias. Papéis fixos criam expectativas e expectativas subentendem garantias. Por exemplo, se uma esposa considera cortar a grama um "papel" de seu marido, esse papel cria na mente dela a expectativa de que ele fará isso quando a grama estiver alta. Se ele não o fizer, violou a "garantia". Sua expectativa vira decepção ou até raiva, resultando em conflito. Se um marido acredita que a preparação das refeições é "papel" de sua esposa, ficará aborrecido se o jantar não estiver na mesa quando chegar do trabalho. Sua esposa não cumpriu a "garantia" implícita em sua expectativa, baseada na percepção do "papel" dela.

Papéis fixos criam expectativas e expectativas subentendem garantias

A conclusão de tudo isto é que o amor incondicional é um amor sem expectativas. Se não existem expectativas, não existem papéis fixos. O casamento, então, torna-se um relacionamento baseado nas respostas às necessidades em vez da adesão a rígidos conceitos preconcebidos. Se o marido e a esposa não têm nenhuma expectativa de um papel rígido de cada um, também não ficarão desapontados. Uma abordagem baseada nas respostas às necessidades no casamento irá trazer uma diferente, profunda e nova dimensão para o relacionamento. Os casais experimentarão uma maior felicidade e sucesso quanto mais aprenderem como se relacionar sem papéis fixos.

Responsabilidades temporárias, não papéis permanentes

Um relacionamento sem papéis em um casamento não significa que ninguém faz nada ou que o casal assume uma abordagem aleatória ou casual em sua vida em casa. Ao contrário, é importante para marido e esposa chegarem a um claro entendimento com respeito a como as coisas serão feitas. Um relacionamento sem papéis fixos *não* significa que cada parceiro reagirá de acordo com a necessidade, capacidade e oportunidade. Quem normalmente prepara as refeições? Isso pode depender de quem cozinha melhor. Alguns maridos podem cozinhar melhor do que suas esposas. Nesse caso, sua esposa deveria ficar sobrecarregada com essa responsabilidade simplesmente por ser seu papel "tradicional"?

Um papel é uma responsabilidade temporária que é baseada na capacidade daquele que responde. Como tal, os papéis podem mudar de um dia para o outro, de um minuto para o seguinte, e de uma pessoa para outra, dependendo da necessidade do momento. Quais necessidades precisam ser atendidas? Quem pode fazer isso melhor? Quem está na melhor posição para fazer isso agora? É uma questão de necessidade, habilidade e oportunidade. É por isso que seria provavelmente melhor considerar as tarefas conjugais como responsabilidades em vez de papéis. Seja qual for a necessidade, aquele que for capaz e estiver disponível no momento é o responsável.

Relacionar-se sem papéis fixos é o resultado de um casamento baseado no *ágape* e no qual marido e esposa são verdadeiramente parceiros iguais. O *ágape* procura servir em vez de ser servido. Jesus demonstrou este princípio em um exemplo poderoso registrado em João 13:3-17. Na noite anterior à sua crucificação, Jesus se reuniu com seus discípulos para celebrar a Páscoa. À medida que eles entravam ninguém estava presente para lavar seus pés (uma tarefa normalmente designada ao mais inferior dos servos) e nenhum deles se dispôs a fazê-lo. Sua atitude não expressa foi, "Esse não é meu trabalho!" O próprio Jesus levantou-se da mesa, tirou sua capa e colocou uma toalha em volta da cintura como um servo o faria, e passou a lavar os pés dos Seus discípulos. Não há dúvida quanto a papéis. Jesus viu uma necessidade e respondeu a ela. Ao mesmo tempo, ensinou aos seus discípulos uma valiosa lição de humildade e serviço.

O *ágape* manifesta-se em uma resposta consciente a necessidades reconhecidas. Não é uma reação automática ou inconsciente aos estímulos baseados em atitudes ou hábitos condicionados. A raiva de um marido diante da "falha" de sua esposa em lavar as roupas pode simplesmente ser uma reação condicionada à sua violação do conceito do papel dela. Uma resposta *ágape* seria pensar antes de agir ou falar e avaliar a situação para ver se existem circunstâncias atenuantes — um motivo legítimo para a roupa não ter sido lavada. Talvez ela tenha sido apanhada em um dia em que teve de cuidar do filho doente. Pode estar sob um grande estresse no trabalho ou cheia de lições de casa para sua aula à noite. Qualquer que seja a razão, o *ágape* procura ajudar na necessidade, não criticar uma falha. Mesmo se este marido e esposa tenham um mútuo entendimento de que ela normalmente cuidará da lavagem de roupas, neste caso de resposta *ágape* — a resposta *sem papéis* — pode ser que ele lave as roupas e tire um pouco da carga dela. O *ágape* não olha para papéis; o *ágape* reage às necessidades.

O ÁGAPE manifesta-se em uma resposta consciente às necessidades reconhecidas

Maridos e esposas que enfocam seu casamento a partir de uma perspectiva sem papéis assumem plenamente o domínio de cada aspecto de sua vida juntos. Não existem papéis "dele" ou "dela", apenas "nossas" responsabilidades. Quem faz o quê e quando depende das circunstâncias específicas. Todo casal deveria chegar a um mútuo acordo com respeito a qual deles possui a principal responsabilidade de cada tarefa ou necessidade, compreendendo também que em última análise eles compartilham todas as responsabilidades juntos.

A atribuição das responsabilidades conjugais pode depender do treinamento de cada pessoa, capacidades ou temperamento. Quem (principalmente) deveria preparar as refeições? Quem for o melhor cozinheiro. Quem (principalmente) deveria tratar das finanças familiares? Aquele que souber lidar melhor com números e contabilidade. Quem (principalmente) deveria fazer a limpeza da casa? Quem vive na casa. Quem lava os pratos? Aquele que os sujou. Quem faz a cama? Aquele que dorme nela. Quem corta a grama? Quem tiver tempo e oportunidade.

A especificação clara da principal autoridade e responsabilidade entre um marido e esposa estabelece ordem e ajuda a evitar caos e confusão. Ao mesmo tempo, em vez de produzir rigidez no relacionamento, permite que haja flexibilidade de forma que cada parceiro possa fazer o que for necessário em determinado momento. Quem puder, faz; quem vir, age. Simples assim.

O funcionamento das responsabilidades conjugais também será afetado pelo fato dos cônjuges trabalharem ou não fora de casa. Pode-se esperar de forma sensata que uma esposa que fique em casa assuma regularmente uma grande parte das responsabilidades domésticas do que uma esposa que trabalhe fora em tempo integral. Compartilhar as responsabilidades torna-se ainda mais importante quando tanto o marido quanto a esposa estão fora de casa durante o dia. Cada parceiro precisa levar em consideração a programação e obrigações do outro, incluindo as do trabalho. A cooperação e entendimento mútuo são fundamentais.

Quem puder, faz; quem vir, age. Simples assim

Então, qual é o "papel" do marido no casamento? Ele é o "cabeça" do casamento, é o líder espiritual responsável pela direção espiritual da família. Deve amar sua esposa da mesma forma que Cristo amou a Igreja, de maneira sacrificial e incondicional. Qual é o "papel" da esposa? Ela deve respeitar seu marido e se submeter à sua liderança. Nas questões práticas da vida doméstica ambos deveriam reagir de acordo com a necessidade, suas capacidades e disponibilidade.

PRINCÍPIOS

1. No nível mais básico, então, um marido e esposa deveriam se relacionar um com o outro através de submissão e amor mútuos em vez de através de um conjunto de papéis predefinidos.
2. Essencialmente, o casamento é um relacionamento *sem papéis.*
3. O amor de Cristo é um amor *sem papéis* baseado nas respostas em vez de nas expectativas.
4. Se não existem expectativas, não existem papéis fixos. O casamento, então, torna-se um relacionamento baseado nas respostas às necessidades em vez da adesão a rígidos conceitos preconcebidos.
5. Um relacionamento sem papéis fixos *não* significa que cada parceiro reagirá de acordo com a necessidade, capacidade e oportunidade.
6. Um papel é uma responsabilidade temporária que é baseada na capacidade daquele que responde.
7. O *ágape* não olha para papéis; o *ágape* reage às necessidades.
8. Não existem papéis "dele" ou "dela", apenas "nossas" responsabilidades.
9. A atribuição das responsabilidades conjugais pode depender do treinamento de cada pessoa, capacidades ou temperamento.

CAPÍTULO DOIS

A questão da submissão

Aprender como se relacionar sem papéis fixos pode ser um desafio maior para os casais unidos pelo matrimônio, particularmente se os conceitos do papel tradicional estão profundamente arraigados em suas mentes. O êxito em fazer a mudança irá exigir ajustes significativos em seu modo de pensar. Em função da maior parte das culturas humanas ter operado por tanto tempo sob o paradigma de uma ordem social de dominação masculina, o conceito de um casamento como uma parceria de iguais caracterizada por um relacionamento sem papéis fixos não ocorre muito facilmente para muitas pessoas. No entanto, é um modelo bíblico.

No princípio, Deus criou o homem — homem e mulher — à Sua própria imagem e deu-*lhes* domínio sobre a terra para governarem *juntos* (vide Gênesis 1:26). O primeiro casal desfrutava de um casamento no qual eram parceiros iguais, partilhando de direitos e responsabilidades iguais. Andavam em aberta e contínua comunhão um com o outro e com Deus.

Chegou o dia em que Adão e Eva optaram por desobedecer a Deus. Imediatamente as circunstâncias mudaram. Seu pecado rompeu a comunhão com Deus e fez com que seu casamento de parceria igual degenerasse para uma sombra do que era anteriormente, com a mulher subjugada ao seu marido. Este casamento corrompido, dominado pelo homem tornou-se o padrão "normal" do relacionamento homem/mulher em um mundo contaminado pelo pecado.

Desde o princípio Deus tinha um plano de restituir a comunhão com Ele à humanidade. Enviou Seu Filho para morrer na cruz pelos pecados da humanidade, rompendo, por meio disso, o poder do pecado e destruindo seus efeitos. Parte do plano de Deus era restituir a instituição do casamento à sua condição original.

O primeiro casal desfrutava de um casamento no qual eram parceiros iguais, partilhando de direitos e responsabilidades iguais. Andavam em aberta e contínua comunhão um com o outro e com Deus

Um casamento entre crentes pode e deveria ser caracterizado por um relacionamento sem papéis fixos no qual marido e esposa são parceiros iguais. Isto, todavia, levanta a questão natural de como reconciliar o conceito bíblico de parceria igual em um casamento com o conceito igualmente bíblico da mulher andar em submissão ao seu marido. Superficialmente parecem ser ideias opostas e irreconciliáveis. No capítulo anterior tocamos brevemente neste assunto, mas compreender a questão da submissão é tão crucial para a felicidade e o sucesso de longo prazo no casamento que precisamos analisá-la mais de perto.

Os maridos deveriam agir como Jesus

Nós já vimos que o amor, a submissão e o respeito mútuo deveriam caracterizar os relacionamentos marido/mulher em um casamento bíblico, mas o que exatamente isto significa? Considere novamente o conselho que Paulo deu em Efésios:

> *Sujeitem-se uns aos outros, por temor a Cristo. Mulheres, sujeite-se cada uma a seu marido, como ao Senhor, pois o marido é o cabeça da mulher, como também Cristo é o cabeça da igreja, que é o seu corpo, do qual ele é o Salvador. Assim como a igreja está sujeita a Cristo, também as mulheres estejam em tudo sujeitas a seus maridos. Maridos, ame cada um a sua mulher, assim como Cristo amou a igreja e entregou-se por ela para santificá-la, tendo-a purificado pelo lavar da*

água mediante a palavra, e para apresentá-la a si mesmo como igreja gloriosa, sem mancha nem ruga ou coisa semelhante, mas santa e inculpável. Da mesma forma, os maridos devem amar cada um a sua mulher como a seu próprio corpo. Quem ama sua mulher, ama a si mesmo. Além do mais, ninguém jamais odiou o seu próprio corpo antes o alimenta e dele cuida, como também Cristo faz com a igreja, pois somos membros do seu corpo. "Por essa razão, o homem deixará pai e mãe e se unirá à sua mulher, e os dois se tornarão uma só carne." Este é um mistério profundo; refiro-me, porém, a Cristo e à igreja. Portanto, cada um de vocês também ame a sua mulher como a si mesmo, e a mulher trate o marido com todo o respeito (Efésios 5:21-33).

A primeira instrução de Paulo refere-se à submissão mútua: "Sujeitem-se *uns aos outros*, por temor a Cristo." Tudo o que Paulo diz nestes versículos é no contexto de submissão mútua. Uma mulher submete-se ao seu marido "como ao Senhor" e o marido ama sua esposa "como Cristo amou a igreja e entregou-se por ela". Este amor sacrificial por parte do marido é em si uma forma de submissão. É esta submissão por parte do marido a favor de sua esposa que é com muita frequência negligenciada no ensinamento e prática.

Do começo ao fim desta passagem Paulo compara o marido a Cristo. As mulheres devem respeitar e se submeter aos seus maridos "como ao Senhor". O marido é "o cabeça da esposa como Cristo é o cabeça da igreja". Os maridos devem amar suas esposas "como Cristo amou a igreja e entregou-se por ela". Em cada caso, o marido deve olhar para Cristo como o exemplo para seu próprio comportamento. O que significa em termos práticos é que um marido merece e tem o direito de esperar submissão e respeito de sua esposa na mesma proporção em que ele vive e age como Jesus com relação a ela. Um marido merece a submissão da esposa contanto que ele aja como o Senhor. Se não agir como o Senhor, então, não tem o direito de esperar que sua esposa se submeta a ele "como ao Senhor".

Um marido merece a submissão da esposa contanto que ele aja como o Senhor

Paulo diz que suas esposas devem se submeter aos seus maridos "como a igreja está sujeita a Cristo". Como é que Jesus faz com que a igreja se submeta a Ele? O que aconteceria se Jesus subitamente aparecesse e caminhasse pela igreja balançando um taco de beisebol para ver quantas cabeças ele poderia atingir e gritando. "Ouçam-me! É melhor fazer o que eu digo, ou então!" E se Ele começasse a amaldiçoar ou chutar, cuspir e criticar Sua Igreja? Haveria uma epidemia de apostasia, abandono e eu seria um deles. Ele iria perder discípulos por todos os lados. Quem quer seguir esse tipo de Senhor "amoroso"?

Jesus ganhou o amor, respeito e submissão de Sua Igreja através de Sua própria submissão a ela com seu amor sacrifical. Livre e espontaneamente Ele entregou Sua vida pela Igreja. Com Seu sangue limpou a Igreja do pecado e da culpa, tornando-a santa, irrepreensível e sem qualquer mancha nem ruga. Através de Seu Espírito, Jesus fortalece e sustenta a Igreja, sempre a amando e mostrando compaixão por ela, constantemente perdoando-a e suprindo suas necessidades, de acordo com as suas gloriosas riquezas (vide Filipenses 4:19).

Jesus é o exemplo perfeito. Se os maridos querem aprender como ganhar o amor, respeito e submissão de suas esposas precisam observar como Jesus trata Sua Igreja e seguir Seu padrão.

Se os maridos querem aprender como ganhar o amor, respeito e submissão de suas esposas precisam observar como Jesus trata Sua Igreja e seguir Seu padrão

A maioria dos maridos "pisou na bola"

Infelizmente, a triste verdade é que, se formos comparar com o padrão estabelecido por Jesus, a maioria dos maridos não merece submissão. Quando se trata de amar suas esposas da forma que Cristo amou a Igreja, grande parte dos maridos *pisou na bola*. Isso não significa que a maioria dos maridos não ame sinceramente suas esposas e deseje o melhor para elas. A falha dos maridos em se comparar com o padrão de Cristo revela uma imperfeição que reside no coração de todo homem, uma imperfeição compartilhada também por toda mulher. A Bíblia chama esta imperfeição de "pecado", e tem sido parte da natureza humana desde que o primeiro casal humano desafiou a Deus no Jardim do Éden e seguiu seu próprio caminho. O pecado é a imperfeição que impede os maridos de se compararem ao exemplo de Jesus.

Se formos comparar com o padrão estabelecido por Jesus, a maioria dos maridos não merece submissão

Embora Adão e Eva desfrutassem de parceria e autoridade iguais no Jardim do Éden, Deus nomeou Adão como o "cabeça" da família com a responsabilidade total do ensino e direção de sua esposa nos caminhos de Deus. Depois que Adão e Eva desobedeceram a Deus, o pecado tornou-se parte de sua natureza. Destruiu sua comunhão com Deus e fez com que eles O temessem de forma que tiveram de se esconder. Quando Deus veio procurá-los, chamou primeiro Adão. Muito embora Eva tivesse sido a primeira a desobedecer, atraindo em seguida seu marido, Adão era o "cabeça" e Deus considerou-o o principal responsável.

> *Mas o Senhor Deus chamou o homem, perguntando: "Onde está você?" E ele respondeu: "Ouvi teus passos no jardim e fiquei com medo, porque estava nu; por isso me escondi". E Deus perguntou: "Quem lhe disse que você estava nu? Você comeu do fruto da árvore da qual lhe proibi comer?" Disse o homem: "Foi a mulher que me deste por companheira que me deu do fruto da árvore, e eu comi"* (Gênesis 3:9-12).

Tão logo foi confrontado com sua falha, Adão tentou colocar a culpa na sua esposa. Recusando-se a reconhecer sua culpa, Adão tentou transferir a responsabilidade para uma outra pessoa — e os homens têm transferido a responsabilidade de suas falhas desde então.

Quando Adão desobedeceu a Deus e o pecado entrou em sua natureza, quatro coisas aconteceram imediatamente em sua vida. Em primeiro lugar, ele sabia que era culpado. Recusou-se a assumir essa culpa, mas ele sabia. Em segundo lugar, tornou-se medroso. O pecado ocasionou a separação entre o homem e Deus, e essa separação gera medo. Em terceiro lugar, ele se escondeu, e, quarto, sentiu vergonha.

Recusando-se a reconhecer sua culpa, Adão tentou transferir a responsabilidade para uma outra pessoa — e os homens têm transferido a responsabilidade de suas falhas desde então

Todas estas são experiências comuns a todos os homens. Ainda hoje os homens sabem quando estão errados, embora nunca o admitam. O pensamento de serem expostos como um fracasso os enchem de medo. Os homens continuam a se esconder de seu fracasso. Muitos se escondem atrás de seu ego, força física, posição ou *status* na comunidade. Outros se escondem atrás do dinheiro, influência, poder político, trabalhos, esportes — qualquer coisa os ajuda a evitar ter de lidar com seus fracassos. Embora poucos possam prontamente admiti-lo, quando um homem comete um erro sente-se envergonhado, não importa o quão duro possa parecer. Pode disfarçar sua vergonha vangloriando-se em uma conversa ou tendo um comportamento "machista" junto com os "rapazes". Pode tentar afogá-la no álcool ou reagir mal diante de sua autodepreciação, batendo em sua esposa e filhos. A vergonha de um casamento fracassado pode levá-lo para os braços de uma amante. Ele pode procurar desviar sua vergonha culpando sua esposa pelas falhas dele. Nada destrói o ego de um homem como um fracasso. Os homens têm um grande medo de ficarem "nus" — de ter suas falhas expostas para todo mundo ver. É por isso que muitos homens procuram uma falsa segurança em pessoas ou ambientes que irão afirmar sua masculinidade sem exibir suas fraquezas. Preferem desfrutar da simpatia de uma falsa imagem a enfrentar a verdade a respeito de si mesmos.

Os maridos deveriam assumir suas responsabilidades

Então, aqui está o dilema. Os maridos devem agir como Jesus, ainda que poucos o façam. Naturalmente, ninguém é perfeito; nenhum marido pode exibir perfeitamente o comportamento de Cristo. O problema é que muitos maridos não têm a mínima ideia de como devem agir ou o que deveriam fazer. Têm se escondido de seu verdadeiro *eu* por tanto tempo que mesmo quando percebem que precisam mudar, não sabem como.

Os maridos que são sérios com respeito a seguir o exemplo de Jesus em relação às suas mulheres devem estar dispostos a assumir suas responsabilidades. Devem estar prontos a aceitar a responsabilidade de seus atos sem negá-los, esconder-se deles, transferir a culpa para outra pessoa, particularmente suas esposas. Precisam reconhecer que porque são humanos irão falhar eventualmente, mas isto não deve ser motivo de vergonha ou desastre. Um relacionamento estabelecido no *ágape* irá criar um ambiente de perdão e apoio. Qualquer marido que honestamente tentar amar sua esposa "como Cristo amou a igreja" irá encontrá-la ao seu lado pronta e ansiosa para ajudá-lo a obter êxito. Qual mulher poderia falhar em responder a um homem que verdadeiramente a ama, protege, supre, entrega-se a ela, e, humanamente falando, torna-a o centro de seu mundo?

No contexto global de amar a sua esposa, o primeiro e principal papel do marido é ser o cabeça espiritual, cobertura e mestre da casa. Através de suas palavras, estilo de vida e comportamento pessoal o marido deveria ensinar a Palavra, a vontade e os caminhos de Deus à sua esposa e filhos.

Um dos maiores problemas no casamento e vida familiar atualmente é que em muitas casas o marido realmente abdicou de sua liderança seja por ausência ou ignorância. Em muitas famílias crentes a esposa sabe mais do Senhor, Sua Palavra e caminhos do que o marido, porque passa mais tempo expondo-se a eles. Ela está na igreja enquanto o marido está em algum outro lugar fazendo suas próprias coisas. Mesmo se ele estiver na igreja com ela, com frequência é menos comprometido e envolvido nos assuntos espirituais do que sua esposa. Como um marido pode ensinar o que ele não sabe? Como pode desenvolver para sua família um estilo de vida do qual não conhece nada?

Um dos maiores problemas no casamento e vida familiar atualmente é que em muitas casas o marido realmente abdicou de sua liderança seja por ausência ou ignorância

Se mais maridos fossem fiéis em amar as esposas como Cristo amou a Igreja e cumprir com suas responsabilidades como chefe da casa, haveria poucos problemas ou confusão sobre a questão da submissão das mulheres.

Os maridos deveriam atrair suas esposas como Cristo atraiu a Igreja

Assim como Paulo compara o marido a Cristo, ele compara a mulher à Igreja. As mulheres devem se submeter aos seus maridos como a Igreja submete-se a Cristo. Ao mesmo tempo, os maridos devem amar suas esposas como Cristo amou a Igreja. As duas ações são recíprocas: como o marido ama a esposa sacrificialmente, sua esposa submete-se a ele.

Os maridos devem ganhar a submissão de suas esposas tornando-se dignos dela. Eles fazem isso aprendendo a amá-las da forma que Cristo amou Sua Igreja. Como Cristo ama Sua Igreja? Como atrai Seu povo para Si de forma que se submeta a Ele?

As duas ações são recíprocas: como o marido ama a esposa sacrificialmente, sua esposa submete-se a ele

Jesus nos ganha atraindo-nos. Primeiramente, Ele Se revela para nós de alguma forma e conquista nosso coração com Seu amor. Em seguida, Ele gentilmente nos atrai para Si: "Eu a amei com amor eterno; com amor leal a atrai" (Jeremias 31:3). Estende um convite aberto para que venhamos a Ele, para ter nossos pecados perdoados e receber a dádiva da vida eterna. Logo que compreendemos o quanto Ele nos ama e o quanto tem feito por nós, percebemos que seríamos loucos se *não* O seguíssemos. É quando, em resposta à Sua gentil atração, decidimos *por nossa livre e espontânea vontade* nos aproximarmos Dele.

Submeter-nos a Cristo é *nossa* escolha. Ele nunca abre caminho à força. Jesus nunca torce nosso braço ou nos pressiona de qualquer outra forma. Simplesmente diz, "Estou aqui. Venha até Mim". A submissão nunca é produzida por forças externas. A submissão é livremente escolhida e dada de boa vontade. Depois de nos submetermos a Jesus, Ele se torna o centro de nossa vida. Ele nos cativou tão bem e nós O amamos tanto que estamos prontos para ir a qualquer lugar e fazer qualquer coisa por Ele. Da mesma forma, um marido deveria cativar sua esposa. Sempre mantê-la na mais alta honra e estima com o máximo de respeito como pessoa. Cobri-la com orações e protegê-la. Tratá-la com bondade, consideração e compaixão. Não tenha medo de mostrar carinhosa afeição. Lembre-se de demonstrar pequenas atitudes de atenção. Compre-lhe flores. Leve-a para jantar em um elegante restaurante. Surpreenda-a com uma fuga em um fim e semana somente para dois. Deixe-a saber que é amada, valorizada e considerada acima de todos os outros através de palavras, ações e de todas as outras formas possíveis.

A submissão de uma esposa é voluntária

Até agora temos nos concentrado quase que exclusivamente nas responsabilidades do marido. Fizemos isso por duas razões: em primeiro lugar, porque o marido carrega a maior responsabilidade uma vez que ele é o cabeça da casa. Em segundo lugar, por sua responsabilidade ser tão amplamente mal interpretada e, portanto, raramente cumprida.

O marido é o "cabeça" de sua esposa; ele não é "chefe" dela nem é o "chefe" da casa. Esta é a parte que tantos maridos interpretam mal. Pode haver uma estreita distinção, mas Cristo *lidera* Sua Igreja. Ele não *domina* Sua Igreja, controlando-a com punho de ferro. Cristo domina Seu Reino, mas Ele *lidera* Sua Igreja. Ama e estima Sua Igreja e Sua Igreja submete-se a Ele livre e voluntariamente.

Então, e a esposa? Qual é sua responsabilidade para com seu marido? Considere novamente as instruções de Paulo em Efésios: "Mulheres, sujeite-se cada uma a seu marido, como ao Senhor, Assim como a igreja está sujeita a Cristo, também as mulheres estejam em tudo sujeitas a seus maridos" (Efésios 5:22, 24). Como a Igreja se submete a Cristo, seu Senhor? Livre e voluntariamente, por amor. Essas qualidades deveriam também caracterizar a submissão de uma esposa a seu marido. As palavras de Paulo nestes versículos constituem uma ordem: "Mulheres, sujeite-se cada uma a seu marido". Observe que esta ordem é dada às esposas, não aos maridos. As mulheres têm ordem para se submeter a seus maridos. Em nenhuma parte Paulo ordena ou dá qualquer autoridade aos maridos para forçar suas esposas a se submeterem. A submissão forçada não é uma verdadeira submissão; é subjugação. A submissão é sempre livremente escolhida e voluntariamente dada. Ainda que a submissão seja ordenada à esposa, seu consentimento é *voluntário*. Ela tem o direito de escolher.

Na medida em que seu marido estiver cumprindo sua responsabilidade e buscando amá-la com o mesmo tipo de amor sacrificial e generoso com que Cristo amou a Igreja, uma esposa tem a responsabilidade de se submeter a ele "em tudo". Se ela falhar em fazê-lo, é responsável não somente diante de seu marido, mas diante do Senhor. Sua falha em se submeter à liderança de seu marido é pecado.

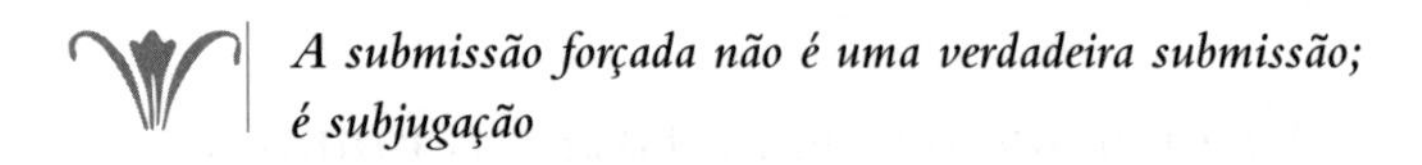

A submissão forçada não é uma verdadeira submissão; é subjugação

A submissão de uma esposa a um marido de Deus que se esforça para ser como Jesus em sua atitude e comportamento para com ela não é um ato degradante ou desmoralizante. A submissão não significa humilhação ou sujeição desprezível da personalidade e vontade de uma mulher à vontade e capricho do marido. Um marido que age como Jesus para com sua esposa não a sujeitará a este tipo de tratamento de jeito nenhum.

Submissão significa que uma esposa reconhece a autoridade do marido como líder espiritual e guia da família. Não tem nada a ver com negar ou anular sua vontade, espírito, intelecto, dons ou personalidade. Submeter significa reconhecer, confirmar e apoiar a responsabilidade dada por Deus de seu marido liderar a família de forma geral. A submissão bíblica de uma esposa ao seu marido é uma submissão de *posição,* não de individualidade. É a subordinação livre e de boa vontade de um *igual* para um outro *igual* a favor da ordem, estabilidade e obediência ao plano de Deus.

Como um homem, um marido irá cumprir seu destino e masculinidade conforme exerce sua liderança em submissão dedicada e humilde a Cristo e se entregando em amor sacrificial à sua esposa. Como uma mulher, uma esposa irá sentir sua feminilidade conforme se submete ao seu marido em honra ao Senhor, recebendo seu amor e aceitando sua liderança. Quando um relacionamento apropriado de mútua submissão está presente e ativo, uma esposa estará livre e capacitada para se tornar a mulher que Deus sempre esperou que fosse.

A compreensão apropriada e o exercício da submissão bíblica tanto pelo marido quanto pela esposa são cruciais para o sucesso e a felicidade de qualquer casamento de longa duração. Sem eles, o casal nunca irá perceber sua identidade completa em Cristo ou liberar seu pleno potencial como seres humanos criados à imagem de Deus.

PRINCÍPIOS

1. Um marido merece e tem o direito de esperar submissão e respeito de sua esposa na mesma proporção em que ele vive e age como Jesus com relação a ela.
2. O pecado é a imperfeição que impede os maridos de se compararem ao exemplo de Jesus.
3. No contexto global de amar a sua esposa, o primeiro e principal papel do marido é ser o cabeça espiritual, cobertura e mestre na casa.
4. Os maridos devem ganhar a submissão de suas esposas tornando-se dignos dela. Eles fazem isso aprendendo a amá-las da forma que Cristo amou Sua Igreja.
5. A submissão nunca é produzida por forças externas. A submissão é livremente escolhida e dada de boa vontade.
6. Na medida em que seu marido estiver cumprindo sua responsabilidade e buscando amá-la com o mesmo tipo de amor sacrificial e generoso com que Cristo amou a Igreja, uma esposa tem a responsabilidade de se submeter a ele "em tudo".
7. A submissão bíblica de uma esposa ao seu marido é uma submissão de *posição,* não de individualidade. É a subordinação livre e de boa vontade de um *igual* para um outro *igual* a favor da ordem, estabilidade e obediência ao plano de Deus.

CAPÍTULO TRÊS

Dominando a arte da comunicação

Entre as queixas que os conselheiros matrimoniais ouvem com mais frequência estão declarações como, "Ela simplesmente não me entende," ou "Ele nunca me ouve". A grande maioria dos casamentos que está com problemas atualmente encontrou um obstáculo, direta ou indiretamente, por causa da incapacidade do casal para se comunicar.

Durante meus muitos anos de ministério aconselhei centenas de casais com problemas conjugais. Em quase todos os casos, as relações turbulentas se originavam essencialmente de uma falha de comunicação.

Sempre que aconselho um casal casado, várias regras fundamentais são aplicáveis. Primeiramente, quando um marido fala, a esposa escuta. Em segundo lugar, quando a esposa fala, o marido ouve. Em terceiro lugar, depois de ambos terem falado, eu falo e eles escutam. Enquanto um está falando, ninguém interrompe. É sempre interessante observar o olhar de perplexidade que com muita frequência aparece no rosto de cada cônjuge enquanto o outro está falando. Em muitos casos, esta é a primeira vez em meses e até anos que eles realmente *ouviram* um ao outro e estão absolutamente surpresos com o que ouvem.

A comunicação é uma arte que pode ser aprendida, uma habilidade que deve ser dominada. Não ocorre automaticamente, mesmo no casamento. A verdadeira comunicação pode se dar em um ambiente propício a uma honesta expressão das próprias ideias e sentimentos. Muitos casais passam muito tempo falando um para o outro e pouco tempo realmente falando um com o outro. Só porque estão falando não quer dizer que estão se comunicando.

A única forma de alguns casais conversarem é quando discutem. Às vezes declarações críticas e comentários negativos são praticamente tudo o que marido e esposa ouvem um do outro. A comunicação é melhor aprendida quando é aberta, honesta e em um ambiente não agressivo. Os casais que não aprendem como se comunicar nesse contexto mais calmo nunca serão capazes de fazê-lo em uma situação de confronto.

Construir o ambiente para uma comunicação eficaz deve ser deliberadamente planejado. Se eu quero ver florescer um lindo jardim, não posso deixá-lo ao acaso. Tenho de escolher um lugar com o máximo de luz solar, plantar as sementes, acrescentar o fertilizante, arrancar as ervas daninhas regularmente e certificar-me de que as plantas estão recebendo água de forma adequada. Da mesma forma, um ambiente favorável para a comunicação deve ser construído e nutrido deliberadamente com grande cuidado. Os casais que estabelecem e mantêm uma atmosfera de abertura, confiança e bondade para conversar sobre coisas boas também acharão mais fácil falar sobre questões difíceis quando elas surgirem.

A comunicação é melhor aprendida quando é aberta, honesta e em um ambiente não agressivo

Comunicação é para o amor o que o sangue é para a vida. Levítico 17:11 diz que a vida está no sangue. É impossível ter qualquer tipo de relacionamento saudável sem comunicação. Isto é verdadeiro para qualquer um, tanto nos relacionamentos humanos quanto no relacionamento com Deus.

Entendendo a comunicação

Parte do problema da comunicação no casamento deriva-se do fato de que muitos casais estão confusos com o que realmente significa comunicação. A genuína comunicação requer tanto falar quanto compreender. "Falar" refere-se a qualquer meio através do qual pensamentos, ideias ou sentimentos são expressos, seja por voz, gestos, linguagem corporal ou expressões faciais. Compreender envolve não apenas ouvir o que foi dito, mas também interpretar o que foi dito de acordo com a intenção do locutor.

A comunicação entre homem e mulher ou marido e esposa é complicada pelo fato de que homens e mulheres pensam, percebem e respondem de forma diferente. Em geral, os homens são seres lógicos e as mulheres são seres emocionais. Os homens falam o que estão pensando ao passo que as mulheres falam o que estão sentindo. Os homens interpretam o que ouvem a partir de uma constituição de referência lógica e as mulheres a partir de uma constituição de referência emocional. Em outras palavras, um homem e uma mulher podem ouvir exatamente a mesma mensagem ao mesmo tempo a partir do mesmo locutor e perceber essa mensagem de duas formas completamente diferentes. O mesmo problema pode facilmente surgir quando eles estiverem tentando se comunicar.

Muitas pessoas parecem comparar a conversa com comunicação. Só porque duas pessoas conversam uma com a outra não necessariamente significa que entendem uma a outra. O que um diz pode não ser o que o outro ouve, e o que um ouve pode não ser o que o outro quis dizer. Uma conversa bilateral não garante comunicação. Mais uma vez, a chave é a compreensão.

Compreender vai além do simples reconhecimento da palavra falada por outra pessoa. O elemento verbal é apenas uma parte da dinâmica geral da comunicação humana. Os elementos não-verbais tais como gestos, expressões faciais e linguagem corporal desempenham um papel ainda maior do que a palavra falada em determinar como interpretamos as mensagens que recebemos. Em qual você acreditaria, se eu dissesse, "Eu te amo", com um sorriso afetuoso ou com ranger de dentes, um olhar zangado no meu rosto e com o punho cerrado? Embora as palavras sejam as mesmas, a mensagem transmitida é totalmente diferente.

Os elementos não-verbais tais como gestos, expressões faciais e linguagem corporal desempenham um papel ainda maior do que a palavra falada em determinar como interpretamos as mensagens que recebemos

A comunicação é um processo pelo qual as informações são trocadas entre indivíduos ou grupos, utilizando um sistema comum de símbolos, sinais ou comportamento. Comunicar é transmitir informações, pensamentos ou sentimentos de forma que sejam satisfatoriamente recebidos ou compreendidos. É uma interação bilateral entre as pessoas na qual as mensagens são enviadas e recebidas e ambas as partes compreendem uma a outra. Se eu falar com você e você falar comigo, confirmando junto a mim o que você ouviu, e você compreendeu o que eu realmente quis dizer, então, ocorreu a verdadeira comunicação.

Se a chave para a comunicação é a compreensão, a chave para a compreensão é escutar.

Ouça!

Em nossa sociedade moderna de ritmo rápido e alta tensão, ouvir tornou-se quase uma arte. A falha em ouvir é um dos problemas mais frequentes com relação à comunicação. Então, muitas vezes nossa tendência natural é falar antes de ouvir. Poderíamos evitar muito sofrimento, divergência e constrangimento se pudéssemos simplesmente aprender a ouvir antes de falar.

Epíteto, um filósofo grego do primeiro século, disse, "Nós temos duas orelhas e uma boca para que ouçamos duas vezes mais do que falamos". Há muita verdade nessa declaração. A Bíblia contém muitas palavras semelhantes de sabedoria. Ao longo das Escrituras, ouvir está ligado ao conhecimento e compreensão. Repetidas vezes o livro de Provérbios nos chama a *ouvir* as palavras de sabedoria e aprender. Muitas vezes Jesus apareceu para as multidões *ouvirem*-No: "Jesus chamou para junto de si a multidão e disse: "Ouçam e entendam" (Mateus 15:10). Muitas são as vezes em que Jesus disse, "Quem tem ouvido para ouvir, ouça". Talvez a referência mais direta ao equilíbrio entre ouvir e falar é encontrada no Livro de Tiago, no Novo Testamento: "Meus amados irmãos, tenham isto em mente: Sejam todos prontos para ouvir, tardios para falar e tardios para irar-se, pois a ira do homem não produz a justiça de Deus" (Tiago 1:19-20). Tiago vincula a prontidão para ouvir com a habilidade de evitar um discurso ignorante e uma raiva desnecessária ou imprópria. Quantas vezes um casal fala alto e ambos ficam zangados um com o outro simplesmente porque não deram tempo para ouvir primeiro? Poderíamos parafrasear o conselho de Tiago desta forma: "Ouçam primeiro! Não se apressem em falar, e mesmo assim, sejam cuidadosos com o que dizem e como o fazem. Não tenham pavio curto, porque a raiva explosiva somente irá sabotar seu crescimento espiritual."

Ouvir envolve mais do que simplesmente escutar ou compreender o que alguém diz. Tudo que ouvimos passa pelos filtros de nossas crenças e experiências assim como por nosso conhecimento e impressão do locutor. Estes filtros dão cores a como interpretamos o que ouvimos e podem fazer com que nós às vezes interpretemos mal o que o locutor quis dizer. Ouvir bem envolve ir além de nossos filtros a fim de escutar o que as outras pessoas realmente estão dizendo, não apenas com suas palavras, mas também com seu tom de voz, expressões faciais e linguagem corporal.

Outro problema relativo ao ouvir é quando estamos mais preocupados com nossas próprias palavras do que com as palavras da outra pessoa. Você já esteve falando com alguém e se percebeu ocupado pensando no que vai lhe responder em seguida em vez de ouvi-lo? Já sentiu que alguém não está escutando você pela mesma razão? Este tipo de coisa acontece o tempo todo e nós chamamos de "conversa". Pode ser conversa, mas não é comunicação, porque ninguém está ouvindo. Não há troca de informações com um mútuo entendimento confirmado. Parte da arte de escutar é aprender a dar a outra pessoa nossa completa atenção, tendo genuíno interesse no que ela tem a dizer com um honesto desejo de compreender. Se comunicação for nosso alvo, precisamos nos concentrar mais nas palavras, ideias e valores da outra pessoa do que nos nossos. Nada no mundo abençoa uma pessoa como ter alguém para escutar — *realmente ouvi-la.*

Nada no mundo abençoa uma pessoa como ter alguém para escutar — realmente ouvi-la

Escutar de forma apropriada e eficiente exige que façamos pleno uso das faculdades envolvidas. Para que uma genuína comunicação ocorra, precisamos aprender a ouvir *totalmente*, empregando corpo, mente, intelecto, emoções, olhos, ouvidos — resumindo, tudo. Precisamos escutar *primeiro* e colocar de lado nossos próprios planos, pensamentos e palavras o tempo suficiente para ouvir e entender a outra pessoa. Uma vez que compreendamos e a outra pessoa saiba que entendemos, então, podemos responder de forma apropriada a partir do contexto do que foi entendido. Isto estabelece um claro canal para uma genuína comunicação bilateral ocorrer.

Comunicação Total

Em função da comunicação ser uma arte, deve ser deliberada, paciente e cuidadosamente aprendida com o passar do tempo. Uma comunicação frente a frente eficaz é sempre total por natureza, envolvendo todos os sentidos e o total emprego do corpo, intelecto e energia mental.

A comunicação é uma troca de informações — uma mensagem — entre indivíduos de tal forma que traz entendimento mútuo. Cada mensagem contém três componentes essenciais: conteúdo, tom de voz e sinais não-verbais como gestos, expressões faciais e linguagem corporal. Quando todos os três trabalham em harmonia, a probabilidade de entendimento mútuo é muito alta. Se qualquer elemento estiver ausente ou contrariar os outros a probabilidade de uma comunicação bem-sucedida diminui significativamente. Em qualquer comunicação em que personalidades e emoções humanas estiverem envolvidas, os elementos não-verbais são muito mais significativos do que os verbais. Isto é facilmente verificado na vida. Um amigo acaba de perder um ente querido. Você quer ajudar, expressar simpatia, mas não sabe o que dizer. Muitas vezes em uma situação como esta as palavras são totalmente inadequadas. De grande valor para seu amigo é simplesmente sua presença física. Um carinho, um caloroso abraço, partilhar lágrimas silenciosamente juntos — estes simples atos não-verbais comunicam seu amor e apoio a seu amigo muito mais claramente do que várias palavras desajeitadas, independentemente de quão bem-intencionadas possam ser.

As pesquisas também apóiam isto. Estudos sobre comunicação têm mostrado que o aspecto verbal — o conteúdo básico — abrange apenas sete por cento da mensagem total que enviamos a uma outra pessoa ou que a outra pessoa recebe. O tom de voz compõe 38 por cento ao passo que os 55 por cento restantes referem-se à comunicação não-verbal. Em palavras, como alguém nos compreende ou percebe depende apenas 7 por cento *do que* dizemos, 38 por cento de *como* dizemos e 55 por cento do que estamos *fazendo* enquanto falamos.

Se desejarmos evitar divergências, sentimentos feridos ou discussões precisaremos ser cuidadosos, tendo certeza de que nosso tom de voz, gestos, expressões faciais e linguagem corporal enviem a mesma mensagem que as palavras que dizemos com nossos lábios.

Esta área de comunicação não-verbal é onde muitas pessoas — e muitos casais — têm muita dificuldade na comunicação. Os problemas surgem entre um marido e esposa quando há uma incoerência entre *o que* dizem um ao outro e *como* o dizem. O tom de voz errado pode ser particularmente devastador, ocasionando uma outra forma de desacordo ou divergência, terminado em um jogo de gritaria ou uma onda de farpas sarcásticas disparadas de um lado para o outro.

Os problemas surgem entre um marido e esposa quando há uma incoerência entre o que dizem um ao outro e como o dizem

Por esta razão, seria bom se os casais se lembrassem do conselho de Tiago, "Sejam todos prontos para ouvir, tardios para falar e tardios para irar-se". Provérbios 15:1 fornece outro valioso conselho: "A resposta calma desvia a fúria, mas a palavra ríspida desperta a ira." Ao tentar se comunicar, marido e esposa deveriam tomar cuidado para que o tom de suas vozes esteja de acordo com suas palavras.

Cinco níveis de comunicação

A maior parte dos relacionamentos nunca vai além da interação superficial. Relacionamentos duradouros, todavia, são mais profundos. Um sinal de um relacionamento saudável e em desenvolvimento é um nível de intimidade mais profundo na interação e comunicação daqueles envolvidos no relacionamento.

As pessoas interagem na sua maior parte em um ou mais cinco níveis de comunicação, cada nível sendo mais profundo e mais íntimo do que o anterior. No nível mais baixo encontra-se uma conversa casual. É superficial e seguro, como o tipo de conversa que teríamos com um estranho na fila do supermercado: "Oi, como vai?" "Bem, e você?" "Tudo bem. Como estão as crianças?" Não há nenhuma pergunta profunda e nada doloroso ou revelações pessoais constrangedoras, apenas uma conversa educada, cortês e irrelevante. Tudo é não ameaçador e cauteloso.

O seguinte é um nível um pouco mais alto de comunicação, envolvendo o relato de fatos sobre outras pessoas. Este tipo de conversa no qual estamos contentes em falar com os outros sobre o que alguém tenha dito ou feito, mas não oferece nenhuma informação ou opinião pessoal sobre estas coisas. Este é o nível do jornalismo objetivo, informando apenas os fatos da situação, e, então, geralmente apenas o que uma outra pessoa disse. Não envolve nenhum elemento pessoal.

O nível três é aquele em que a verdadeira comunicação ocorre pela primeira vez porque começamos a expressar nossas ideias, opiniões ou decisões com a específica intenção de ser ouvido e compreendido pelos outros. Esta abertura também nos coloca pela primeira vez em um nível de risco pessoal. Sempre que revelamos qualquer parte de nosso *eu* interior — pensamentos, ideias, opiniões — abrimos a porta para uma possível rejeição ou ridículo. A intimidade está aumentando neste nível, mas ainda existe uma zona de segurança. Nossas crenças e ideias pessoais são menos vulneráveis a danos do que nossas emoções e ser interior, que neste nível ainda são guardados em segurança.

No nível quatro nos sentimos seguros e íntimos o suficiente para começar a compartilhar nossas emoções. Embora ocorra uma comunicação profunda e autêntica neste nível, há ainda uma característica reservada no relacionamento. Não estamos ainda prontos para nos abrir completamente e deixar que a outra pessoa nos veja como realmente somos intimamente.

O mais alto nível de todos é o nível de completa comunicação emocional e pessoal, caracterizada por absoluta transparência e honestidade. Neste nível não existem segredos nem áreas "proibidas". Estamos prontos e dispostos a expor nossos corações, abrir cada área e compartimento e fazer um convite para uma íntima inspeção. Não existe nenhum nível maior ou mais profundo de intimidade do que quando duas pessoas se sentem livres e seguras o bastante para serem completamente honestas uma para com a outra. Ao mesmo tempo, os riscos de rejeição ou ridículo são os maiores também. O risco é inevitável quando há uma verdadeira intimidade envolvida. Uma forma de definir intimidade é quando há disposição e confiança para que a pessoa seja totalmente aberta e vulnerável a outra. A vulnerabilidade sempre envolve risco, mas não há outro caminho para a verdadeira intimidade ou genuína comunicação neste nível mais profundo.

O risco é inevitável quando a verdadeira intimidade está envolvida

A realização e sucesso a longo prazo no casamento dependem em grande parte da profundidade e contexto no qual marido e esposa desenvolvem sua arte de comunicação. É de vital importância que aprendam como ouvir e compreender um ao outro e se sintam à vontade para compartilhar seus pensamentos, sentimentos, alegrias, tristezas, esperanças e sonhos mais profundos. O casamento é uma jornada de aventura para vida toda com surpresas e desafios em cada momento. Aprender a se comunicar de forma eficiente é também uma jornada para toda a vida. Não é nem rápida ou fácil, mas rende crescentes recompensas de intimidade e satisfação através dos anos que são dignas do esforço exigido.

PRINCÍPIOS

1. A verdadeira comunicação pode se dar em um ambiente propício a uma honesta expressão das próprias ideias e sentimentos.
2. A genuína comunicação requer tanto falar quanto compreender.
3. Comunicar é transmitir informações, pensamentos ou sentimentos de forma que sejam satisfatoriamente recebidos ou compreendidos.
4. A chave para a comunicação é a compreensão e a chave para a compreensão é escutar.
5. Ouvir bem envolve ir além de nossos filtros a fim de escutar o que as outras pessoas realmente estão dizendo, não apenas com suas palavras, mas também com seu tom de voz, expressões faciais e linguagem corporal.
6. A comunicação frente a frente eficaz é sempre total por natureza, envolvendo todos os sentidos e o total emprego do corpo, intelecto e energia mental.
7. Como alguém nos compreende ou percebe depende apenas 7 por cento *do que* dizemos, 38 por cento de *como* dizemos e 55 por cento do que estamos *fazendo* enquanto falamos.
8. Um sinal de um relacionamento saudável e em desenvolvimento é um nível de intimidade mais profundo na interação e comunicação daqueles envolvidos no relacionamento.
9. Uma forma de definir intimidade é quando há disposição e confiança para que a pessoa seja totalmente aberta e vulnerável a outra.

CAPÍTULO QUATRO

Não se esqueça das pequenas coisas

Compreender e praticar os conceitos gerais como responsabilidades conjugais, submissão e comunicação constitui a chave para um casamento feliz e bem-sucedido. Por mais cruciais que estes princípios sejam, todavia, o sucesso final depende também de dar atenção às "pequenas coisas" — aquelas cortesias e considerações simples, diárias que aperfeiçoam a comunicação e acrescentam graça ao relacionamento. Por serem simples, as "pequenas coisas" podem ser facilmente negligenciadas no meio do clamor de preocupações mais urgentes.

No casamento, como em qualquer outro empreendimento, não podemos nos dar ao luxo de menosprezar a importância das "pequenas coisas" para o sucesso global. A Grande Muralha da China foi construída tijolo por tijolo. A Grande Pirâmide no platô de *Gizé no Egito foi edificada pedra por pedra. Ignorar os pequenos detalhes pode levar a sérias consequências.*

O poeta inglês do século XVII George Herbert escreveu:

Por falta de um prego, perdeu-se uma ferradura;
Por falta de uma ferradura, perdeu-se um cavalo;
Por falta de um cavalo, perdeu-se um cavaleiro;
Por falta de um cavaleiro, perdeu-se uma mensagem;
Por falta de uma mensagem, perdeu-se uma batalha;
Por falta de uma batalha, perdeu-se um reino;
Tudo por falta de um prego.

No livro do Antigo Testamento, Cantares de Salomão fala das "raposinhas que estragam as vinhas" (Cantares 2:15). Muitos casamentos se metem em dificuldades porque as esposas ignoram os pequenos detalhes, os cuidados do cotidiano que fortalecem seu relacionamento, assim como "as raposinhas" da negligência, descontentamento e assuntos não resolvidos que estragam a "vinha" de sua felicidade. Casais unidos pelo matrimônio precisam dar a devida atenção a isso a fim garantir o sucesso, saúde e vitalidade de seu casamento a longo prazo.

Exorte, mas não critique

Um dos maiores perigos das "raposinhas" serem deixadas soltas na "vinha" conjugal é a crítica. Nada interrompe a comunicação e rompe a harmonia de um relacionamento de forma mais rápida do que comentários desagradáveis, sarcásticos e negativos. Ninguém lucra com a crítica — nem o crítico nem a pessoa que está sendo criticada nem qualquer outra pessoa que possa estar por perto. A crítica constante destrói o espírito de uma pessoa. Produz sofrimento, ressentimento, atitude defensiva e até ódio. A crítica desencoraja a transparência e honestidade, sem as quais nenhum relacionamento pode permanecer saudável. Por sua própria natureza a crítica é destrutiva, porque está voltada para encontrar falha com a intenção de ferir em vez de encontrar uma solução. As pessoas que são críticas o tempo todo geralmente possuem necessidades não satisfeitas e assuntos não resolvidos em suas próprias vidas e estes problemas se revelam na forma de um espírito crítico.

Nada interrompe a comunicação e rompe a harmonia de um relacionamento de forma mais rápida do que comentários desagradáveis, sarcásticos e negativos

Todo relacionamento às vezes enfrenta conflitos interpessoais que devem ser tratados para o bem de todos os envolvidos. Parte de uma comunicação eficiente é o estabelecimento de um ambiente no qual os problemas podem ser resolvidos de uma maneira saudável. A crítica ofensiva nunca é a resposta. Antes, em tais situações, uma exortação pode ser mais oportuna.

A crítica e a exortação não são a mesma coisa. Uma exortação difere da crítica em pelo menos duas formas importantes: o espírito de onde provém e o propósito para o qual é fornecida. A crítica resulta de um espírito magoado ou egocêntrico que procura ferir em contrapartida. Não está interessado nem no bem-estar da pessoa criticada nem em encontrar uma solução construtiva para o problema. Uma exortação, por outro lado, provém de um espírito amoroso e compassivo que não apenas reconhece um problema, mas também procura uma solução justa e imparcial com um desejo sincero do bem da outra pessoa. Resumindo, uma exortação é motivada por amor, ao passo que a crítica, não. Uma exortação se concentra na solução, enquanto a crítica insiste no problema. Uma exortação busca corrigir enquanto a crítica apenas acusa.

Tenha cuidado com as "raposinhas" da crítica que podem roer seu relacionamento. Desenvolva a disciplina de pensar antes de falar. Sempre que surgir um problema ou explodir um conflito e você sentir o impulso de criticar, pergunte-se se é um problema legítimo para o qual uma exortação e correção são mais oportunas ou se trata apenas de uma queixa pessoal. Examine sua motivação: você está se comportando mal por amor ou raiva?

A crítica não traz nenhum lucro, mas a exortação ou correção, sim. Entretanto, existem dois lados desta moeda. Estar disposto e ser capaz de fazer uma correção é um lado; estar disposto a receber uma correção é outro. A abertura para a correção é um dos mais importantes elementos para o crescimento. As pessoas que estão não estão dispostas a receber correção nunca crescerão. Serão sempre imaturas.

A abertura para a correção é um dos mais importantes elementos para o crescimento

Não se torne familiarizado demais

Outra "raposinha" com a qual se deve ter cuidado é a "raposa" da familiaridade. Um dos maiores perigos para um casamento é o marido e a esposa se tornarem demasiadamente familiarizados um com o outro. Isto não é o mesmo que se conhecerem. Os cônjuges deveriam se conhecer melhor e mais intimamente do que conhecem qualquer outra pessoa no mundo. Um marido e esposa deveriam ser os melhores amigos um do outro. Por familiaridade quero dizer uma complacência confortável que faz com que o marido e a esposa comecem a deixar de dar valor um para o outro.

A familiaridade se revela pelo menos de três maneiras. Em primeiro lugar, provoca ignorância. Os casais se sentem tão familiarizados um com o outro que começam a se ignorar mutuamente de várias pequenas formas que podem nem sequer se dar conta. Em segundo lugar, a familiaridade causa suposições. Um marido e esposa começam a supor que cada um sabe o que o outro está pensando. Um marido supõe não apenas que sua esposa sabe o que ele está pensando, mas também que ele sabe o que ela está pensando. A esposa faz as mesmas suposições. Em terceiro lugar, a familiaridade produz presunções. Uma esposa irá presumir o que seu marido irá dizer ou fazer sem mesmo lhe perguntar primeiro. Um marido irá cometer o mesmo erro com relação à sua esposa. Se estas três continuarem por muito tempo o resultado final será o que é expresso no antigo provérbio, "A familiaridade produz desprezo".

Aqui está um exemplo prático de como isto acontece. Antes do casamento, quando o casal está namorando, eles constantemente dizem um ao outro como se sentem. Não presumem nada. Prestam atenção a cada pequeno detalhe, cada nuança de voz, cada gesto e expressão facial. Eles nunca fazem suposições. Falam coisas agradáveis um para o outro no telefone por três horas e se encontram pessoalmente uma hora depois, passam mais duas horas dizendo mais a mesma coisa. Elogiam um ao outro, dão presentes e passam cada momento disponível juntos.

Esta constante atenção um para com o outro é boa e necessária para construir um relacionamento sólido porque produz em cada pessoa um profundo sentimento de segurança. Elas se sentem seguras de seu recíproco amor e afeição de forma que até quando estão separadas ainda desfrutam do conhecimento de que alguém as ama e se importa com elas. Quanto mais ouvem que são amadas, mais seguras se sentem. Por algum motivo, as coisas começam a mudar depois que o casal se casa. Geralmente não acontece imediatamente. Gradualmente o marido e esposa começam a supor coisas a respeito de cada um. O marido para de dizer à sua mulher, "Eu te amo", com tanta frequência quanto antes. Ele pressupõe, "Ela sabe que eu a amo. Não preciso lhe dizer isso o tempo todo". Isto pode ser até um pensamento consciente. Eles param de sair para jantar ou outros encontros. Param de dar presentes, cartões ou flores "só porque eu te amo". Ficam à vontade juntos, confortáveis, e esse conforto produz a familiaridade que faz com que eles lentamente se distanciem sem até mesmo percebê-lo.

Quando um casal unido pelo matrimônio torna-se muito familiarizado um com o outro, muito da ousada espontaneidade sai do casamento. O casamento deveria ser estável e sólido de forma que ambos os parceiros se sintam seguros, mas dentro desse ambiente deveria sempre haver espaço para aventura. Uma excelente forma de manter um casamento animado, vivo e estimulante é tanto o marido quanto a esposa serem espontâneos — fazer algo inesperado — ocasionalmente. Pode ser algo grande, como um fim de semana fora somente os dois juntos, ou algo pequeno e simples, como um jantar à luz de velas ou um buquê de flores "só porque eu te amo". A chave é evitar a familiaridade e previsibilidade e nunca deixar de valorizar um ao outro. Entre outras coisas, isto significa desenvolver a prática de regularmente expressar gratidão um pelo outro.

Quando um casal casado torna-se muito familiarizado um com o outro, muito da ousada espontaneidade sai do casamento

Expresse honesta gratidão

Aprender a valorizar as pessoas é uma das formas mais eficientes de criar um ambiente para uma comunicação aberta, assim como um dos mais importantes nutrientes para construir relacionamentos saudáveis. A gratidão envolve estar ciente do que os outros fazem por nós, deixá-los saber que o reconhecemos, e agradecer-lhes por isso. Também significa elogiar uma pessoa por sua realização com sincera alegria por seu sucesso. É muito fácil ser crítico ou ter inveja da atenção ou das realizações de uma outra pessoa. A maioria de nós tem de trabalhar para ser agradecido, porque vai contra nossa natureza humana egoísta.

Expressar honesta gratidão faz por nós uma coisa importante que é nos manter conscientes de nossa mútua dependência. Nenhum de nós jamais alcança sucesso ou felicidade por nós mesmos. Ao longo de nossa trajetória de vida existem todas as pessoas que nos ajudam em nosso caminho e com frequência é fácil ignorar ou negligenciar sua contribuição. Em nenhum lugar isto é mais verdadeiro do que no casamento. Humanamente falando, o maior trunfo de um marido para o sucesso e a felicidade é sua esposa, e o da esposa, seu marido. Eles devem ser os maiores defensores, encorajadores e incentivadores um do outro. Não importa o que acontece em outros ciclos, a casa de um casal deveria ser sempre um lugar onde eles podem encontrar constante amor, gratidão e afirmação.

Os cônjuges que mantêm uma prática regular de expressar seu mútuo amor e gratidão, mesmo durante os bons tempos, quando é fácil deixar de dar valor para estas coisas, descobrirão que este profundo sentimento de segurança irá sustentá-los durante os tempos difíceis também. Saber que somos amados e estimados por *alguém* ajuda a ponderar e valorizar o resto da vida com todos os seus "altos e baixos". Posso me lembrar dos dias em que tudo parecia ir mal, nada estava funcionando direito no escritório; algumas pessoas cancelavam compromissos enquanto outras não continuavam a fazer o que tinham dito que fariam. O carro ficou sem gasolina, e em seguida, furou um pneu no meio de uma chuva torrencial. Em momentos como esses a única coisa que me animava era o conhecimento seguro de que eu tinha uma maravilhosa mulher em casa — minha esposa — que me amava e se importava comigo.

Expressar honesta gratidão regularmente é tão importante para a saúde conjugal que não podemos nos dar ao luxo de deixar isso a cargo de nossas emoções. Às vezes não temos vontade de ser agradecidos. Podemos estar cansados, doentes, com raiva ou preocupados. Devemos desenvolver o hábito de fazê-lo de qualquer jeito, sem nos basearmos em nossas emoções, mas no conhecimento. As emoções poderiam dizer, "Não tenho vontade de fazer isso," ou "Não me incomode agora," ao passo que o conhecimento diria, "Ele *precisa* ser assegurado de que tudo está bem".

Os homens geralmente têm mais problema com isto do que as mulheres. Por alguma razão, muitos homens têm a idéia de que expressar seus sentimentos abertamente e com frequência às suas esposas é de alguma forma um sinal de fraqueza e "coisa de mulher". Ao contrário, não existe nada de afeminado em um homem dizer com frequência à sua esposa, "Querida, eu te amo". Um homem que faz isto está mostrando força, não fraqueza. É preciso mais coragem para um homem se tornar vulnerável e expor seu lado sensível do que colocar uma falsa fachada de "machão" e dizer, "Eu sou durão; não preciso dizer esse tipo de coisa".

Isso não é ser durão; é ser estúpido, porque até Deus tem essa postura para conosco e Ele é maior e mais esperto do que nós. Todos os dias de várias formas Deus nos diz e mostra que nos ama. Ele não deixa isso ao acaso. Sabe que precisamos ser reassegurados disso o tempo todo. Aqueles que são crentes e discípulos de Cristo sabem por experiência que o Espírito Santo nos dá diariamente declarações do amor de Deus.

Maridos e esposas precisam adquirir o hábito de expressar seu amor e gratidão um pelo outro *diariamente*. Viver sob o mesmo teto e compartilhar da mesma cama não é prova de amor. Basta perguntar aos milhares de homens e mulheres famintos de afeição que aguentam casamentos infelizes dia após dia.

O amor é alimentado por amor, não pelo tempo. Precisamos nos acostumar a expressar amor e gratidão um pelo outro de tal forma que venhamos a nos sentir tensos quando *não* o fizermos. O sincero amor e gratidão representam a essência de um casamento feliz. Não os menospreze.

Maridos e esposas precisam adquirir o hábito de expressar seu amor e gratidão um pelo outro diariamente

Jamais pressuponha ter o amor

O amor necessita ser expresso regularmente e com frequência; nunca deveria ser pressuposto. Marido, nunca presuma que sua esposa já sabe que você a ama; *diga a ela!* Mesmo se você tiver dito ontem, diga novamente hoje. Ela precisa ouvir isso todos os dias. Esposa, não presuma que seu marido já sabe que você o ama; *diga a ele*! Mesmo que ele nunca possa vir e dizer isso diretamente, necessita ter essa certeza restabelecida de sua parte. Não importa o quão duro e forte ele possa parecer por fora, ainda precisa que você lhe diga que o ama. Nós, seres humanos, temos uma necessidade inerente de sermos assegurados disto diariamente. Quando o amor está envolvido não há espaço para pressuposições.

Nisto, como em tudo mais, Jesus nos fornece um exemplo maravilhoso. Efésios 5:21-33 ensina que os maridos e esposas devem se relacionar da forma que Cristo e a Igreja — Sua Noiva — se relacionam. O versículo 25 diz que "Cristo amou a igreja e entregou-se por ela." Esta é uma referência à Sua morte na cruz. Em João 15:13 Jesus disse a Seus discípulos, "Ninguém tem maior amor do que aquele que dá a sua vida pelos seus amigos." A mote de Jesus na cruz por nós foi a maior expressão de amor na história. Mesmo assim, Jesus nunca presumiu que o exemplo de Sua morte sozinho seria suficiente para nos manter assegurados de Seu amor por todos os tempos. Ele sabia que precisamos dessa certeza restabelecida diariamente. Esta é uma razão pela qual após Sua ressurreição Ele enviou o Espírito Santo para habitar em todos que crerem Nele. Conforme registrado no Evangelho de João, Jesus se refere ao Espírito Santo como o "Conselheiro" ou "Consolador" (vide João 14:16, 26; 15:26; 16:7). A palavra grega é *parakletos*, que literalmente significa "aquele que é chamado ao lado". Um importante papel do "Consolador" é "consolar" ou nos reassegurar diariamente do amor de Cristo por nós. Paulo estava se referindo a isto quando escreveu, "Deus derramou seu amor em nossos corações, por meio do Espírito Santo que ele nos concedeu" (Romanos 5:5). Para aqueles que crêem e seguem a Cristo, o Espírito Santo reside permanentemente em seus corações e vive como um lembrete contínuo do amor de Deus. Jesus nos dá constantemente a confiança restabelecida de Seu amor, Ele nunca presume que sabemos disso.

Nem deveríamos pressupor que nossos cônjuges sabem que os amamos. O amor pode, de fato, "renascer eternamente", mas nossa expressão dele precisa ser renovada diariamente. Necessitamos dizer isso aos nossos amados, e eles precisam ouvir isso de nós. Uma vez ou mesmo de vez em quando não é o suficiente. Aqui está um exemplo.

Suponhamos que um marido comprou para sua esposa um lindo carro novo como uma expressão de seu amor por ela. Ela está bastante empolgada e muito feliz com ele, e seu marido está satisfeito por ser capaz de fazer isso. Alguns dias depois ela pergunta, "Querido, você me ama?" Um pouco surpreso com sua pergunta, ele responde, "Eu comprei aquele carro, não comprei?" Vários meses depois ela pergunta novamente, "Querido, você me ama?" Novamente ele responde, "Eu comprei aquele carro, não comprei?" Passa-se um ano, depois outro, e outro, e sempre é a mesma coisa. Finalmente, quinze anos mais tarde, a esposa pergunta, "Querido, você me ama?" "Eu comprei aquele carro, não comprei?"

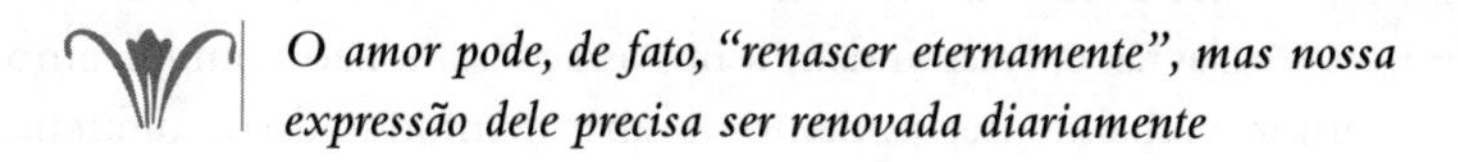

O amor pode, de fato, "renascer eternamente", mas nossa expressão dele precisa ser renovada diariamente

Não parece ridículo? Entretanto, isto não está muito longe da verdade em muitos casamentos. Algumas pessoas passam semanas, meses e até anos sem nenhuma expressão tangível de amor de seus cônjuges, seja verbal ou de outro tipo. Em nossas mentes, o ato de amor de ontem não necessariamente se renova hoje. Todos nós necessitamos ter a confiança restabelecida diariamente.

Embora a expressão verbal represente apenas sete por cento do que comunicamos quando interagimos uns com os outros, é ainda um dos mais importantes elementos para alimentarmos e estimularmos o amor, especialmente para as mulheres. Os homens crescem a partir do que veem, as mulheres, a partir do que ouvem e ambos crescem a partir do que sentem. As palavras reforçam as ações, e as mulheres precisam *ouvir* palavras de amor, carinho e manifestação de gratidão de seus maridos. A maioria dos homens não passa tempo suficiente simplesmente *falando* com suas esposas. Com o passar dos anos aconselhei centenas de casais que estavam prestes a se divorciar por causa dessa questão. Eu não conseguiria contar o número de vezes que tive uma conversa com o marido que era algo como isto: "Você conversa com sua esposa?"

"Bem, ela sabe que eu a amo. Não tenho de falar com ela e dizer-lhe isso. Afinal, eu lhe compro anéis e outras coisas bonitas."

"Eu não lhe perguntei o que você *compra* para ela. Você *fala* com ela?"

"Ela sabe que eu a amo."

"Você está fazendo uma suposição."

"Olha, eu compro alimento para ela e as crianças e ..."

"Eu não lhe perguntei isso. Você *fala* com ela?"

"Bem, eu comprei flores para ela no Dia das Mães. Tenho certeza de que ela sabe que eu a amo por causa disso."

"Você está fazendo uma suposição novamente, e está também presumindo que seus presentes são o mesmo que seu amor, mas isso não é verdade."

Dar *coisas* não é prova de nosso amor. Precisamos entregar a *nós mesmos* primeiro. Isso é exatamente o que Jesus fez; Ele entregou a Si mesmo por nós. Então, devemos verbalizar nosso amor. Devemos fazer com que nossas palavras correspondam a nossas ações. Se não comunicamos nosso amor verbalmente, podemos acabar confundindo a diferença entre a coisa e a pessoa. Devemos aprender a valorizar, comunicar e falar um com o outro. Falar é a maneira mais forte de atribuir sentido a nossas ações. Devemos ter cuidado para nunca pressupor *nada* em nossos relacionamentos, em especial, o amor.

Preste atenção a "pequenas coisas"

Qualquer casal casado feliz concordará rapidamente que sua felicidade se deve em grande parte a simples amabilidades diárias — pequenas atenções que dão um ao outro continuamente. Podem ter várias formas. Elogios são sempre oportunos, seja referindo-se a uma refeição bem-feita, uma promoção no trabalho, um novo e atraente corte de cabelo, uma pintura ou um poema concluído ou qualquer outra coisa. Uma honesta gratidão sinceramente expressa é sempre bem-vinda. Que pessoa sensata poderia rejeitar um sincero "Obrigado"? Infelizmente, por ser tão fácil os casais caírem na rotina de presumir que já têm o amor um do outro, os elogios e agradecimentos são frequentemente pouco oferecidos e negligenciados em muitas famílias.

Normalmente, o bom senso é nosso melhor guia, quando as amabilidades diárias estão envolvidas, junto com a constante aplicação da "Regra de Ouro": "Como vocês querem que os outros lhes façam, façam também vocês a eles" (Lucas 6:31). Em outras palavras, trate os outros da maneira que gostaria de ser tratado. Mostre aos outros a mesma amabilidade e consideração que você gostaria que eles lhe mostrassem. Não espere que uma outra pessoa mostre consideração por você. Seja proativo nisto; dê você mesmo o exemplo. Se você concordou em pegar sua esposa em um determinado horário e percebe que vai chegar atrasado, pare em algum lugar e telefone para ela, ainda que seu atraso seja inevitável por um bom motivo. Não pressuponha que ela sabe que você teve um atraso inevitável. Seja fiel à sua palavra; Se as circunstâncias o forçarem a mudar seus planos, informe-a. Ela merece essa cortesia. Além disso, esse pequeno esforço adicional de consideração e comunicação irá evitar desentendimentos e uma discussão desagradável mais tarde.

Pense sobre o tipo de coisas que o fazem feliz ou se sentir amado e seguro e faça essas mesmas coisas para seu cônjuge. Passar suas camisas do jeito que ele gosta. Enviar-lhe flores "só porque eu te amo". Escrever bilhetes secretos de amor e escondê-los na gaveta das meias, no bolso de sua camisa, na calça ou na caixa de joias dela ou em outros lugares inesperados ao redor da casa em que seu cônjuge irá olhar de vez em quando. Evidentemente, é preciso de tempo para escrever estes bilhetes, mas as recompensas colhidas em felicidade e harmonia conjugal recompensarão o tempo investido.

Solte sua imaginação. Seja criativo. Encontre maneiras de surpreender e alegrar seu cônjuge com "atos casuais de amabilidade". Prestar atenção a pequenas coisas irá ajudar a manter o espírito de romance e namoro vivo em seu relacionamento, mesmo depois de muitos anos de casamento.

Encontre maneiras de surpreender e alegrar seu cônjuge com "atos casuais de amabilidade"

Sempre mostre cortesia

Acima de tudo, seja sempre cortês. Todo mundo merece que lhe seja mostrada bondade e dignidade humana porque somos todos criados à imagem de Deus. Os cônjuges deveriam conceder mais cortesia um ao outro do que dedicam a qualquer outra pessoa. Entretanto, a cortesia é com frequência uma das primeiras coisas a ser negligenciada em um casamento logo que o casal se torna "familiarizado" um com o outro.

A cortesia trabalha nos dois sentidos. As esposas deveriam ser tão gentis para com seus maridos quanto desejam e esperam que eles sejam para com elas. A recíproca é verdadeira para os maridos. O marido deve abrir a porta do carro para ela. Puxar a cadeira para ela no restaurante. Sempre tratá-la como se estivesse namorando-a. Afinal, por que as coisas que conquistaram seu coração no início não continuam a ser apropriadas para conservar seu coração? Em cada situação, tanto pública quanto privada, mostre-lhe o máximo respeito. Ela não merece menos do que isso, e você elevará sua estima diante do mundo, tornando claro para todos que ela é mais importante para você do que qualquer outra pessoa.

Esposa, não seja demasiadamente orgulhosa ou muito "liberal" e permita que seu marido lhe conceda estas simples gentilezas. Caso contrário, você destruirá sua capacidade e oportunidade de abençoá-la. Deus criou o homem para encontrar sua realização abençoando e se entregando à mulher. Não lhe negue a oportunidade de se satisfazer, satisfazendo-a.

Sempre seja cortês para com seu marido, respeitando-o tanto em palavras quanto em ações, especialmente em público. Esta não é uma consideração humilhante de um servo para com um mestre, mas a consideração de um parceiro para com o outro. Os homens especialmente precisam ser respeitados diante de seus colegas e semelhantes e ninguém pode fazer isso melhor do que suas esposas. Aproveite cada oportunidade para apoiá-lo, exaltá-lo e encorajá-lo.

Sempre que um marido e esposa estiverem juntos em público, nunca deveria haver nenhuma dúvida na mente de ninguém de que os dois compartilham de um relacionamento caracterizado por mútuo amor, consideração e respeito. Estas qualidades são cultivadas e fortalecidas por pequenas coisas — sem crítica, mostrando honesta gratidão, expressando claramente amor, prestando atenção a pequenas coisas e concedendo gentilezas comuns — que edificam seu casamento desde o princípio.

Não se esqueça das pequenas coisas. Elas são os blocos para construção de coisas grandes

Não se esqueça das pequenas coisas. Elas são os blocos para construção de coisas grandes — coisas como uma comunicação eficiente; o desenvolvimento de um amor genuíno e o estabelecimento sólido de harmonia, felicidade e sucesso por toda a vida no casamento.

PRINCÍPIOS

1. O sucesso final no casamento depende em grande medida de dar atenção às "pequenas coisas" — aquelas cortesias e considerações simples, diárias que aperfeiçoam a comunicação e acrescentam graça ao relacionamento.
2. Por sua própria natureza a crítica é destrutiva, porque está voltada para encontrar falha com a intenção de ferir em vez de encontrar uma solução.
3. Uma exortação provém de um espírito amoroso e compassivo que não apenas reconhece um problema, mas também procura uma solução justa e imparcial com um desejo sincero do bem da outra pessoa.
4. Um dos maiores perigos para um casamento é o marido e a esposa se tornarem demasiadamente familiarizados um com o outro — deixando de se valorizar mutuamente.
5. Uma excelente forma de manter um casamento animado, vivo e estimulante é tanto o marido quanto a esposa serem espontâneos — fazer algo inesperado — ocasionalmente.
6. O sincero amor e gratidão representam a essência de um casamento feliz.
7. O amor necessita ser expresso regularmente e com frequência; nunca deveria ser pressuposto.
8. Prestar atenção a pequenas coisas irá ajudar a manter o espírito de romance e namoro vivo em seu relacionamento, mesmo depois de muitos anos de casamento.
9. Acima de tudo, seja sempre cortês.

CAPÍTULO CINCO

Princípios de gestão do Reino para casais

Se existe uma área da vida de casado que causa mais problemas para os casais do que qualquer outra, é a de gestão de recursos. Embora certamente inclua assuntos financeiros, a gestão de recursos vai muito além do que simplesmente a questão de como um casal lida com seu dinheiro. A gestão de recursos afeta cada aspecto da vida de um casal simultaneamente: emprego e escolhas de trabalho; gastar, economizar e investir dinheiro; metas de carreira profissionais e educacionais; sonhos futuros; e até mesmo planejamento familiar.

Uma outra palavra para gestão de recursos é *mordomia*. Um mordomo é aquele que gerencia os recursos e assuntos de outra pessoa. Embora não seja o dono desses recursos, um mordomo geralmente possui uma liberdade de ação e autoridade para gerenciá-los em nome do proprietário. Uma mordomia contínua depende da fidelidade e eficácia da representação dos interesses do dono. Mordomos bem-sucedidos trazem crescimento e expansão dos recursos sob seu encargo, fazendo com que sejam, consequente e frequentemente, incumbidos de mais recursos e maiores responsabilidades.

Este princípio é claramente ensinado ao longo das páginas das Escrituras. Uma das melhores imagens bíblicas de mordomia é vista na vida de José. Os capítulos 37-50 de Gênesis contam como José foi vendido para ser escravo por seus traiçoeiros irmãos, e, apesar de tudo, ergueu-se para se tornar um poderoso funcionário do governo no Egito, o segundo, vindo apenas após o Faraó. Como escravo do capitão da guarda pessoal do Faraó, José mostrou ser um administrador fiel e eficiente dos bens de seu mestre, que prosperaram grandemente sob sua mordomia.

Mesmo depois de ter sido falsamente acusado de tentar violentar a esposa de seu mestre e ter sido lançado na prisão, José continuou a ser fiel. O carcereiro chefe reconheceu os dons e a integridade de José e colocou-o no comando de todos os outros prisioneiros. Mais uma vez, José gerenciou com competência tudo que foi colocado sob seus cuidados.

Finalmente, chegou o dia em que os dons de José atraíram a atenção do próprio faraó. Impressionado com a sabedoria, integridade e evidentes habilidades administrativas, o faraó promoveu José de escravo a primeiro-ministro de todo Egito. As capacidades de gestão de José nesta posição tiraram o máximo proveito dos sete anos de prosperidade de colheita abundante e sustentaram a nação com êxito através dos sete anos de fome implacável que se seguiram. Durante este tempo ele também serviu de instrumento para salvar os membros de sua própria família da fome — incluindo os irmãos que o traíram tão cruelmente muitos anos antes.

José prosperou como mordomo porque foi fiel ao seu Deus e porque foi fiel para com a gestão dos recursos que lhe foram confiados. Reconhecendo que Deus era o verdadeiro dono de todas as coisas, José tomou grande cuidado para cumprir com suas responsabilidades de forma digna.

O que todas estas coisas têm a ver com sucesso e longevidade no casamento? Simplesmente isto: uma boa mordomia é um sólido princípio bíblico para crescimento, prosperidade e felicidade. Muitos casais unidos pelo matrimônio lutam financeiramente e em outras áreas porque têm uma compreensão inadequada da verdade de que, como Criador, Deus é o dono de todas as coisas e de que eles são somente mordomos e responsáveis diante Dele pela maneira que administram os recursos que Ele lhes confiou.

Projetados para a mordomia

A mordomia é trançada no próprio tecido do projeto original de Deus para a experiência e vida humana. Quando Deus criou a humanidade — homem e mulher — Ele lhes deu domínio "sobre os peixes do mar, sobre as aves do céu, sobre os grandes animais de toda a terra e sobre todos os pequenos animais que se movem rente ao chão" (Gênesis 1:26). A essência do domínio é o governo. Deus criou os homens e as mulheres para dominar sobre a ordem criada como parceiros iguais sob Sua suprema soberania. Encarregou a humanidade — homem e mulher — da responsabilidade de serem mordomos da terra e todos os seus recursos. Muito embora no contexto do jardim da criação esta parceria igual seja vista através da estrutura do matrimônio, os princípios de gestão do reino ali revelados aplicam-se em cada contexto e circunstância e a todas as pessoas, seja homem ou mulher, casadas ou solteiras.

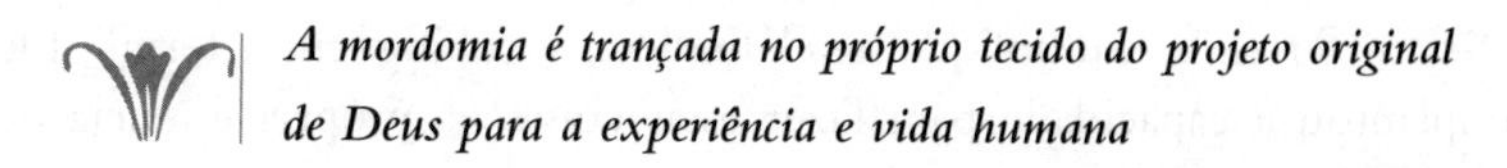
A mordomia é trançada no próprio tecido do projeto original de Deus para a experiência e vida humana

Exercer domínio sobre a terra significa administrar, governar, controlá-la; quer dizer ganhar autoridade sobre ela. Autoridade sobre a terra não significa uma livre exploração e desperdício de recursos, mas cuidadosa e prudente gestão deles. Apropriadamente administrado, o domínio sempre envolve gestão. Nosso domínio como seres humanos se estende por toda a terra e cobre todos pequenos animais, exceto o que se refere a dominar um ao outro. Certamente, a sociedade humana mantém governos, funcionários eleitos e cadeias de comando e autoridade para ajudar a sustentar a ordem, mas estas são legítimas somente na medida em que exercem sua autoridade com a escolha e o consentimento do povo. Deus não criou nenhum de nós com o propósito de dominar ninguém, mas Ele *realmente* criou *todos* nós com o propósito de dominar e governar a terra e seus recursos. Temos domínio sobre as *coisas,* não sobre pessoas.

Existem escolas de gerência atualmente que nos ensinam como gerir outras pessoas, mas muitas delas realmente enfocam a manipulação das pessoas, "lisonjeando-as" e enganando-as, levando-as a fazerem o que querem, independentemente de seus desejos. Esta abordagem é motivada por um desejo de controlar e até mesmo oprimir outras pessoas, que é o contrário da vontade de Deus.

Como seres humanos, nossa responsabilidade original era administração; Deus criou essa capacidade em nós. Ele não reservou o domínio para alguns especialmente preferidos e pessoas da elite, mas o tornou acessível à raça humana inteira. Pelo projeto expresso por Deus, as sementes de grandeza, o potencial para liderança e a capacidade básica de gestão e administração existem em cada um de nós.

> *Criou Deus o homem à sua imagem, à imagem de Deus o criou; homem e mulher os criou. Deus os abençoou, e lhes disse: "Sejam férteis e multipliquem-se! Encham e subjuguem a terra! Dominem sobre os peixes do mar, sobre as aves do céu e sobre todos os animais que se movem pela terra"* (Gênesis 1:27-28).

Deus nunca exige nada que Ele não sustente. Qualquer que seja a ordem de Deus para nós, Ele nos prepara para executá-la. Antes de dizer, "Sejam férteis e multipliquem-se! Encham e subjuguem a terra", Ele implantou a capacidade para fazer essas coisas na própria essência de nosso ser.

O Senhor da criação nos projetou para a mordomia. Nosso propósito original era controlar e gerir o domínio chamado Terra. Sempre que nós não fazemos o que Deus nos criou para fazer, sofremos. O fracasso em cumprir com nosso propósito frequentemente leva a pobreza espiritual, mental e física. Afastados de nosso projeto divino fracassamos na prosperidade. Podemos nos tornar frustrados ou até mesmo gravemente deprimidos.

O fracasso em cumprir nosso propósito frequentemente leva a pobreza espiritual, mental e física

Por outro lado, aqueles que descobrem seu propósito dado por Deus e buscam vivê-lo experimentam saúde, felicidade, realização e satisfação em cada área da vida, mesmo a despeito das adversidades ou desafios que ocorrem ao longo do caminho. Isto é verdadeiro tanto para casais casados quanto para indivíduos.

Muitos casamentos esforçam-se e falham em prosperar como deveriam porque os casais nunca entenderam seu propósito como mordomos dos recursos de Deus ou nunca aprenderam a aplicar os princípios de gestão de Seu Reino.

Deus está procurando gestores

Desde o princípio, o Deus da criação estabeleceu a gestão como um princípio fundamental que rege a vida na terra e o relacionamento dos seres humanos para o restante da ordem criada. O crescimento e o desenvolvimento dependem de uma gestão eficiente — mediante a mordomia. Sem gestão não há crescimento. Este relacionamento é revelado no segundo capítulo de Gênesis.

> *Quando o Senhor Deus fez a terra e os céus, ainda não tinha brotado nenhum arbusto no campo, e nenhuma planta havia germinado, porque o Senhor Deus ainda não tinha feito chover sobre a terra, e também não havia homem para cultivar o solo. Todavia brotava água da terra e irrigava toda a superfície do solo. Então o Senhor Deus formou o homem do pó da terra e soprou em suas narinas o fôlego de vida, e o homem se tornou um ser vivente* (Gênesis 2:4-7).

Observe a progressão indicada nestes versículos. Embora Deus já tivesse criado a terra, não havia aparecido plantas no campo por dois motivos: nenhuma chuva tinha caído sobre a terra e "não havia nenhum homem para trabalhar a terra". Deus reteve o desenvolvimento até que um gestor estivesse no lugar. A vida pôde florescer plenamente somente quando um mordomo apareceu para tomar conta dela.

Uma gestão pobre retarda o crescimento. Deus retém o progresso até que tenha gestão. Ele não permite nenhuma expansão até que tenha alguém para gerenciá-la; não há expansão até que Ele tenha alguém que seja responsável por essa expansão.

Uma gestão pobre retarda o crescimento. Deus retém o progresso até que tenha gestão

Deus criou o homem não porque precisava de uma criatura "religiosa" — alguém que cante ou dance para Ele — mas porque precisava de alguém para gerir o planeta. O que fazemos durante nossos cultos de adoração não estimula ou interessa a Deus tanto quanto o que fazemos *depois*. Ele deseja ver quão bem gerenciamos nossos assuntos:

como passamos nosso tempo, o que fazemos com nosso dinheiro, quão inteligente ou estupidamente usamos os recursos à nossa disposição. Ele está buscando multiplicação porque uma boa gestão sempre produz multiplicação. Uma gestão inteligente atrai a Deus. Se formos fiéis no pouco, Deus irá nos confiar mais. Este é também um princípio bíblico. Um dia Jesus contou uma história sobre um homem rico que saiu para uma longa viagem, deixando diferentes somas de dinheiro para cada um dos três servos, de acordo com suas capacidades (vide Mateus 25:14-30). Os dois primeiros servos saíram imediatamente e através de cautelosa gestão e investimento inteligente, dobraram seu dinheiro. O terceiro servo, todavia, não fez nada exceto esconder o dinheiro até seu mestre voltar. Após sua volta, o mestre elogiou os dois primeiros servos por sua fidelidade e multiplicação, mas condenou o terceiro por sua pobre mordomia. Ordenando que o dinheiro do terceiro servo lhe fosse tirado e dado ao primeiro servo, o mestre disse, "Pois a quem tem, mais será dado, e terá em grande quantidade. Mas a quem não tem, até o que tem lhe será tirado" (Mateus 25:29).

Uma gestão inteligente atrai a Deus. Se formos fiéis no pouco, Deus irá nos confiar mais

Se esperamos nos tornar eficientes e bem-sucedidos na vida, ministério e, especialmente, no casamento, temos de aprender a ser bons gestores. Mordomia significa ser responsável diante de Deus por todos os recursos sob nossos cuidados. Gestores eficientes fazem mais do que simplesmente manter as coisas em andamento; eles agregam valor a tudo que é de sua responsabilidade. Sob uma boa gestão, os recursos irão aumentar de valor. O terceiro servo na história de Jesus foi punido não por ter perdido o dinheiro do mestre (ele não o perdeu, ainda o tinha), mas porque não fez nada com ele. Foi julgado porque não agregou valor — não trouxe nenhum acréscimo — aos recursos que lhe foram confiados.

Todos os casais deveriam examinar a si mesmos periodicamente e se perguntar, "O que temos feito com os recursos que Deus nos deu? Como estamos tratando Suas bênçãos? Estamos gastando nosso dinheiro de forma sensata? Fizemos progressos durante o ano passado? Estamos nos movendo na direção que Deus deseja? Estamos obedecendo à Sua vontade? Ele está satisfeito com nossa gestão? O que deseja que façamos depois? Estas são perguntas importantes para o crescimento na mordomia.

Domínio é um resultado da mordomia

Uma chave para o crescimento nesta área é os casais entenderem que uma eficiente mordomia não é estática, mas um processo em desenvolvimento. É assim que funcionou com o primeiro casal humano no Jardim do Éden. Gênesis 1:28 revela a progressão: "Deus os abençoou, e lhes disse: 'Sejam férteis e multipliquem-se! Encham e subjuguem a terra! Dominem sobre os peixes do mar, sobre as aves do céu e sobre todos os animais que se movem pela terra'".

O propósito de Deus para a humanidade era que dominasse sobre a ordem criada, mas para cumprir esse propósito eles primeiramente tinham de ser férteis, multiplicar e subjugar. Somente então a humanidade iria conseguir o pleno domínio. Essencialmente, mais do que uma meta, o domínio é um *resultado* do processo quádruplo de fertilidade, multiplicação, enchimento e subjugação.

A primeira coisa que Deus fez foi *abençoar* a humanidade — o homem e a mulher — que criou. Abençoar significa liberar capacidade. Ao abençoá-los Deus liberou sua capacidade de se tornarem aquilo que Ele desejava que fossem. Ele os liberou para serem mordomos da terra e seus recursos. Então, Ele os instruiu sobre *como* exercer domínio.

Mais do que uma meta, o domínio é um resultado do processo quádruplo de fertilidade, multiplicação, enchimento e subjugação

Ser fértil. O mandamento de Deus em Gênesis 1:28 é frequentemente entendido como se estivesse se referindo à procriação, mas encher a terra de pessoas é apenas parte do significado. A palavra hebraica para *fértil* quer dizer mais do que a reprodução sexual; refere-se a ser fértil tanto no sentido literal quanto no figurado. Fecundidade pode ser qualitativa por natureza, mas também quantitativa. A humanidade nunca teve problema para ser fecunda — a população global atual de mais de seis bilhões é a prova disso — mas realmente temos um problema para sermos férteis nas outras formas que Deus deseja.

Essencialmente, ser fértil significa liberar nosso potencial. O fruto é o produto final. Uma macieira pode proporcionar uma sombra fresca e ser linda de se admirar, mas até que produza maçãs não cumpriu seu propósito final. As maçãs contêm as sementes de futuras macieiras e, consequentemente, futuras maçãs. Entretanto, as maçãs têm algo mais a oferecer: um alimento doce e nutritivo para satisfazer a fome física humana. Neste sentido, o fruto possui um propósito maior do que simplesmente reproduzir, o fruto existe para abençoar o mundo.

Cada pessoa nasce com uma semente de grandeza. Deus nunca nos diz para encontrar a semente; ela já está dentro de nós. No interior de cada um de nós está o potencial da semente para uma floresta inteira — uma colheita abundante do fruto com o qual abençoamos o mundo. Cada um de nós foi dotado com um dom sem igual, algo que nasceu para se tornar ou fazer que ninguém mais consiga realizar da mesma forma. O propósito de Deus é que produzamos abundantes frutos e liberemos as bênçãos de nosso dom e potencial para o mundo.

Cada pessoa nasce com uma semente de grandeza

A trágica verdade é que os cemitérios estão cheios de pomares não liberados — pessoas que morreram com seus dons ainda guardados no seu interior na forma de semente. É neste ponto que a raça humana fracassa com frequência em cumprir o mandamento de Deus de "ser fértil". O mundo está cada vez mais pobre por causa de incontáveis milhões de pessoas que morreram sem liberar suas bênçãos.

Jamais cometa o erro de dizer a Deus que você não tem nada a oferecer. Isso simplesmente não é verdade. Deus não cria nenhum lixo. Cada um de nós está grávido de uma semente e Deus deseja que deixemos que ela germine, cresça e produza abundantes frutos. Ele deseja que desenvolvamos nossa semente até a fase comestível, na qual o mundo poderá experimentá-la, ser alimentado e abençoado. Qual é a sua semente? Você cozinha realmente bem? Você pinta? Pode escrever?

Tem um bom senso empresarial? Considere seus dons combinados como um casal unido pelo matrimônio. Quais recursos financeiros e físicos ou materiais adicionais Deus lhes confiou? Vocês têm dons e capacidades para iniciar seu próprio negócio? Estão preparados para trabalhar juntos em um ministério sem igual ou indispensável? Quais recursos pessoais ou profissionais você pode trazer para gerar o cumprimento do propósito que Deus deu a você quando nasceu? Você tem alguma coisa que o mundo precisa. Seja fértil. Permita que o Espírito de Deus extraia de você o que seu Criador colocou no seu interior.

Multiplicar. Ser fértil é um começo bom e necessário, mas precisaria avançar para a próxima fase, a *multiplicação*. Novamente, ainda que a ideia aqui seja multiplicar ou reproduzir, a procriação sexual não é a única parte do significado. A palavra hebraica para *multiplicação* pode também ser "abundância", "estar na autoridade", "expandir" e "exceder". Transmite o sentido de refinar seu dom até que fique completamente exclusivo. É impossível reproduzir o que você não refinou.

Neste contexto, então, multiplicar significa não apenas multiplicar ou reproduzir no sentido de ter filhos, mas também aperfeiçoar e se superar, dominando seu dom e tornando-se o melhor que você pode ser no que faz. Também significa aprender como gerir os recursos que Deus lhe deu e desenvolver uma estratégia para administrar a multiplicação que virá através do refinamento. Ao aperfeiçoar seu dom, você arranja lugar para ele no mundo. Quanto mais aperfeiçoado seu dom estiver, mais exigido você será. Provérbios 18:16 diz, "Com presentes um homem alarga o seu caminho e é apresentado diante dos grandes".

Ao aperfeiçoar seu dom, você arranja lugar para ele no mundo

Qual é o seu fruto — seu dom? Pelo que você é conhecido? O que você tem que é reproduzível? Qual qualidade ou capacidade você tem que faz com que as pessoas o procurem? O que lhe traz alegria? Qual é sua paixão? O que você tem para oferecer ao mundo, ainda que seja apenas uma pequena parte? Os frutos devem ser reproduzíveis ou não são frutos genuínos. "Ser fértil" significa produzir frutos; "multiplicar" significa reproduzi-los.

Encher. A terceira fase do domínio é "encher" ou "reabastecer" a terra. Produzir frutos, refinar nosso dom e dominar o uso de nossos recursos gera demanda e conduz naturalmente a uma ampla "distribuição". "Encher a terra" significa expandir nosso dom, nossa liderança, recursos, assim como um negócio em crescimento iria aperfeiçoar seu produto continuamente, abrindo novos mercados e contratando mais funcionários.

Outra maneira de olhar é pensando novamente na macieira. Uma única semente de maçã dá origem a uma árvore, que, então, produz maçãs, cada uma contendo sementes para produção de mais árvores. Plantar essas sementes logo faz com que uma única macieira se torne um pomar inteiro.

Esta expansão para "encher a terra" é um esforço conjunto entre o Senhor e cada um de nós. Nossa parte é ser fiel para com os recursos que Ele nos deu. Ele é quem traz a expansão. Quanto mais fiéis nós formos para com nossa mordomia, mais recursos Deus irá nos confiar. Esse é um princípio bíblico.

Subjugar. Fecundidade, multiplicação e enchimento conduzem naturalmente ao resultado final de subjugar. *Subjugar* significa "dominar ou controlar", não no sentido negativo da opressão, mas no sentido positivo da administração. Usando a terminologia empresarial, subjugar significa dominar o mercado. Conforme aprendemos a gerir nossos recursos, Deus os expande e amplia nossa influência. Aumenta nossa "participação no mercado", por assim dizer.

Não há limite para o que o Senhor pode fazer com e através de qualquer indivíduo ou qualquer casal — marido e esposa — que entreguem os seus recursos e a si mesmos totalmente à Sua vontade e Seu caminho. Ele deseja cobrir o mundo com Seus "pomares" de fecundidade humana. Habacuque 2:14 diz, "Mas a terra se encherá do conhecimento da glória do Senhor, como as águas enchem o mar," e o Senhor está cumprindo essa promessa, uma pessoa e um casal de cada vez.

Não há limite para o que o Senhor pode fazer com e através de qualquer indivíduo ou qualquer casal — marido e esposa — que entreguem os seus recursos e a si mesmos totalmente à Sua vontade e Seu caminho

Dois princípios financeiros importantes

A mordomia de recursos básica para casais que são crentes gira em torno da compreensão e prática de dois princípios financeiros fundamentais: dizimar e fazer previsões orçamentárias. Aqui estão situadas as sementes de domínio — os segredos da fecundidade, multiplicação e enchimento. Dizimar é reconhecer Deus como a fonte de nossos recursos, ao passo que a elaboração da previsão orçamentária reconhece nossa responsabilidade diante de Deus de gerir esses recursos de forma prudente.

Em vez de uma designação rígida, legalista de dez por cento de "nossa" renda para Deus, efetuada por uma questão de dever, o dízimo na sua essência é dado oferecendo os "primeiros frutos" em reconhecimento de que Deus é o Criador e o verdadeiro proprietário de *todas as coisas* que possuímos. Lembra-nos de que não devemos reter nossas posses demasiadamente porque somos meros mordomos, não *donos.* Ajuda-nos a manter nossas prioridades na perspectiva apropriada, de forma que não venhamos a cometer o erro de permitir que nossas posses e a busca de prosperidade substituam nosso relacionamento com o Senhor que deve ocupar o primeiro lugar em nossas vidas. Na verdade, dizimar nos lembra que Deus é a fonte e o doador de nossa prosperidade: "Mas, lembrem-se do Senhor, o seu Deus, pois é ele que lhes dá a capacidade de produzir riqueza, confirmando a aliança que jurou aos seus antepassados, conforme hoje se vê" (Deuteronômio 8:18).

Dizimar é uma expressão de fé na semente que opera com o princípio das bênçãos e retornos. Demonstra nossa confiança na promessa e capacidade de Deus de atender às nossas necessidades no dia-a-dia. Para os casais que desejam as bênçãos e prosperidade de Deus em sua casa e ver o Seu poder em ação em suas vidas e Sua direção diária, um compromisso com o dízimo é indispensável. Deus tornou Sua promessa clara e sem ambiguidade: "'Tragam o dízimo todo ao depósito do templo, para que haja alimento em minha casa. Ponham-me à prova", diz o Senhor dos Exércitos, 'e vejam se não vou abrir as comportas dos céus e derramar sobre vocês tantas bênçãos que nem terão onde guardá-las'" (Malaquias 3:10). Este princípio é viável em todos os níveis, indivíduos, casais, famílias e igrejas.

Dizimar é uma expressão de fé na semente que opera com o princípio das bênçãos e retornos

Embora a ação de dar seja importante, a atitude do doador é mais importante. A quantia que damos não é tão importante para Deus quanto o espírito com o qual o fazemos. Jesus ensinou esta lição aos seus discípulos um dia em que observavam diferentes pessoas colocarem suas ofertas na caixa de ofertas do templo (vide Marcos 12:41-44). Muitos que eram ricos deram grandes quantias de dinheiro, ao passo que uma viúva pobre colocou duas moedas pequenas, que valiam alguns centavos. Jesus elogiou a viúva por sua atitude de confiança em Deus: "Afirmo-lhes que esta viúva pobre colocou na caixa de ofertas mais do que todos os outros. Todos deram do que lhes sobrava; mas ela, da sua pobreza, deu tudo o que possuía para viver" (Marcos 12:43-44).

A quantia que damos não é tão importante para Deus como o espírito com o qual o fazemos

Deus deseja que venhamos a dar livremente com um coração alegre em vez de fazê-lo por uma questão de obrigação, reconhecendo-O como a fonte de nossas bênçãos. Paulo, o grande missionário do primeiro século e escritor do Novo Testamento, tinha isto a dizer aos fiéis da cidade de Corinto: "Cada um dê conforme determinou em seu coração, não com pesar ou por obrigação, pois Deus ama quem dá com alegria" (2 Coríntios 9:7).

Infelizmente, não importa o quanto arduamente tentem, muitos casais fracassam em conseguir até o nível mais básico de prosperidade e estabilidade financeira. Geralmente, a principal razão disto é que eles nunca entenderam ou determinaram no seu íntimo a questão básica do dízimo e o princípio de bênçãos e retornos.

O programa de prosperidade de Deus não opera com os princípios do mundo. Enquanto agirmos como se possuíssemos nossos recursos, tenderemos a ser muito possessivos com relação a eles e relutantes em liberá-los para o uso de Deus. Isto irá excluir-nos de Suas maiores bênçãos, tanto a bênção de sermos usados para Seu propósito quanto a bênção de ficarmos incumbidos de maiores recursos. Se como mordomos nos apegamos um pouco a eles, podemos liberá-los para o uso de Deus à medida que Ele nos orienta, e ao provarmos que somos fiéis no pouco, Ele irá nos incumbir do muito.

Dizimar deve ser um importante aspecto do planejamento financeiro global de um casal. Toda família deveria trabalhar em um orçamento ou em um planejamento financeiro. Uma previsão orçamentária é um princípio básico da gestão de recursos. Um orçamento doméstico não deveria ser mais complexo do que o necessário para gerir os recursos da família de forma eficiente. Dependendo da situação financeira de um casal, um simples controle de contas para acompanhar as receitas e despesas pode ser tudo que é necessário. Geralmente, quanto mais complexos forem a renda e despesas do casal, mais detalhado seu plano para geri-los precisará ser.

Um orçamento doméstico não deveria ser mais complexo do que o necessário para gerir os recursos da família de forma eficiente

A complexidade do orçamento familiar também dependerá dos sonhos e planos do casal. Vocês querem comprar uma casa? Em caso positivo, precisarão iniciar um planejamento claro para economizar dinheiro regularmente, bem como serem muitos cuidadosos com a gestão do seu crédito e débito. Planejam investir? Estes planos precisam ser estabelecidos especificamente em seu orçamento ou planejamento financeiro e vocês precisam estar de acordo com relação a como irão alcançar suas metas.

Não negligencie o dinheiro para "diversão" no orçamento. Lazer e entretenimento são importantes para a saúde física, mental e emocional em geral e eles deveriam ser demonstrados no orçamento. Estes não têm de ser dispendiosos e um casal certamente deveria manter estes custos em linha com seus recursos financeiros. Se marido e esposa trabalham fora de casa ou não, cada um deveria ter uma "ajuda de custo" para gastar inteiramente sozinho.

O tipo ou a complexidade de seu planejamento financeiro não é tão importante quanto o fato de que você tem um plano apropriado de algum tipo e em funcionamento. Contanto que seu orçamento seja adequado para suas necessidades, não importa seu formato. Um orçamento prático representa uma boa gestão e um esforço honesto em favor de uma mordomia racional. Deus honra ambos.

PRINCÍPIOS

1. Uma boa mordomia é um sólido princípio bíblico para crescimento, prosperidade e felicidade.
2. Deus encarregou a humanidade — homem e mulher — da responsabilidade de serem mordomos da terra e todos os seus recursos.
3. Temos domínio sobre as *coisas,* não sobre pessoas.
4. Pelo projeto expresso por Deus, as sementes de grandeza, o potencial para liderança e a capacidade básica de gestão e administração existem em cada um de nós.
5. Mordomia significa ser responsável diante de Deus por todos os recursos sob nossos cuidados.
6. Ser fértil significa liberar nosso potencial.
7. Multiplicar significa não apenas multiplicar ou reproduzir no sentido de ter filhos, mas também aperfeiçoar e se superar, dominando seu dom e tornando-se o melhor que você pode ser no que faz.
8. "Encher a terra" significa expandir nosso dom, nossa liderança, recursos, assim como um negócio em crescimento iria aperfeiçoar seu produto continuamente, abrindo novos mercados e contratando mais funcionários.
9. Subjugar significa "dominar o mercado".
10. Dizimar é reconhecer Deus como a fonte de nossos recursos.
11. A previsão orçamentária reconhece nossa responsabilidade diante de Deus de gerir esses recursos de forma prudente.

CAPÍTULO SEIS

Intimidade sexual no casamento

Embora uma gestão de recurso eficiente possa ser o desafio mais efetivo que a maioria dos casais enfrenta, alcançar plena satisfação na intimidade sexual é provavelmente o mais pessoal. Muitos casais ficam confusos com respeito à sua sexualidade, não tanto por causa de suas identidades sexuais, mas com a compreensão de como se relacionar sexualmente de forma adequada. A disfunção sexual é uma fonte importante de frustração, conflito e infelicidade em muitos casamentos. Com frequência a falta de prazer no sexo é uma das causas de origem dos cônjuges entrarem em relacionamentos extraconjugais. O que eles não conseguem em casa, procuram em outro lugar. Muitas vezes, esta confusão sexual provém basicamente de uma mútua falta de entendimento da verdadeira natureza e propósito do sexo, assim como das condições apropriadas para uma expressão sexual satisfatória.

Infelizmente, casais conscientes que buscam respostas sensatas muitas vezes encontram dificuldade de encontrá-las. Nossa sociedade moderna saturada de sexo certamente não ajuda muito. Apesar de vivermos em um tempo em que os assuntos sexuais sejam discutidos mais aberta e francamente do que jamais foram antes, muito da discussão popular sobre sexo é baseada em sonhos, fantasias e ideias humanas em vez de abordar a verdade, realidade e a sabedoria dos séculos.

Em toda parte somos bombardeados por imagens e mensagens sexuais. O sexo movimenta tanto a indústria do entretenimento quanto a de publicidade. Enche os meios de comunicação e as salas de cinemas. Mesmo nossa comunicação cotidiana é salpicada de conversas sobre sexo. Algumas pessoas aparentemente não conseguem manter uma conversa sem fazer referências sexuais. Contudo, apesar de todos nossos pensamentos e conversas sobre sexo, grande parte da sociedade permanece basicamente ignorante no assunto, porque muito de nosso diálogo é baseado no erro e concepções equivocadas.

Outra triste verdade é que a Igreja moderna normalmente tem pouco a acrescentar a essa discussão. Isto é especialmente trágico, porque os crentes, que conhecem e seguem o Deus que criou o sexo e estabeleceu seus parâmetros apropriados, deveriam ser capazes de falar de forma mais confiante e inteligente sobre essa questão do que qualquer outra pessoa. Todavia, a comunidade de fiéis é muitas vezes omissa nos meios públicos com respeito a sexo seja por constrangimento, confusão, timidez ou uma percepção de que o assunto é muito pessoal ou não é suficientemente "espiritual" para que a Igreja opine sobre ele publicamente.

Sexo não é um assunto secundário para Deus. A Bíblia tem mais a dizer sobre a questão de sexo e relações sexuais do que a maioria das pessoas tem conhecimento. Sexualidade é fundamental para o projeto e plano de Deus para a humanidade. "Criou Deus o homem à sua imagem, à imagem de Deus o criou; *homem e mulher* os criou" (Gênesis 1:27). "Homem e mulher" são gêneros distintos que implicam em sexualidade. Sexo também se situa na essência das instruções iniciais de Deus para o primeiro casal humano: "Sejam férteis e multipliquem-se! Encham e subjuguem a terra!" (Gênesis 1:28). Embora, como vimos no capítulo anterior, esta ordem trata essencialmente do domínio e da mordomia dos recursos, certamente também inclui atividade sexual como um princípio fundamental.

Sexo não é um assunto secundário para Deus

Devido à sua importância para a experiência humana e por causa de confusão generalizada que existe sobre o assunto atualmente é crucial que abordemos um entendimento bíblico da sexualidade a fim de contra-atacar os erros e informações equivocadas que são tão predominantes em nossa sociedade. Precisamos compreender o que sexo *não* é, o que *é*, e qual é o seu propósito, assim como estabelecer as diretrizes para uma atividade sexual aceitável dentro do contexto de um casamento bíblico.

Sexo não é amor

Aos olhos do mundo, sexo e amor são sinônimos. Mesmo uma casual análise nos jornais, revistas, livros, filmes e programas de televisão tornará isto claro. Grande parte do material destes meios de comunicação trata o sexo e o amor como se fossem inseparáveis, como se não houvesse diferença entre eles. O fluxo lógico deste ponto de vista é a filosofia que diz, "Se você me ama, permitirá". Afinal, se sexo e amor são a mesma coisa, como se pode alegar amar alguém e mesmo assim se recusar a ter sexo com essa pessoa?

Estreitamente relacionada a isto é a concepção de que sexo é prova de amor. Com que frequência encontramos esta situação em livros ou filmes: um homem conhece uma mulher e se dão bem. A próxima coisa que temos conhecimento é que estão na cama juntos. Isto é o nosso "sinal" de que eles estão "apaixonados". Devem estar se amando; estão tendo sexo, não? Pode ser um relacionamento adúltero com um ou ambos sendo casados com uma outra pessoa, mas isso não importa. Tudo que importa é que eles estão apaixonados. Vão para a cama, têm sua aventura, levantam-se na manhã seguinte e tudo está bem.

Esse é o quadro que o mundo retrata. O que estes livros e filmes raramente revelam é o lado negativo destes tipos de encontros. Na vida real, as relações deste tipo produzem na maioria das pessoas sentimentos de culpa, vergonha e uma sensação de que estão sujos, sem mencionar uma profunda insatisfação. Pode ser "divertido" por um momento, mas os deixa se sentindo vazios, e, com muita frequência, não sabem por quê.

A ideia de sexo como amor é uma das maiores mentiras com a qual o mundo converteu o plano original de Deus para a expressão, satisfação e realização sexual.

A ideia de sexo como amor é uma das maiores mentiras com a qual o mundo converteu o plano original de Deus para a expressão, satisfação e realização sexual

Sexo não é espiritual

Amor — o *verdadeiro* amor — é espiritual por natureza. Sexo não. O sexo é cem por cento físico e químico. É por isso que enfrentamos problemas sempre que tentamos comparar amor com sexo. O amor é uma união espiritual entre duas pessoas — uma junção de espírito e mente. O sexo é uma ligação física entre duas pessoas — uma junção de carne com carne. Em seu uso apropriado, o sexo é uma expressão física linda e satisfatória da união espiritual que é o verdadeiro amor.

O amor é uma união espiritual entre duas pessoas — uma junção de espírito e mente. O sexo é uma ligação física entre duas pessoas — uma junção de carne com carne

A compreensão desta diferença irá evitar que nos tornemos vítimas de muitas ideias estranhas que são lançadas por aí que tentam nos convencer de que o sexo é (ou pode ser) um tipo fantástico de "ligação espiritual" ou uma forma de entrar em contanto com as realidades espirituais da vida. Não é nada disso. Sexo é uma experiência física estimulante, mas por si só não existe nada de espiritual com relação a ela. A atividade sexual nunca liga nosso espírito ao espírito de outra pessoa. Em nenhum lugar a Bíblia ensina que uma experiência sexual irá fazer com que vejamos a Deus ou fará com que fiquemos mais próximos Dele. O sexo é um produto de uma parte da constituição do ser humano e não tem nada a ver com nosso espírito. Nosso impulso sexual dado por Deus é um apetite que deve ser trazido à sujeição e controle do espírito. Nosso espírito deve controlar a carne.

Sexo é um apetite

Sexo é um apetite, um dos muitos apetites que Deus estabeleceu em nós quando nos criou. Quer chamemos de impulso, desejo ardente, anseio, paixão ou seja o que for, ainda são apetites. Temos apetites por alimento, água, sono, sexo, apetite por Deus, tudo que você possa pensar. Todos estes são perfeitamente normais. Deus nos concebeu para ter apetites.

A força de qualquer apetite é determinada pelo grau ao qual a capacidade para esse apetite foi ativada. Todos os apetites começam com um nível de capacidade zero. A capacidade para um apetite está sempre presente, mas sua capacidade será zero até que seja ativada. Um bebê desenvolve um apetite de uma capacidade para alimento até mesmo antes de nascer à medida que a alimentação flui da mãe através do cordão umbilical. É por isso que a primeira coisa que um bebê quer fazer depois de nascer é se alimentar — seu apetite por alimento foi ativado. Embora um recém-nascido conheça a fome de alimento, sua capacidade é ainda baixa. Um bebê tem fome somente daquilo que seu apetite foi ativado. Bebês habituados com alimentação líquida através do cordão umbilical antes do nascimento e com o leite de peito ou com alimentos especiais para bebês posteriormente não têm desejo de sal, outros condimentos, açúcar ou qualquer tipo de doce. Esses apetites estão adormecidos até que sejam ativados. Os pais ativam esses apetites em seus filhos, passando-lhes alimentos condimentados e bolos, balas e outras delícias açucaradas. Até então, uma criança não tem nenhum apetite — e, portanto, nenhum desejo dessas coisas.

O motivo pelo qual temos fome é porque as substâncias químicas em nosso estômago e aparelho digestivo tornaram-se ativas e sinalizam nosso cérebro informando que necessitamos de alimento. Dependendo de quanto tempo se passou desde que comemos da última vez, e outros fatores como o tipo de alimento que desejamos, nossa capacidade de apetite aumenta de acordo com isso. Nossa sensação de fome continuará a crescer até a satisfazermos, comendo. Uma vez satisfeita, nosso apetite diminui até ser reativado quando for a hora de comer novamente.

Uma coisa interessante acontece, entretanto, a um apetite que deixou de ser satisfeito. Com o tempo decresce de qualquer forma. As pessoas que entram em um jejum prolongado rapidamente descobrem isto. Os primeiros dias de um jejum são os mais difíceis, porque nosso apetite por alimento tem de ser reajustado. Depois que nosso corpo se adapta, o jejum fica mais fácil.

Meu ponto é este: não apenas podemos *satisfazer* nossos apetites, mas também podemos *controlá-los*. É assim com *todo apetite*. Nossos desejos e anseios estão sujeitos à nossa vontade. Isto é verdadeiro tanto para nosso apetite sexual quanto para qualquer outro. Paulo deixou isto claro no Novo Testamento, em sua primeira carta aos fiéis da cidade asiática de

Tessalônica, quando escreveu: "A vontade de Deus é que vocês sejam santificados: abstenham-se da imoralidade sexual. Cada um saiba controlar o seu próprio corpo de maneira santa e honrosa" (1 Tessalonicenses 4:3-4). O que torna esta passagem ainda mais interessante é que a palavra grega *skeuos* ("corpo") também poderia ser compreendida com o significado de "mulher". Neste sentido, então, Paulo estaria dizendo que os maridos deveriam aprender a "viver com suas próprias esposas de uma forma santa e honrosa". De qualquer forma, a ênfase está no controle do apetite sexual de cada um, reservando-o exclusivamente para a expressão no contexto do relacionamento de um casamento.

Nossos desejos e anseios estão sujeitos à nossa vontade. Isto é verdadeiro tanto para nosso apetite sexual quanto para qualquer outro

Os propósitos de Deus para o sexo

Deus criou-nos como seres sexuais, como homem e mulher. A sexualidade está incorporada em nossa essência como seres humanos. Você poderia dizer que nosso "*hardware* é ligado" por sexo. A expressão sexual apropriada e plenamente satisfatória pode ocorrer somente dentro de limites prudentes e específicos que Deus estabeleceu. Fora desses limites existem problemas — culpa, vergonha, medo, tristeza, desapontamento e dor de cabeça. Dentro desses limites, no entanto — os limites de marido e esposa dedicados exclusivamente um ao outro — há uma grande liberdade, flexibilidade e alegria.

A partir das páginas da Bíblia podemos compilar três propósitos primordiais para a atividade sexual humana: procriação, recreação e liberação, e comunicação.

Sexo é para procriação

Como já vimos, a procriação situa-se no âmago da direção e ordem original de Deus para a humanidade. "Deus os abençoou, e lhes disse:

"'Sejam férteis e multipliquem-se! Encham e subjuguem a terra! Dominem sobre os peixes do mar, sobre as aves do céu e sobre todos os animais que se movem pela terra'" (Gênesis 1:28). Deus criou o homem para exercer domínio sobre a ordem criada, e uma maneira de cumprir essa meta era através da procriação: reproduzir e povoar a terra.

Foi com este fim que Deus criou o homem em dois gêneros, masculino, o "homem", e feminino a "mulher". O homem e a mulher tinham o mesmo espírito e a mesma essência — eram feitos do mesmo "material", por assim dizer. Primeiramente, Deus criou o homem, Adão. Em seguida, criou uma mulher — Eva — da parte lateral de Adão, e apresentou-a a ele. "Disse então o homem: 'Esta, sim, é osso dos meus ossos e carne da minha carne! Ela será chamada mulher, porque do homem foi tirada'. Por essa razão, o homem deixará pai e mãe e se unirá à sua mulher, e eles se tornarão uma só carne" (Gênesis 2:23-24).

A frase "uma só carne" é uma referência sexual à união física entre marido e mulher.

A Bíblia contém muitas outras referências que indicam que a reprodução humana é uma parte fundamental do plano de Deus para a humanidade. Em seu lugar adequado, o sexo é tanto honrado quanto uma fonte de bênção de Deus.

> *Se vocês obedecerem a essas ordenanças, as guardarem e as cumprirem, então o Senhor, o seu Deus, manterá com vocês a aliança e a bondade que prometeu sob juramento aos seus antepassados. Ele os amará, os abençoará e fará com que vocês se multipliquem.* ***Ele abençoará os seus filhos*** *e os frutos da sua terra: o cereal, o vinho novo e o azeite, as crias das vacas e das ovelhas, na terra que aos seus antepassados jurou dar a vocês. Vocês serão mais abençoados do que qualquer outro povo!* ***Nenhum dos seus homens ou mulheres será estéril****, nem mesmo os animais do seu rebanho* (Deuteronômio 7:12-14).

Aqui Deus, na realidade, faz uma aliança com Seu povo, garantindo que se for fiel e obediente a Ele, ninguém ficaria estéril ou sem filhos. Deus quer que seu povo procrie. Deseja povoar o mundo com Seus filhos de forma que Sua glória encherá a terra.

> *Os filhos são herança do Senhor, uma recompensa que ele dá. Como flechas nas mãos do guerreiro são os filhos nascidos na juventude. Como é feliz o homem que tem a sua aljava cheia deles! Não será humilhado quando enfrentar seus inimigos no tribunal* (Salmo 127:3-5).

Os filhos são a herança de Deus. A palavra hebraica *ben* ("filhos") possui uma ampla variedade de significados e pode se referir a todas as crianças, não apenas os homens. Herança significa "propriedade". Deus leva muito a sério a concepção, nascimento e educação dos filhos, pois eles são Sua herança. É por isso que o aborto e o abuso físico e sexual das crianças são pecados tão graves — estão mexendo com a herança de Deus.

Existem muitas outras passagens que poderiam ser citadas, mas estas deveriam ser suficientes para demonstrar claramente — se houver qualquer dúvida — que um dos principais propósitos do sexo é para procriação.

Sexo é para recreação e liberação

Se a procriação é o lado prático, necessário para o sexo, então, a recreação e liberação compõem o lado "não prático". Temos relações sexuais não apenas para reproduzir a raça, mas também pelo prazer e enorme alegria que nos proporciona. Sejamos francos: o sexo é divertido. Deus queria que nós desfrutássemos do sexo; caso contrário, por que o teria concebido para ser tão prazeroso?

Algumas pessoas, incluindo muitos crentes, se sentem constrangidas com tal franqueza quando o sexo está envolvido. Sentem-se ainda mais pouco à vontade para com passagens da Bíblia — a Palavra de Deus — sendo sexualmente explícitas. Todavia, é verdade que a Palavra de Deus contém alguns trechos "ousados", particularmente o livro chamado Cântico dos Cânticos, ou Cantares de Salomão em algumas versões. Este livro do Antigo Testamento é tão aberto e franco em sua linguagem que muitos crentes se sentem mais à vontade afirmando que seu conteúdo é figurativo, expressando-o como uma história simbólica sobre o amor de Cristo e Sua Igreja. Talvez realmente tenha esse significado também, mas a essência do Cântico dos Cânticos é uma canção de amor explícita e aberta que celebra a alegria e êxtase do amor conjugal.

Deus queria que nós desfrutássemos do sexo; caso contrário, por que o teria concebido para ser tão prazeroso?

Um exemplo será suficiente para mostrar como a Bíblia apresenta o sexo no casamento como um prazer recreativo dissociado de qualquer referência à procriação.

> *Como você é linda, minha querida! Ah, como é linda! Seus olhos, por trás do véu, são pombas ....Seus lábios são como um fio vermelho; sua boca é belíssima....Seus dois seios são como filhotes de cervo, como filhotes gêmeos de uma gazela que repousam entre os lírios.... Você fez disparar o meu coração, minha irmã, minha noiva; fez disparar o meu coração com um simples olhar, com uma simples joia dos seus colares. Quão deliciosas são as suas carícias, minha irmã, minha noiva! Suas carícias são mais agradáveis que o vinho, e a fragrância do seu perfume supera o de qualquer especiaria! Os seus lábios gotejam a doçura dos favos de mel, minha noiva; leite e mel estão debaixo da sua língua. A fragrância das suas vestes é como a fragrância do Líbano. Você é um jardim fechado, minha irmã, minha noiva; você é uma nascente fechada, uma fonte selada. De você brota um pomar de romãs com frutos seletos, com flores de hena e nardo, nardo e açafrão, cálamo e canela, com todas as madeiras aromáticas, mirra e aloés e as mais finas especiarias. Você é uma fonte de jardim, um poço de águas vivas, que descem do Líbano. Acorde, vento norte! Venha, vento sul! Soprem em meu jardim, para que a sua fragrância se espalhe ao seu redor. Que o meu amado entre em seu jardim e saboreie os seus deliciosos frutos* (Cantares 4:1, 3, 5, 9-16).

Esta é uma conversa aberta e íntima sobre sexo entre dois amantes, mas a passagem também deixa claro de que se trata de marido e mulher. Por três vezes o homem refere-se à sua amante como "minha irmã, minha noiva". Estes versículos descrevem o relato amoroso, descontraído, da beleza física de sua esposa. No versículo 12, as expressões "jardim fechado", "nascente fechada" e "uma fonte selada" fazem menção à virgindade da noiva em sua noite de casamento. Aos olhos de seu marido ela é como um jardim de beleza, um pomar de "frutos seletos", "fragrância" e todas as mais finas especiarias. O versículo 16 é, na realidade, a resposta da noiva ao discurso amoroso do marido, convidando seu amante para "entrar no seu jardim e saborear os frutos seletos".

Se a natureza explícita e íntima desta linguagem o choca, lembre-se de que não chocou a Deus. Ele inventou o sexo, e deseja que experimentemos sua alegria. *No contexto apropriado de um relacionamento de casamento amoroso,* não há nada de vergonhoso, errado ou imoral com respeito ao sexo. Trata-se de um prazer que é para ser desfrutado entre marido e esposa para o seu próprio deleite.

Sexo é para comunicação

O terceiro propósito para o qual Deus concebeu o sexo é para comunicação. O sexo não é substituto de uma conversa clara e honesta entre marido e esposa, mas em um ambiente amoroso que incentive a comunicação, a consumação sexual propicia um grau de intimidade e comunhão que vai além das palavras. Ninguém deveria ser mais íntimo e mais "ligado" física, mental e emocionalmente do que um marido e esposa. Sua amizade não deveria ter nenhum rival; nenhum outro relacionamento terreno deveria ter maior prioridade. Este é o significado básico por trás de Gênesis 2:24: "Por essa razão, o homem deixará pai e mãe e se unirá à sua mulher, e eles se tornarão uma só carne". Sob o padrão de Deus, a atividade sexual é restrita ao casamento. A relação marido/mulher é um relacionamento singular e as preliminares sexuais e as relações sexuais propiciam uma forma sem par de coparticipação e comunhão íntima que eles deveriam reservar exclusivamente um para o outro.

Seja sensível às mútuas necessidades sexuais

A disfunção ou insatisfação sexual no casamento muitas vezes não provêm tanto da incapacidade ou relutância de o marido ou esposa "desempenharem" sexualmente, quanto do fracasso do casal em ser sensível, atento e receptivo às mútuas necessidades sexuais. Tal como acontece com a comunicação eficaz, lembrar-se das pequenas coisas é importante também quando o sexo está envolvido.

Temos de estar dispostos a olhar além de nossos próprios sentimentos e perspectivas a favor de nosso cônjuge. Só porque podemos ou não desejar sexo em um determinado momento não significa necessariamente que nosso cônjuge sente o mesmo. Não seria saudável para nossa relação fazer essa suposição. Neste momento é que as habilidades de uma comunicação eficiente são muito importantes. A felicidade e satisfação sexual no casamento dependem de um ambiente aberto, amoroso, compreensivo e assertivo no qual cada cônjuge se sente à vontade, tornando suas necessidades e desejos conhecidos por parte da outra pessoa.

Embora tenha havido algumas mudanças significativas nos últimos anos, particularmente no ocidente, é ainda muito comum na maioria das sociedades as mulheres se sentirem bastante inibidas quando se trata de iniciar o sexo com seus maridos. Em algumas culturas é inédito que a esposa seja tão ousada. Em outras, as mulheres são criadas acreditando que se iniciarem o sexo, estarão sendo "liberais" ou se atirando em cima do homem. Seja qual for a razão, mesmo se elas desejam intimidade sexual, as esposas, com frequência, aguardam passivamente que os maridos tomem a iniciativa. Um marido, por sua vez, pode interpretar a passividade de sua esposa como desinteresse e não tentar nada, porque não deseja que ela sinta que ele a está forçando. Como resultado, ambos sofrem durante dias, semanas ou até meses vagando em um deserto sexual simplesmente porque fracassaram em tornar suas necessidades mutuamente conhecidas. Se suas necessidades não são comunicadas, permanecem não satisfeitas por um longo período, eles podem buscar satisfação sexual fora de seu relacionamento.

É muito importante que maridos e esposas, em especial as esposas, aprendam a expressar claramente suas necessidades sexuais. As esposas, no que concerne a seus maridos, podem ser tão "liberais" quanto quiserem ser! Se *você* não for "liberal" com ele, alguma outra mulher será. Seu marido tem necessidades sexuais legítimas e se você não atendê-las, outra pessoa o fará. Use sua imaginação! Seja ousada! Faça alguma coisa arrojada! Não tenha medo de iniciar um encontro sexual de vez em quando. Surpreenda seu marido com sua agressividade! Lembre-se de que o homem que é seu marido tem o seu "*hardware* ligado" por estímulo visual e excitação. Dê a ele algo que o deixe estimulado!

Na mesma linha, maridos lembrem-se de que a mulher que é sua esposa tem o seu "*hardware* ligado" por estímulos táteis e auditivos e excitação. Ela deseja seu toque. Abrace-a e segure-a perto de você. Ela precisa que você lhe *diga* o quanto é linda, sexy e o quanto você a ama, deseja e precisa dela! Ela adora ouvi-lo sussurrar palavras afetuosas, ainda que ininteligíveis nos seus ouvidos.

É muito importante que maridos e esposas, em especial as esposas, aprendam a expressar claramente suas necessidades sexuais

Estas podem parecer pequenas coisas, mas são coisas assim que irão manter a chama do casamento acesa. Maridos e esposas têm a responsabilidade de amar um ao outro em todo tempo e expressar esse amor sexualmente com a frequência suficiente para manter ambos satisfeitos. Naturalmente, a frequência suficiente irá depender do casal. As relações sexuais constituem uma parte normal do casamento que cada cônjuge tem o direito de esperar um do outro. Aqui está o que o escritor do Novo Testamento, Paulo, tinha a dizer a este respeito:

> *O marido deve cumprir os seus deveres conjugais para com a sua mulher, e da mesma forma a mulher para com o seu marido. A mulher não tem autoridade sobre o seu próprio corpo, mas sim o marido. Da mesma forma, o marido não tem autoridade sobre o seu próprio corpo, mas sim a mulher. Não se recusem um ao outro, exceto por mútuo consentimento e durante certo tempo, para se dedicarem à oração. Depois, unam-se de novo, para que Satanás não os tente por não terem domínio próprio* (1 Coríntios 7:3-5).

Fica evidente a partir do contexto desta passagem que os "deveres conjugais" referem-se às relações sexuais. Tanto o marido quanto a esposa têm a responsabilidade — o dever — de responder um ao outro sexualmente. O dever frequentemente tem prioridade sobre os sentimentos. Compreender isto pode ajudar naquelas ocasiões em que um parceiro está "com vontade" e o outro não. Há momentos em que, independentemente de nossos sentimentos pessoais, precisaremos responder ao nosso cônjuge por amor e responsabilidade.

As relações sexuais se constituem uma parte normal do casamento que cada cônjuge tem o direito de esperar um do outro

Às vezes nós nos esquecemos de que as pequenas coisas em nossa relação sexual compõem o que tornam o conjunto do casamento uma união e comunhão completa. As pequenas coisas são importantes para comunicar nosso amor ao cônjuge, e, às vezes, não tem nada a ver com os sentimentos.

Isto edifica?

Há uma pergunta final que precisamos levar em consideração a respeito da intimidade sexual no casamento. No meio da multiplicidade de ideias e atitudes para com a atividade sexual que existe no mundo, muitos casais casados atualmente, especialmente os crentes, estão confusos até certo ponto quanto ao que se constitui ou não um comportamento sexual apropriado para maridos e esposas. O que é moral, correto e apropriado e o que não é? Esta confusão é compreensível, visto que muitas pessoas chegam ao casamento com uma formação mundana que promove uma abordagem do sexo no estilo de "vale tudo". Aos olhos de uma sociedade secular, nada mais é tabu. Masturbação, sexo oral, sexo anal, sexo grupal, pornografia, pedofilia, homossexualidade, brutalidade, sadomasoquismo — tudo que você possa imaginar — o mundo diz, "Se está bem para você, faça!"

A pergunta que precisamos fazer, entretanto, é, "o que a Palavra de Deus diz?" Deus inventou o sexo. Ele o criou e estabeleceu as diretrizes, parâmetros e limites sob os quais deve ser moralmente exercido. Um princípio fundamental da criação é o de "adequação". Deus criou todas as coisas para se "encaixarem" em seu lugar apropriado e em relação a tudo mais ao seu redor. Isto é igualmente verdadeiro tanto com a sexualidade humana quanto qualquer outra área da vida. Os órgãos sexuais do homem e da mulher foram projetados para "se encaixar" e são ideais para se ajustar à sua função mútua. Qualquer atividade que vai além dos limites da função do projeto transgride o princípio de "adequação" e equivale a perversão. Perversão simplesmente quer dizer abuso, uso indevido ou deturpação do propósito original de algo. É por isso que a homossexualidade, por exemplo, é tão grande pecado; é uma perversão da função do plano original da sexualidade humana.

O que constitui um comportamento sexual inadequado? Algumas pessoas dizem que para os casais unidos pelo matrimônio, qualquer coisa que eles concordarem a respeito está bem. O que acontece no quarto de um casal é seu assunto particular, mas nada se esconde de Deus. Creio que é seguro dizer que existem determinados tipos de comportamento que sempre serão impróprios. Além desses atos que transgridem o princípio da "adequação", comportamentos sexuais impróprios poderiam incluir qualquer coisa que seja deliberadamente prejudicial, pouco saudável ou dolorosa fisicamente, assim como qualquer ato sexual em que um parceiro força o outro, especialmente se o segundo parceiro se sente desconfortável com ele.

Um sólido princípio diretivo bíblico para toda a vida, incluindo o comportamento sexual, é fazer a seguinte pergunta, "Isto edifica?" Esse é o conceito que Paulo insistiu com os crentes na cidade de Corinto. "'Tudo é permitido", mas nem tudo convém. "Tudo é permitido'", mas nem tudo edifica. Ninguém deve buscar o seu próprio bem, mas sim o dos outros" (1 Coríntios 10:23-24). O conceito de Paulo é que embora os crentes cristãos não estejam obrigados à lei, e, portanto, "tudo é permitido", nem tudo é proveitoso ou construtivo. Uma outra palavra para "construtivo" é *edificante. Edificar* significa "construir" algo ou "fortalecê-lo".

Quando avaliamos a exatidão ou inexatidão de nossas ações ou comportamentos, precisamos nos perguntar se esse comportamento irá edificar — construir — nós mesmos ou o outro, ou se irá nos destruir. A pergunta não é do que podemos nos safar sem consequências, mas o que é saudável e edificante. Depois que tudo for dito e feito, estaremos edificados espiritualmente? Construímos ou fortalecemos nosso relacionamento com o Senhor ou com nosso cônjuge ou terminamos enfraquecidos? Saímos encorajados ou desencorajados, confiantes ou cheios de sentimento de culpa ou vergonha? Nossa consciência está limpa?

A pergunta não é do que podemos nos safar sem consequências, mas o que é saudável e edificante

A forma de avaliar se um comportamento sexual é apropriado ou não para nós é verificando se é edificante ou não. Qualquer coisa que façamos e depois nos sintamos edificados é lícita e adequada. Se não nos edificar, é imprópria. Deus forneceu em Sua Palavra princípios sólidos para guiar nosso comportamento e esses princípios representam um padrão sempre confiável.

PRINCÍPIOS

1. Sexo não é amor.
2. Sexo não é espiritual.
3. Sexo é cem por cento físico e químico.
4. Sexo é um apetite.
5. Sexo é para procriação.
6. Sexo é para recreação e liberação.
7. Sexo é para comunicação.
8. A felicidade e satisfação sexual no casamento dependem de um ambiente aberto, amoroso, compreensivo e assertivo no qual cada cônjuge se sente à vontade, tornando suas necessidades e desejos conhecidos por parte da outra pessoa.
9. Um sólido princípio diretivo bíblico para toda a vida, incluindo o comportamento sexual, é fazer a seguinte pergunta, "Isto edifica?"

CAPÍTULO SETE

Planejamento familiar

Nos últimos anos, não importa para onde eu viajasse em diferentes partes do mundo para encontrar tanto funcionários do governo quanto líderes religiosos, quando lhes perguntava qual era o problema número um em sua sociedade, habitualmente obtinha a mesma resposta: a condição da família. Ouço isto no Caribe, na América do Sul, nos Estados Unidos, em Israel — em todo lugar aonde vou. A deterioração da família é um problema universal.

Não deveria ser nenhuma surpresa para nós que a instituição da família esteja sob ataque do inimigo. A destruição da família irá levar à desagregação da civilização. A família é a primeira e mais básica unidade da sociedade humana. As famílias são blocos com os quais cada sociedade e cultura é construída. Essencialmente, a família é o protótipo da sociedade. O protótipo é o primeiro de sua espécie e demonstra as características de todos os "modelos" que seguem. Em outras palavras, a condição da sociedade reflete a condição da família. Assim como um edifício é tão forte quanto os materiais utilizados na sua construção, da mesma forma qualquer sociedade é tão forte quanto suas famílias.

Deus inventou a família logo no princípio, e ela é ainda Seu ideal para o estabelecimento da sociedade humana. Consequentemente, a cura para todos os problemas sociais, psicológicos, emocionais, espirituais e civis que enfrentamos em nossas comunidades encontra-se no redescobrimento, restauração e reconstrução da família.

A condição da sociedade reflete a condição da família

Tudo que existe tem um propósito. Como Criador, Deus tinha um propósito específico em mente para tudo que fez. Isto é tão verdadeiro para a família quanto para qualquer outra coisa. A primeira família da humanidade foi estabelecida quando Deus formou Eva a partir da parte lateral de Adão e a apresentou a ele (vide Gênesis 2:21-24). O livro de Gênesis é específico no que diz respeito ao propósito de Deus para a família: "Criou Deus o homem à sua imagem, à imagem de Deus o criou; *homem e mulher os criou*. Deus os abençoou, e lhes disse: "'*Sejam férteis e multipliquem-se*! Encham e subjuguem a terra! Dominem sobre os peixes do mar, sobre as aves do céu e sobre todos os animais que se movem pela terra'" (Gênesis 1:27-28). O desejo de Deus era encher a terra de seres humanos feitos à Sua imagem e a família foi o meio que Ele escolheu para realizar isso.

Outro indício do propósito de Deus para a família é encontrado no Livro de Malaquias, o último livro do Antigo Testamento. O povo de Deus estava aborrecido porque parecia que Ele não mais ouvia suas orações. Malaquias explicou o motivo:

> *Há outra coisa que vocês fazem: Enchem de lágrimas o altar do Senhor; choram e gemem porque ele já não dá atenção às suas ofertas nem as aceita com prazer. E vocês ainda perguntam: "Por quê?" É porque o Senhor é testemunha entre você e a mulher da sua mocidade, pois você não cumpriu a sua promessa de fidelidade, embora ela fosse a sua companheira, a mulher do seu acordo matrimonial.* ***Não foi o Senhor que os fez um só?*** *Em corpo e em espírito eles lhe pertencem.* ***E por que um só? Porque ele desejava uma descendência consagrada.*** *Portanto, tenham cuidado: Ninguém seja infiel à mulher da sua mocidade* (Malaquias 2:13-15).

Os filhos são preciosos para o coração de Deus. O crescimento e a perpetuação da sociedade humana dependem das crianças. Desde o princípio Deus estabeleceu um sólido fundamento sobre o qual a sociedade é construída. O primeiro estágio foi a criação do homem — homem e mulher. O segundo estágio foi o casamento, uma união espiritual na qual dois seres humanos individuais são fundidos em um, e que é consumada fisicamente através das relações sexuais. O casamento conduz naturalmente ao terceiro estágio — uma unidade familiar que é constituída de um pai, uma mãe e um ou mais filhos. Esta é a definição tradicional da palavra *família*. Embora os lares de pais solteiros e indivíduos solteiros que vivem sozinhos certamente se classifiquem como famílias em um sentido mais amplo, a compreensão tradicional é mais significativa quando estamos falando de perpetuação da sociedade humana e de "encher a terra" de pessoas.

Um marido e esposa constroem juntos um casamento. O casamento estabelece uma família. Nascem os filhos, crescem, amadurecem e estabelecem suas próprias famílias. A multiplicação das famílias cria comunidades, a multiplicação das comunidades dá origem às sociedades e a multiplicação das sociedades resulta em nações. Se há uma ordem de Deus que a humanidade tem obedecido fielmente, é sua ordem: "Sejam férteis e multipliquem-se!" Nós, seres humanos, temos seguido essa instrução tão diligentemente que no século XXI a população global alcançou o ponto de perigo, e milhões vivem com a ameaça diária de desnutrição e fome. Em face desta crise, agora mais do que nunca, o povo consciente de Deus tem a responsabilidade de refletir sobre a necessidade de um cuidadoso planejamento familiar.

Procriar ou não procriar

Dependendo de sua cultura ou de como foram educados, muitos crentes não se sentem à vontade para falar de planejamento familiar. Alguns ficam confusos com o assunto, por causa de um ensino inadequado ou incorreto, enquanto outros têm uma sensação desconfortável de que há algo de pecaminoso em tentar "planejar" um empreendimento tão íntimo e "santo" como ter filhos. Sendo este o caso, é importante compreender o que significa e o que não significa planejamento familiar.

Simplificando, o planejamento familiar envolve tomar decisões deliberadas *antecipadamente* para evitar gravidez indesejada e limitar o tamanho de uma família ao número de filhos que os pais podem adequadamente amar, sustentar, alimentar, educar e proteger. Levar a efeito estas decisões requer ações concretas e específicas, visando a *prevenção*. Em outras palavras, o planejamento familiar inclui controle de natalidade. Os meios mais comuns de controle de natalidade são a camisinha, o diafragma e a pílula anticoncepcional, todos impedem a gravidez, impedindo que as células do esperma do homem fecundem o óvulo da mulher. O controle de natalidade impede a *concepção* de um novo ser humano.

O planejamento familiar concentra-se na prevenção e controle de natalidade *antecipados*. Não tem nada a ver com o *término deliberado* da gravidez. Portanto, o aborto *não* é planejamento familiar. Nem é controle de natalidade ou medicina preventiva. O aborto é imoral e um pecado, porque se trata de uma opção pela destruição de uma vida humana existente. Como tal, vai contra o inequívoco plano e a intenção de Deus.

Houve um tempo em que as famílias numerosas eram a norma e até mesmo necessárias para a sobrevivência, particularmente nas sociedades agrárias. As taxas de mortalidade infantil eram tão elevadas devido a doenças ou ferimentos que os pais precisavam gerar muitos filhos para garantir que alguns atingiriam a maioridade para ajudar no trabalho da fazenda, assim como na linhagem familiar. Na sociedade industrializada e realidades econômicas atuais, o planejamento familiar e o controle de natalidade simplesmente fazem sentido. Isto também é verdadeiro em muitas culturas do terceiro mundo com a pobreza e subnutrição infiltradas onde a população prossegue desenfreada, por causa da ignorância e falta de acesso a opções legítimas de controle de natalidade.

O planejamento familiar concentra-se na prevenção e controle de natalidade ANTECIPADOS. Não tem nada a ver com o TÉRMINO DELIBERADO da gravidez

Há pelo menos três perguntas sobre planejamento familiar que todo casal precisa fazer juntos, preferentemente antes de se casarem ou certamente no mais tardar logo nos primeiros meses depois de casados. Primeira, "Nós queremos ter filhos?" Por vários motivos alguns casais optam por não ter filhos. Quer seja em função de suas carreiras, preocupação com riscos para a saúde, o perigo hereditário de transmissão de problemas de saúde, seja o que for esta é uma decisão que cada casal deve tomar por si mesmos.

Se um casal decidir que deseja ter filhos, a segunda pergunta a ser feita é, "Quando?" Esta é uma questão importante. Há diversos fatores importantes que devem ser considerados na determinação do momento mais adequado para começar uma família, como maturidade, se um ou ambos os parceiros estão na escola e se têm uma renda e empregos fixos e adequados. A fim de que cresçam saudáveis, as crianças precisam de um ambiente doméstico que seja estável financeira, emocional e espiritualmente.

Uma terceira pergunta que o casal necessita fazer é acerca dos filhos, "Quantos?" Um dos fatores mais significativos a ser considerado são os recursos financeiros do casal. Muito simples, quanto mais filhos o casal tiver, maiores serão os custos para criá-los e educá-los adequadamente. Por exemplo, uma família que possui uma renda de 300 dólares por semana não pode sensatamente esperar ter dez filhos. É responsabilidade dos pais determinarem não apenas quantos filhos desejam, mas também quantos filhos podem realisticamente sustentar.

Criar filhos é um assunto sério e importante para Deus, e os pais são responsáveis diante do Senhor pela maneira que tratam e cuidam deles. "Se alguém não cuida de seus parentes, e especialmente dos de sua própria família, negou a fé e é pior que um descrente" (1 Timóteo 5:8). Deus não se opõe à ideia de os casais terem muitos filhos, mas espera e exige que o façam com amor, apoio e provendo a subsistência dessas crianças de forma responsável.

É responsabilidade dos pais determinarem não apenas quantos filhos desejam, mas também quantos filhos podem realisticamente sustentar

O controle de natalidade pode ser uma bênção, especialmente para os jovens recém-casados que precisam de tempo para se adaptar e estabelecer seu lar antes das crianças chegarem ao mundo. Para casais que não querem ter filhos ou já têm todos os que desejam, há procedimentos disponíveis para evitar futuras concepções: uma vasectomia para o homem ou laqueadura para as mulheres. Todos são bênçãos da tecnologia que são inestimáveis para ajudar os casais a tomar decisões inteligentes e informadas sobre o tamanho das famílias.

Os filhos são a herança do Senhor

Os casais que decidem ter filhos desejam uma coisa boa. A Bíblia está cheia de passagens que descrevem as bênçãos relativas a gerar e criar filhos. Nos tempos do Antigo Testamento, os pais que tinham muitos filhos eram considerados extremamente abençoados por Deus. Ao mesmo tempo, as mulheres que eram incapazes de gerar filhos eram consideradas amaldiçoadas por Deus. Embora reconheçamos atualmente que não há ligação entre o tamanho da família e as bênçãos de Deus, esta atitude revela quão importantes e valiosos os filhos eram para as pessoas dos tempos antigos, e, particularmente, para os hebreus, filhos de Deus.

> *Os filhos são herança do Senhor, uma recompensa que ele dá. Como flechas nas mãos do guerreiro são os filhos nascidos na juventude. Como é feliz o homem que tem a sua aljava cheia deles! Não será humilhado quando enfrentar seus inimigos no tribunal* (Salmo 127:3-5).

Conforme declarado no capítulo seis, a palavra hebraica para "filhos" nos versículos 3 e 4 pode também ser traduzida como "crianças". A palavra filhos no versículo 3 é uma tradução de duas palavras hebraicas que literalmente significam "fruto do ventre". Os filhos são frutos, o produto da fecundidade de seus pais. Deste modo, os casais unidos pelo matrimônio que têm filhos cumprem um dos propósitos de Deus para o casamento: "Sejam férteis e multipliquem-se! Encham e subjuguem a terra" (Gênesis 1:28).

Os casais que decidem ter filhos desejam uma coisa boa

O versículo 4 no Salmo 127 compara os filhos com flechas na mão do guerreiro, e o versículo 5 declara que um homem cuja "aljava" está cheia deles é abençoado. As flechas não são feitas para permanecer na aljava, mas para serem atiradas com o arco em direção ao alvo. Enquanto uma flecha permanecer na aljava não pode cumprir o propósito para o qual foi feita. O mesmo é verdadeiro para os filhos. Permanecem por um tempo na "aljava" de sua casa e família, enquanto aprendem e crescem até a maturidade, mas chegará finalmente o dia em que precisam ser soltos no mundo. Somente então eles podem realizar o propósito e liberar todo potencial que Deus colocou neles. É o papel dos pais preparar seus filhos para deixar a aljava.

Deus está buscando uma descendência consagrada (vide Malaquias 2:15), e uma descendência consagrada realiza-se melhor através de pais do Senhor. Sua meta é que Seus filhos tenham Sua natureza e caráter — que sejam como Ele. A melhor maneira de se tornar igual a Deus é imitando-O. Somente crentes e discípulos de Cristo podem verdadeiramente se tornar iguais a Deus, porque isto requer a presença interior do Espírito Santo. Ao escrever para o corpo de fiéis em Éfeso, Paulo tinha isto a dizer: "Portanto, sejam imitadores de Deus, como filhos amados, e vivam em amor, como também Cristo nos amou e se entregou por nós como oferta e sacrifício de aroma agradável a Deus" (Efésios 5:1-2).

O próprio Jesus Cristo é nosso modelo. O mesmo que Jesus representa para nós deveria representar para nossos filhos. Uma das metas dos pais é criar filhos que ajam como seus pais, que compartilhem das mesmas crenças e valores. O exemplo é o maior professor de todos, e os filhos aprendem mais do estilo de vida exemplificado por seus pais do que de qualquer coisa que eles digam. As ações realmente falam mais alto do que as palavras.

Provérbios 20:11 diz: "Até a criança mostra o que é por suas ações; o seu procedimento revelará se ela é pura e justa". De onde as crianças aprendem a ser puras e justas senão dos pais? Para melhor ou pior, o comportamento e as atitudes dos filhos refletem o comportamento que receberam dos pais. Na grande maioria dos casos, os problemas comportamentais das crianças e adolescentes podem ser provenientes do exemplo dos pais.

O mesmo que Jesus representa para nós deveria representar para nossos filhos

Uma boa criação não acontece por acaso. Não pode ser realizada passivamente ou à distância, tanto física quanto emocionalmente. Uma criação eficiente é dedicada, deliberada e cautelosa. Os pais devem *planejar* o sucesso e uma descendência consagrada é a meta. Se nossos filhos crescem partilhando de nossos valores morais, éticos e espirituais, tivemos êxito como pais. Se aprenderem a amar, adorar, seguir e servir o Senhor, fomos bem-sucedidos como pais.

Quem de nós não tomaria o maior cuidado para proteger e preservar um tesouro em nosso poder? Não há tesouro maior na terra do que nossos filhos. Eles são a herança de Deus, e como pais santificados temos a responsabilidade e a obrigação diante de Deus de tratá-los como tal. Nosso objetivo é gerar uma descendência consagrada que irá glorificar e honrar seu Pai celestial.

Princípios fundamentais da criação

Em um sentido muito real Deus foi o primeiro pai, porque Ele gerou "filhos" concebidos para serem iguais a Ele. Isto é revelado logo na primeira declaração que Ele fez com respeito à humanidade, conforme registrado no Livro de Gênesis. "Então disse Deus: "Façamos o homem à nossa imagem, conforme a nossa semelhança..."" (Gênesis 1:26).

Contidos neste versículo encontram-se três princípios fundamentais da criação, envolvidos por duas palavras: *imagem* e *semelhança*. Uma imagem é uma semelhança com um original e representa sua natureza ou caráter. A palavra *semelhança* significa parecer igual, agir de forma semelhante, e ser igual a alguém ou algo.

Deus criou os seres humanos para serem diretamente parecidos com ele; deveriam viver, comportar-se e ser igual a Ele em todos os aspectos essenciais. Esta verdade transmite claras implicações para os pais.

Princípio fundamental nº 1: *a criação deveria reproduzir a natureza dos pais na criança.* Deus é santo, e Ele criou o homem para ser santo. O pecado corrompeu a santidade do homem e distorceu a sua imagem divina. Desde então, o propósito e intento de Deus tem sido restituir ao homem a sua natureza santificada original. Essa é a precisa razão pela qual Ele enviou Seu Filho, Jesus Cristo, para viver na carne. Através de Sua vida, Jesus nos mostrou como Deus é e, através de Sua morte pelos nossos pecados, tornou possível que Sua imagem e santidade nos fossem totalmente restituídas.

Justamente por isso, se nós, como pais, queremos filhos santos, devemos viver de forma santa, como exemplo. Deus é santo e justo por natureza, e deseja filhos que mostrem a mesma natureza. A criação deveria reproduzir a natureza dos pais nos filhos. Somente o Espírito de Deus pode reproduzir a natureza de Deus, seja em nós ou em nossos filhos. É por isso que devemos depender completamente de Deus e andar perto Dele enquanto procuramos criar nossos filhos de forma sábia e eficiente.

Se nós, como pais, queremos filhos santos, devemos viver de forma santa, como exemplo

Princípio fundamental nº 2: *a criação deveria reproduzir o caráter dos pais na criança.* A natureza e o caráter estão estreitamente relacionados. Nosso caráter é determinado pela natureza que nos controla. Revela quem *realmente* somos, independentemente de como nos apresentamos aos outros. Muito próximo à nossa reputação, o caráter refere-se à nossa firmeza e excelência moral (ou falta delas) e diz respeito a traços éticos e mentais que nos marcam como indivíduos. O caráter é a pessoa que somos quando não há ninguém por perto. A partir do ponto de vista da criação, isto é muito importante. Uma forma de medir nossa eficiência como pais é através do comportamento dos filhos em nossa ausência. O que eles dizem e fazem quando não estamos por perto para aprovar, desaprovar, elogiar ou corrigir? Quer gostemos ou não, nossos filhos muito provavelmente serão como nós. É parte da natureza — os filhos se tornam iguais aos pais. Se desejamos gerar filhos com um caráter nobre, devemos ser pais com um caráter nobre.

O caráter é a pessoa que somos quando não há ninguém por perto

Princípio fundamental nº 3: *a criação deveria reproduzir o comportamento dos pais na criança.* A natureza determina o caráter e o caráter determina o comportamento. Quando os pais se concentram apenas no comportamento de seus filhos, estão essencialmente condenados ao fracasso e frustração, porque o comportamento está vinculado ao caráter.

Tal como acontece com o caráter, os pais que desejam um bom comportamento *por parte de* seus filhos devem servir de exemplo de bom comportamento *para* eles. A antiga abordagem "faça o que eu digo, mas não faça o que eu faço", além de hipócrita, simplesmente não irá funcionar. Os filhos podem ver além da hipocrisia e rapidamente perdem o respeito pelas pessoas que dizem uma coisa e fazem outra.

Se formos pais bons e santos, nossos filhos terão uma natureza boa e santa. Se formos corretos em todos nossos procedimentos, nossos filhos irão desenvolver um caráter firme. Se nos comportarmos como pais, nossos filhos aprenderão a se comportar.

Devemos sempre olhar não apenas para nossos filhos, mas para os *seus* filhos também. O teste final de nossa eficiência como pais é observar que pessoas nossos netos se tornaram. Se tivermos feito um bom trabalho, nossos filhos irão assimilar nossa natureza, caráter e comportamento e passá-los aos seus próprios filhos. Nesse sentido, a justiça pode ser passada e geração para geração. Isto cumpre o plano de Deus, visto que Ele está buscando uma descendência consagrada.

O teste final de nossa eficiência como pais é observar que pessoas nossos netos se tornaram

Ordens aos pais

A criação é uma grande alegria, mas também é uma grande responsabilidade. Deus deixou claro em Sua Palavra, a Bíblia, o que exige e espera dos pais e quais são suas responsabilidades. Sua ordem é simples: pais instruam *seus filhos*.

> *Instrua a criança segundo os objetivos que você tem para ela, e mesmo com o passar dos anos não se desviará deles* (Provérbios 22:6).
>
> *A vara da correção dá sabedoria, mas a criança entregue a si mesma envergonha a sua mãe* (Provérbios 29:15).

Quem se nega a castigar seu filho não o ama; quem o ama não hesita em disciplina-lo (Provérbios 13:24).

Discipline seu filho, pois nisso há esperança; não queira a morte dele (Provérbios 19:18).

Que todas estas palavras que hoje lhe ordeno estejam em seu coração. Ensine-as com persistência a seus filhos. Converse sobre elas quando estiver sentado em casa, quando estiver andando pelo caminho, quando se deitar e quando se levantar (Deuteronômio 6:6-7).

Provérbios 22:6 ilustra a importância de se instruir os filhos enquanto eles ainda são pequenos. Quando estiverem maiores (ou crescidos), eles "não se desviarão deles". Estudos bem-conceituados têm mostrado que o caráter básico de uma criança está formado por volta dos sete anos. O que fracassamos em ensinar e transmitir aos nossos filhos durante seus primeiros sete anos, eles aprenderão mais tarde só que com grande dificuldade, se o fizerem. A instrução logo no início estabelece o fundamento para a vida mais tarde. Mesmo quando crianças mais velhas e adolescentes testam seus limites (como sempre o fazem), geralmente retornam às crenças e valores aprendidos nos seus primeiros anos, se essas lições foram ensinadas com integridade e coerência e através dos exemplos dos pais.

O caráter básico de uma criança está formado por volta dos sete anos

Uma boa criação sempre envolve instrução. Isto acontece porque, em primeiro lugar, *os filhos precisam dela.* A instrução não é o mesmo que aconselhamento. Alguns pais tentam aconselhar seus filhos independentemente da idade. Geralmente, o aconselhamento de crianças pequenas será menos eficaz. As crianças pequenas necessitam ser instruídas a obedecer primeiro e depois compreender por quê. Isto é para sua própria proteção. Conforme crescem em raciocínio e habilidades analíticas, serão mais capazes de compreender o "porquê" de sua instrução. Devemos ter o cuidado de não cometer o erro de tentar aconselhar nossos filhos antes de estarem prontos.

Uma boa criação sempre envolve instrução

Em segundo lugar, os filhos não podem instruir a si mesmos. Isto nem precisaria ser dito, contudo, ainda existem muitos pais que basicamente deixam seus filhos tomarem todas as próprias decisões e geralmente tratar de sua própria vida, mesmo na mais tenra idade. A instrução dos filhos praticamente não existe. Quando questionados, estes pais com frequência defendem suas próprias atitudes (ou inércia), alegando que não querem impor suas próprias crenças às crianças ou limitar sua liberdade de escolha de seu próprio caminho. Isto é pura loucura e uma receita para um desastre porque as crianças ainda não desenvolveram a capacidade para fazer escolha maduras e racionais. Precisam de orientação clara e firme de adultos que podem lhes mostrar o caminho. Precisam da instrução dos pais.

Em terceiro lugar, *a instrução deve ser* deliberada. A criação e o ensino dos filhos é uma tarefa muito importante para ser abordada de forma casual ou fortuita. Os pais devem voluntária e deliberadamente assumir esta responsabilidade. Somos a primeira linha de defesa de nossos filhos, a primeira e mais importante fonte de sua instrução e exemplo. Boa ou má, certa ou errada, nossas crianças assumirão a nossa orientação. Nossa instrução e exemplo devem ser justos, coerentes e unificados. No que diz respeito às regras da família, rotina e disciplina, os pais deveriam sempre apresentar uma linha de frente unida de forma que seus filhos não aprendam a jogar os pais uns contra os outros.

Boa ou má, certa ou errada, nossas crianças assumirão a nossa orientação

Em quarto lugar, *a instrução é aplicada a longo prazo.* Não devemos esperar que nossos filhos sejam bons instantaneamente ou aprendam tudo na primeira vez que lhes for dito. A instrução é um processo de desenvolvimento. A maturidade não chega do dia para a noite. Como pais devemos olhar sempre à frente para o futuro de nossos filhos e para seus futuros filhos. Quando instrução e disciplina estão envolvidas, sofrimento a curto prazo significa benefício a longo prazo. Pode cortar nosso coração impor a dor da disciplina aos nossos filhos e vê-los em lágrimas, mas a meta a longo prazo de prepará-los para que vivam como adultos responsáveis justifica o sofrimento a curto prazo, disciplinando-os enquanto são pequenos.

Finalmente, o fracasso na instrução é um compromisso com a destruição da criança. Lembre-se de Provérbios 19:18: "Discipline seu filho, pois nisso há esperança; não queira a morte dele". Esse versículo nos diz que nosso fracasso na disciplina de nossos filhos faz com que sejamos participantes de sua destruição. Se eles forem mal e arruinarem suas vidas porque nós não os ensinados adequadamente, então, nós arcamos com o peso da responsabilidade disso. Tornamo-nos cúmplices involuntários de sua ruína, em parceria com aquelas forças do mundo que procuram destruir nossas crianças.

Seja o motor, não o vagão

Tenho uma palavra final de recomendação aos pais ou para aqueles que desejam ser pais. *Seja o motor, não o vagão.* O motor fornece a energia para um trem e determina tanto a direção quanto o ritmo em que ele irá viajar. Como todos os outros carros o vagão segue o motor; nunca dirige. Onde quer que o motor vá, o vagão vai. Se o trem é uma analogia da família, então, os pais são o motor e os filhos, os vagões. Os filhos deveriam ir para onde seus pais os levarem. Os pais vão à frente de seus filhos, determinando a direção e a velocidade. Contanto que o motor chegue em segurança ao seu destino, o restante do trem também chegará.

Um dos grandes problemas de muitas famílias é que os pais têm se permitido ser os vagões. Seus filhos tomaram o controle do motor, saíram e estão correndo sem senso de direção ou propósito, e tudo o que os pais podem fazer é serem arrastados juntamente com o "trem" de sua família descendo os trilhos em alta velocidade. O descarrilamento e destruição, consequentemente, são praticamente certos. Seja o que for que façamos como pais, nunca devemos permitir que nossos filhos dirijam o trem.

O motor determina em qual trilho o trem segue. Da mesma forma, nós, como pais, determinamos aonde nossos filhos vão e no que eles se tornam pelos trilhos nos quais colocamos nossas próprias vidas. À nossa frente há uma bifurcação nos trilhos, e podemos mudar nosso trem para um ou outro caminho. Um conduz à vida, saúde e prosperidade, ao passo que o outro leva à morte e destruição. A escolha é nossa. Qual caminho seguiremos?

Seja o que for que façamos como pais, nunca devemos permitir que nossos filhos dirijam o trem

Deus está procurando uma descendência consagrada. Ele quer que nós escolhamos vida para nós mesmos e nossos filhos. Nas palavras de Moisés, o "amigo de Deus": *Hoje invoco os céus e a terra como testemunhas contra vocês, de que coloquei diante de vocês a vida e a morte, a bênção e a maldição. Agora escolham a vida, para que vocês e os seus filhos vivam, e para que vocês amem o Senhor, o seu Deus, ouçam a sua voz e se apeguem firmemente a ele. Pois o Senhor é a sua vida, e ele lhes dará muitos anos na terra que jurou dar aos seus antepassados, Abraão, Isaque e Jacó* (Deuteronômio 30:19-20).

Os filhos necessitam de amor, orientação, instrução, disciplina e proteção que somente os pais podem propiciar. A força e a saúde da próxima geração dependem da fidelidade e diligência dos pais desta geração. Os casais unidos pelo matrimônio que decidem ter filhos escolhem uma coisa boa. Isso mesmo, criar filhos é uma responsabilidade fantástica que carrega uma parcela significativa de frustração, dor de cabeça e estresse. Mais do que isso, entretanto, a criação é um privilégio maravilhoso que é acompanhado por grande alegria, profunda satisfação e abundante esperança no futuro.

PRINCÍPIOS

1. O planejamento familiar envolve tomar decisões deliberadas *antecipadamente* para evitar gravidez indesejada e limitar o tamanho de uma família ao número de filhos que os pais podem adequadamente amar, sustentar, alimentar, educar e proteger.
2. O planejamento familiar envolve responder a três perguntas com respeito aos filhos: "Nós queremos ter filhos?"; "Quando?"; e "Quantos?"
3. A fim de que cresçam saudáveis, as crianças precisam de um ambiente doméstico que seja estável financeira, emocional e espiritualmente.
4. O exemplo é o maior professor de todos, e os filhos aprendem mais do estilo de vida exemplificado por seus pais do que de qualquer coisa que eles digam. As ações realmente falam mais alto do que as palavras.
5. Uma criação eficiente é dedicada, deliberada e cautelosa.
6. A criação deve reproduzir a natureza dos pais na criança.
7. A criação deve reproduzir o caráter dos pais na criança.
8. A criação deve reproduzir o comportamento dos pais na criança.
9. A ordem de Deus é simples: pais, instruam seus filhos.
10. Os pais devem ser os motores, não os vagões.

CAPÍTULO OITO

Vivendo sob o ÁGAPE

Um casamento que dura uma vida inteira deve ser construído sob uma sólida fundação que não irá apodrecer, sofrer erosão, ser destruída com o passar do tempo. Um relacionamento conjugal bem-sucedido, feliz e produtivo deve ser construído sobre princípios que são permanentes, não temporários; forjado por coisas que duram, que não desaparecem.

A atração física não fará isso! A beleza externa desaparece com o tempo. O cabelo se torna cinza, branco ou cai, os dentes também caem, a pele enruga, os músculos se tornam flácidos, as cinturas aumentam, a visão e a audição diminuem. Se você construiu seu relacionamento conjugal baseado na atração física, o que fará quando os atributos que o atraíram inicialmente desaparecerem?

O sexo também não irá manter o relacionamento conjugal. As vontades e atitudes mudam e evoluem. Com o aumento da idade, tanto a capacidade do desempenho sexual quanto o interesse nas atividades sexuais diminuem. Ao mesmo tempo, um apetite que é cem por cento físico e químico é insuficiente por si só para estimular e sustentar um relacionamento que é essencialmente espiritual por natureza.

As finanças também não farão esse trabalho. Em função dos declínios econômicos, a perda de trabalho, incapacidade física, o *status* financeiro pode mudar de forma drástica e rápida. Um casamento baseado exclusiva ou principalmente em fatores econômicos, em potenciais salários ou lucros é uma receita para o fracasso.

Posses ou bens não fazem isso também. Por mais permanentes e substanciais que as coisas materiais possam parecer, são apenas temporárias e podem voar para longe com a brisa da manhã. É só perguntar a qualquer um que tenha perdido repentinamente tudo em um incêndio ou em um furacão desastroso. Além do mais, centrar nossa vida ou casamento em torno de acúmulo de bens simplesmente cria uma ânsia insaciável por mais, um desejo que nunca pode ser satisfeito.

Sobre o que, então, um casal unido pelo matrimônio pode construir um relacionamento feliz, seguro e duradouro? Qual fundamento resistirá ao teste do tempo e das tempestades da adversidade? Espero ter deixado claro ao longo deste livro que o único alicerce seguro para um casamento para toda a vida é o amor *ágape*, o amor sacrificial que tem sua fonte e origem somente em Deus. Apenas o que provém de Deus irá durar, qualquer outra coisa é transitória. Ao escrever para a comunidade de fiéis em Corinto, Paulo tinha isto para dizer sobre a qualidade duradoura do ágape:

> *O amor nunca perece; mas as profecias desaparecerão, as línguas cessarão, o conhecimento passará. Pois em parte conhecemos e em parte profetizamos; quando, porém, vier o que é perfeito, o que é imperfeito desaparecerá. Assim, permanecem agora estes três: a fé, a esperança e o amor. O maior deles, porém, é o amor* (1 Coríntios 13:8-10,13).

No final, a fé, esperança e o amor permanecerão. Todos eles têm sua origem em Deus, e o amor (*ágape*) é o maior dos três. Isto é assim porque a fé e a esperança procedem do amor Deus e somente podem existir no contexto de Sua presença. Por Deus ser eterno e *ágape* ser Sua própria natureza, Seu amor nunca falha. Profecias, línguas e conhecimento — todas as coisas que nos parecem tão permanentes — um dia desaparecerão. Estas coisas também têm sua origem em Deus, mas foram por Ele concebidas para serem temporárias por natureza. Quando tiverem cumprido seu propósito, desaparecerão. É diferente com o amor. O *ágape* é eterno; nunca desaparecerá.

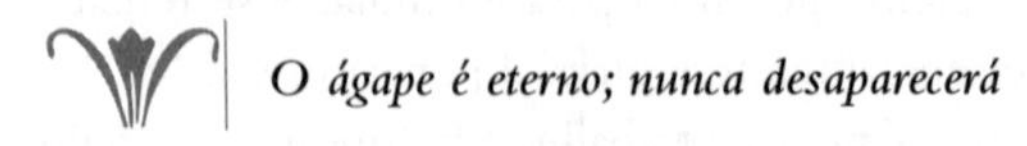

O ágape é eterno; nunca desaparecerá

O amor é uma dívida contínua

No capítulo um aprendemos que o *ágape* é um amor incondicional — um amor sem motivo — o tipo de amor sacrificial, altruísta que

Jesus demonstrou quando morreu na cruz por nossos pecados. Um amor sem motivo significa amar independentemente da simpatia das pessoas envolvidas e se elas correspondem ou não a esse amor. O *ágape* não estabelece condições, não faz exigências e não possui expectativas. Não tem nenhuma garantia exceto sua garantia em si mesmo.

Um casamento baseado no *ágape*, então, é um relacionamento *sem papéis,* porque os cônjuges se amam incondicionalmente, sacrificialmente e sem expectativas fixas de um para com o outro. Sustentado pelo amor, seu relacionamento é caracterizado pela resposta às necessidades em vez de obedecer a papéis fixos.

Para os crentes, o *ágape* deveria ser a força motivadora e diretiva por trás de todos os relacionamentos, casamentos ou demais relações. Simão Pedro, um dos amigos e discípulos mais próximos de Jesus, tinha isto a dizer sobre a natureza incondicional, sem expectativas do *ágape*: "Sobretudo, amem-se sinceramente uns aos outros, porque o *amor perdoa muitíssimos pecados"* (1 Pedro 4:8, ênfases acrescentadas). O *ágape* não negligencia ou ignora o pecado; *perdoa o pecado,* exatamente como o sangue de Jesus perdoou nossos pecados para colocar nosso relacionamento em ordem com Deus. No casamento, o *ágape* significa que os cônjuges, em vez de negligenciar suas mútuas falhas e fraquezas, relacionam-se de forma redentora um com o outro e permitem que o amor supere os defeitos recíprocos, sem permitir que se tornem pontos de discussão e conflito.

O amor é um débito contínuo que um deve ao outro, um débito que nunca deveria ser liquidado. Paulo deixou isto claro quando escreveu aos crentes em Roma, "Não devam nada a ninguém, a não ser o amor de uns pelos outros, pois aquele que ama seu próximo tem cumprido a Lei" (Romanos 13:8). Se adquirirmos o hábito de imaginar que estamos sempre em dívida de amor para com nossos cônjuges, estaríamos menos inclinados a nos ofender quando eles dizem ou fazem alguma coisa que não gostamos. A implicação das palavras de Paulo é que devemos amar os outros *sempre,* independentemente de sua atitude ou reação para conosco.

Se adquirirmos o hábito de imaginar que estamos sempre em dívida de amor para com nossos cônjuges, estaríamos menos inclinados a nos ofender quando eles dizem ou fazem alguma coisa que não gostamos

O amor nunca acaba

Quais são então as implicações práticas para os casais casados sob o *ágape*? Compreender a resposta exige em primeiro lugar um bom trabalho de definição de *ágape* em termos práticos. Creio que não poderíamos encontrar uma melhor definição do que a que consta no capítulo treze da primeira carta de Paulo aos crentes de Corinto:

> *O amor é paciente, o amor é bondoso. Não inveja, não se vangloria, não se orgulha. Não maltrata, não procura seus interesses, não se ira facilmente, não guarda rancor. O amor não se alegra com a injustiça, mas se alegra com a verdade. Tudo sofre, tudo crê, tudo espera, tudo suporta. O amor nunca perece* (1 Coríntios 13:4-8).

Vamos considerar cada um destes pontos brevemente com respeito ao relacionamento entre maridos e esposas. Em todos os momentos e em todas as coisas devemos ter o cuidado de acatar as palavras de Jesus, "Como vocês querem que os outros lhes façam, façam também vocês a eles" (Lucas 6:31).

O amor é paciente. Sempre se lembre de que ninguém é perfeito. Todos temos nossas falhas e imperfeições, nossas próprias particularidades, hábitos e manias irritantes. Todo mundo entra no casamento com uma determinada quantidade de bagagem emocional, psicológica e espiritual. Ajustar essa mútua singularidade leva tempo e *paciência*. A Bíblia com frequência utiliza a palavra *longanimidade* para paciência, que realmente capta a ideia do que estamos falando aqui. O amor paciente faz concessões às diferenças individuais e busca compreender antes de falar ou julgar. No relacionamento em nosso casamento todos nós precisamos de concessões saudáveis de graça, não apenas aquelas que oferecemos aos nossos cônjuges, mas também aquelas que eles nos oferecem. O amor paciente é cheio de graça. Em vez de encontrar o defeito, busca ajudar a outra pessoa a alcançar seu pleno potencial e individualidade em Cristo.

O amor paciente é cheio de graça

O amor é bondoso. A palavra grega para "bondoso" no versículo 4 significa literalmente "mostrar-se útil" ou "agir com benevolência".

O amor bondoso está sempre buscando os melhores interesses da outra pessoa, ativamente procurando maneiras de ajudar, confortar, incentivar, fortalecer e exaltar o outro. Aqui é quando entra em jogo lembrar-se das pequenas coisas — um elogio, um cartão, um buquê de rosas. Entretanto, há mais envolvido aqui do que simplesmente atenção. A bondade é ativa, um empenho deliberado que busca o bem-estar do outro. É gentil e terna, contudo, firme e rígida quando necessário, recusando-se a ficar de braços cruzados e permitir que seus amados se empenhem em comportamentos autodestrutivos. Às vezes o maior ato de bondade é intervir forçosamente a fim de evitar que alguém que amamos continue em seu caminho em direção à ruína. O amor bondoso é também um amor rigoroso.

A bondade é ativa, um empenho deliberado que busca o bem-estar do outro

O amor não inveja. O *ágape* é um amor que permanece seguro de si mesmo e de seus relacionamentos. Quando vivemos sob o *ágape*, nos sentiremos à vontade com quem somos, com nosso *status* e relacionamentos com os outros. Não nos sentiremos ameaçados por seu sucesso ou teremos inveja de sua felicidade. Pelo contrário, iremos ativa e sinceramente nos alegrar com eles por estas coisas. Invejar significa ser impaciente, ansioso ou impulsivo por ou contra alguém, e é muito parecido com o ciúme. Seguro e confiante como é, o *ágape* retira as garras da inveja e do ciúme deixando-os impotentes. Amor não invejoso significa que quando uma esposa recebe uma boa promoção em seu trabalho, seu marido não se sente ameaçado ou competindo com o sucesso dela, mas honestamente se alegra com ela. Quer dizer que quando um marido é honrado por seus colegas, sua esposa sinceramente irá se orgulhar do reconhecimento e não terá medo de que a atenção lhe será tomada. O amor que não inveja é o amor que aprendeu a estar satisfeito, sejam quais forem as circunstâncias.

O ÁGAPE é um amor que permanece seguro de si mesmo e de seus relacionamentos

O amor não se vangloria. Literalmente, vangloriar-se significa bancar o fanfarrão. Um fanfarrão é uma pessoa que está sempre alardeando seus próprios méritos. Deseja certificar-se de que todos conheçam seus dons e realizações. Na realidade, os fanfarrões geralmente são de pouca utilidade para qualquer um, porque passam todo seu tempo se vangloriando. O amor, por outro lado, está sempre muito ocupado *fazendo* o bem para perder tempo falando sobre isso. Aqueles que vivem sob o *ágape* não têm necessidade nem ímpeto de se vangloriar, porque encontram sua realização e propósito não no orgulho e reconhecimento dos homens, mas na oportunidade de satisfazer as necessidades dos outros no nome de Cristo. Se sentimos necessidade de alardear ou exibir nosso amor, isso é um sinal claro de que não existe amor presente. O *ágape* não necessita nem procura se vangloriar. O verdadeiro amor revela-se através de ações e quando está presente todos sabem disso.

O amor está sempre muito ocupado FAZENDO o bem para perder tempo falando sobre isso

O amor não se orgulha. O orgulho é o grande pecado da humanidade, o pecado de Adão e Eva que trouxe sua queda no Éden. A palavra grega literalmente refere-se a um par de foles cheios de ar. Uma pessoa orgulhosa é arrogante, tem um ego inflado que é inchado de orgulho, uma vã autoconfiança; é seguro, satisfeito com seus próprios poderes, talentos e conhecimento. O amor é exatamente o oposto: humilde, gentil, nunca violento. As famílias que vivem sob o *ágape* tratam uns aos outros com dignidade, honra e respeito, porque sabem que são igualmente dependentes de Deus para todas as coisas e igualmente em dívida para com Ele por seu perdão e posição justa com Ele através de Cristo. O orgulho sempre enfoca o *eu,* o *ágape* nunca faz isso, ao contrário, concentra-se em Deus e nas outras pessoas. O *ágape* destrói o orgulho, porque onde está o amor, ele ocupa todo espaço, e não há lugar para o orgulho.

O ágape destrói o orgulho, porque onde está o amor, ele ocupa todo espaço, e não há lugar para o orgulho

O amor não maltrata. Em muitos segmentos da sociedade moderna, a grosseria parece lugar comum, até esperada. No entanto, o comportamento cortês nunca saiu de moda. Boas maneiras são sempre apropriadas. Grosseria significa agir de forma inconveniente, imprópria ou rude e de modo digno de censura. O amor busca sempre agir de forma adequada e conveniente em cada circunstância e relacionamento da vida. Isto significa mostrar a devida honra e respeito pela condição e opinião dos outros, quer estejam em uma posição mais alta ou mais baixa que nós. Todas as pessoas, independentemente do *status*, merecem respeito e cortesia. As pessoas que vivem sob o *ágape* estão atentas para manter o apropriado comportamento e consideração e em todos os relacionamentos da vida: marido, esposa, pais, criança, irmão, irmã, filho ou filha. O amor que não maltrata também age de forma a evitar qualquer coisa poderia vir a infringir a civilidade.

Boas maneiras são sempre apropriadas

O amor não procura seus interesses. Esta é outra forma de definir um amor *sem papéis* — um amor sem condições ou expectativas. O *ágape* não tem motivos dissimulados ou egoístas; é incondicional. O amor condicional estabelece limites; o *ágape* não o faz. Este tipo de amor procura o bem-estar dos outros ainda que à custa da autonegação e sacrifício pessoal. Viver sob o *ágape* significa que não estamos preocupados fundamentalmente em buscar nossa própria felicidade, mas a felicidade dos outros, e que não procuraremos nossa felicidade em detrimento dos outros. As pessoas que vivem sob o *ágape*, dedicam-se ao propósito de fazer o bem, exatamente como Jesus o fez (vide Atos 10:38).

As pessoas que vivem sob o ágape, dedicam-se ao propósito de fazer o bem, exatamente como Jesus o fez

O amor não se ira facilmente. Isto significa que é preciso muito para nos provocar. Nós não mordemos a isca nem deixamos que a raiva nos domine. A palavra grega carrega a ideia de irritação ou aspereza de espírito. O *ágape*, embora não seja brando ou ingênuo, também não se comporta de maneira indelicada. Se somos governados pelo *ágape*, não estaremos propensos à provocação ou raiva violenta, sempre mantendo a calma. Não seremos rápidos para julgar ou para tirar conclusões, mas daremos aos outros o benefício da dúvida. Não nos descontrolamos ou agimos sem pensar sempre que qualquer coisa não nos agrade. Em vez disso, lembramo-nos das palavras de Tiago, o meio-irmão de Jesus: "Sejam todos prontos para ouvir, tardios para falar e tardios para irar-se, pois a ira do homem não produz a justiça de Deus" (Tiago 1:19-20).

O amor não guarda rancor. Há duas ideias em mente aqui. Primeira, o amor não "mantém inventário" de erros, mágoas, insultos ou ofensas, visando "devolver na mesma moeda". Em outras palavras, o amor não tem interesse em "ficar quite". O desejo de vingança é um dos impulsos mais destrutivos no campo todo dos relacionamentos humanos. As pessoas guiadas pelo *ágape* não ficam trazendo à tona os erros do passado para jogar na cara do ofensor. A segunda ideia é que o *ágape* sempre atribui os mais puros e os mais elevados motivos às ações dos outros. Isto não significa ser ingênuo ou bobo, mas quer dizer buscar e pensar o melhor de qualquer pessoa. Significa nem receber nem passar uma fofoca ou uma informação prejudicial sobre outra pessoa. O *ágape* nunca faz o "jogo da culpa" e mantém a mais elevada opinião a respeito dos outros até que haja uma clara indicação do contrário.

O amor não "mantém inventário" de erros, mágoas, insultos ou ofensas, visando "devolver na mesma moeda"

O amor não se alegra com a injustiça. O salmista escreveu, "Como é feliz aquele que não segue o conselho dos ímpios, não imita a conduta dos pecadores, nem se assenta na roda dos zombadores!" (Salmo 1:1). Esse é o pensamento que está presente aqui. O *ágape* não só se recusa a se associar de forma alguma com a perversidade e maldade, mas também lamenta sua presença nos assuntos e na vida dos homens. Se estamos sob o governo do *ágape*, não encontraremos nenhum prazer no pecado nem no nosso próprio nem no de qualquer outra pessoa. Notícias acerca da infelicidade dos outros, mesmo dos inimigos, irá nos entristecer, porque o *ágape* deseja o melhor para todos, e, sobretudo, o arrependimento e a salvação daqueles que estão distantes de Deus.

Se estamos sob o governo do ágape, não encontraremos nenhum prazer no pecado nem no nosso próprio nem no de qualquer outra pessoa

O amor se alegra com a verdade. O Salmo 1 continua descrevendo o homem "feliz": "Ao contrário, sua satisfação está na lei do Senhor, e nessa lei medita dia e noite." (Salmo 1:2). Não há nenhuma verdade maior do que a Palavra de Deus, e aqueles que vivem sob o *ágape* terão verdadeiro deleite nela. Nós iremos ler, estudar, discutir, compartilhar, ensinar a Palavra aos nossos filhos e proclamá-la a um mundo agonizante e sombrio. Regozijar-se com a verdade também significa ficar genuinamente feliz com o sucesso honesto e honrado dos outros, até mesmo das pessoas que discordam de nós ou com quem temos dificuldade de nos entender. Quer dizer celebrar quando a justiça prevalece e quando a injustiça é destruída. Alegrar-se com a verdade significa ficarmos felizes quando as pessoas saem de uma ignorância autolimitadora ou restritiva. O *ágape* regozija-se tanto que se torna pessoalmente envolvido em servir e trabalhar para a verdade.

O amor sempre protege. A palavra grega para "proteger" significa literalmente "cobrir", como com um telhado e "esconder ou ocultar". Neste sentido, então, o *ágape* está sempre atento para esconder as imperfeições ou defeitos dos outros em vez de divulgá-los para o mundo. Com respeito ao casamento e a família, isto significa que um marido "cobre" sua esposa, e os dois cobrem e protegem seus filhos, dependendo o tempo todo da proteção e cobertura do *ágape* de Deus sobre suas vidas, circunstâncias e bem-estar. O *ágape* é o escudo ou barreira que isola uma família dos ataques violentos e rudes da vida, que desagregam os valores em um mundo pecaminoso.

O amor sempre confia. Isto é verdadeiro, antes de tudo, no que diz respeito a Deus. Uma vez que o *ágape* tem sua fonte somente em Deus, sua própria vida está envolvida apenas Nele. Se somos guiados pelo *ágape*, confiaremos no Senhor em todas as coisas e O buscaremos para obter sabedoria, liderança e discernimento em cada assunto da vida, quer seja em casa, no trabalho ou qualquer outra coisa. A confiança em

Deus irá permear nossa conversa, assim como cada relacionamento tanto com a família quanto com os amigos. Além disso, o amor que sempre confia denota ter fé nas outras pessoas, não ao ponto da ingenuidade, mas acreditando no melhor delas, a menos que haja uma clara evidência do contrário. Neste sentido, é semelhante à qualidade de não manter um registro dos erros. O *ágape* pressupõe e se agrada da virtude e dos bons sentimentos dos outros.

O amor sempre espera. O que se entende aqui é que não se trata de um tipo de esperança sonhadora, uma criação ilusória de fatos que se desejaria que fosse realidade conforme o mundo entende. A esperança *ágape* — a esperança bíblica — é fundamentada solidamente no fato realizado e nas promessas de Deus. Por causa disto, se estamos vivendo sob o *ágape*, podemos ter uma expectativa confiante e garantida de que nossas vidas se sairão bem. Estamos nas mãos capazes de um Deus amoroso que nos prometeu: "Porque sou eu que conheço os planos que tenho para vocês ... planos de fazê-los prosperar e não de lhes causar dano, planos de dar-lhes esperança e um futuro" (Jeremias 29:11). O *ágape* sempre vê o lado agradável das coisas tanto no reino físico quanto no espiritual, não através da negação, que recusa o conhecimento, sofrimento, tristeza e adversidade, mas através de um otimismo que se recusa a desesperar, porque está fundamentado na natureza infalível das promessas de Deus.

A esperança ÁGAPE — a esperança bíblica — é fundamentada solidamente no fato realizado e nas promessas de Deus

O amor sempre persevera. Quando tudo mais falhar (ou parecer falhar) o amor nunca desiste. Persevera até o fim. Pais amorosos nunca desistem de seus filhos, nunca deixam de amar, orar por eles, independentemente do quanto rebeldes e teimosos possam ser. O amor é eterno, e uma vez que o *ágape* tem sua fonte em Deus, é eterno também. Portanto, por natureza e definição, o *ágape* sempre persevera. O *ágape* se mantém firme sob perseguição, difamação, adversidade, abuso, falsas acusações, ingratidão — qualquer coisa. A qualidade da perseverança do *ágape* é o que Jesus demonstrou quando orou na cruz por Seus inimigos e executores: "Jesus disse: "Pai, perdoa-lhes, pois não sabem o que estão fazendo" (Lucas 23:34).

O amor nunca falha. Esta declaração resume tudo que foi dito antes. A palavra *falha* aqui é usada em um sentido de algo que cede, recua ou deixa de existir. O amor é eterno. As profecias, línguas e conhecimento passarão um dia, mas o *ágape* nunca falhará. Este mundo em que vivemos, assim como todo o universo, irá ao final desaparecer, mas o *ágape* nunca irá falhar. O *ágape* é um pedacinho do Céu na terra agora mesmo e permanecerá para caracterizar a vida para todo o povo de Deus no novo Céu e na nova terra que estão por vir. Embora tudo isso possa desaparecer, o amor permanecerá. O *ágape* nunca falhará.

~

Aprender a viver sob o *ágape* é o ponto-chave para compreender o amor que dura a vida toda. Todo casal enfrenta esta questão, "Está bem, estamos casados, e agora?" A sociedade moderna lhes oferece muitas opções diferentes, uma multiplicidade de vozes que apresentam conselhos ou recomendações. O mundo tem muito a dizer sobre o amor — bom e mau, certo e errado — mas ninguém entende o amor do jeito que Deus o faz, porque Deus é amor (vide 1 João 4:16). Se desejamos compreender o amor, precisamos ir à fonte. Se desejamos crescer e viver um casamento bem-sucedido, duradouro, precisamos consultar o fabricante. O casamento é uma jornada ousada e cada viajante nessa estrada precisa de um Guia confiável e de um manual legítimo. Se vocês são recém-casados que estão apenas iniciando sua jornada juntos ou veteranos experientes buscando enriquecer e se atualizar ao longo do caminho, comprometam suas vidas e casamento com o Senhor. Vivam por Ele e sigam-No com alegria e satisfação ao longo do caminho. Considerem as palavras de um homem sábio:

Confie no Senhor de todo o seu coração e não se apóie em seu próprio entendimento; reconheça o Senhor em todos os seus caminhos, e ele endireitará as suas veredas (Provérbios 3:5-6).

PRINCÍPIOS

1. O único alicerce seguro para um casamento para toda a vida é o *ágape*, o amor sacrificial que tem sua fonte e origem somente em Deus.
2. O amor é um débito contínuo que um deve ao outro, um débito que nunca deveria ser liquidado.
3. *O ágape* é paciente.
4. *O ágape* é bondoso.
5. *O ágape* não inveja.
6. *O ágape* não se vangloria.
7. *O ágape* não se orgulha.
8. *O ágape* não maltrata.
9. *O ágape* não procura seus interesses.
10. *O ágape* não se ira facilmente.
11. *O ágape* não guarda rancor.
12. *O ágape* não se alegra com a injustiça.
13. *O ágape* se alegra com a verdade.
14. *O ágape* sempre protege.
15. *O ágape* sempre confia.
16. *O ágape* sempre espera.
17. *O ágape* sempre persevera.
18. *O ágape* nunca falha.